Círculos de mulheres

CIP-BRASIL. CATALOGAÇÃO NA FONTE
SINDICATO NACIONAL DOS EDITORES DE LIVROS, RJ

P651c

Picchia, Beatriz Del
Círculos de mulheres : as novas irmandades / Beatriz Del Picchia, Cristina Balieiro. - São Paulo : Ágora, 2019.
280 p.

Inclui bibliografia
ISBN 978-85-7183-219-0

1. Mulheres - Filosofia. 2. Mulheres - Condições sociais. 3. Teoria feminista. I. Balieiro, Cristina. II. Título.

19-54766

CDD:305.42
CDU:141.72

Meri Gleice Rodrigues de Souza - Bibliotecária CRB-7/6439

www.editoraagora.com.br

Compre em lugar de fotocopiar.
Cada real que você dá por um livro recompensa seus autores
e os convida a produzir mais sobre o tema;
incentiva seus editores a encomendar, traduzir e publicar
outras obras sobre o assunto;
e paga aos livreiros por estocar e levar até você livros
para a sua informação e o seu entretenimento.
Cada real que você dá pela fotocópia não autorizada de um livro
financia o crime
e ajuda a matar a produção intelectual de seu país.

Círculos de mulheres

As novas irmandades

Beatriz Del Picchia
Cristina Balieiro

EDITORA
ÁGORA

CÍRCULOS DE MULHERES
As novas irmandades

Copyright © 2019 by Beatriz Del Picchia e Cristina Balieiro
Direitos desta edição reservados por Summus Editorial

Editora executiva: **Soraia Bini Cury**
Assistente editorial: **Michelle Campos**
Ilustrações de capa e miolo: **Cristina Balieiro**
Projeto gráfico, capa e diagramação: **Santana**
Impressão: **Sumago Gráfica Editorial**

Editora Ágora
Departamento editorial
Rua Itapicuru, 613 – 7º andar
05006-000 – São Paulo – SP
Fone: (11) 3872-3322
Fax: (11) 3872-7476
http://www.editoraagora.com.br
e-mail: agora@editoraagora.com.br

Atendimento ao consumidor
Summus Editorial
Fone: (11) 3865-9890

Vendas por atacado
Fone: (11) 3873-8638
Fax: (11) 3872-7476
e-mail: vendas@summus.com.br
Impresso no Brasil

Dedicamos este livro a todas as mulheres que, de mãos dadas, formam um grande círculo e abraçam o mundo.

Sumário

Prefácio   *9*

Introdução – Que poder é esse?   *11*

1. Círculos de mulheres: conceitos e breve história   *15*

2. A caminho dos círculos: a influência das mães, das avós e da infância   *23*

3. A caminho dos círculos: jornadas e aprendizados   *35*

4. A caminho dos círculos: desafios enfrentados por ser mulher   *46*

5. A condutora de círculos: sombras, luzes, função   *60*

6. Trabalhos com círculos: suas múltiplas formas   *71*

7. Jornadas sombrias nos círculos   *85*

8. Jornadas de cura nos círculos   *95*

9. Formação, questões financeiras e ampliação dos círculos   *106*

Conclusão do que não se conclui   *116*

As entrevistas completas   *121*

Ana Cecília Nasi   *122*

Bianca Zorzam   *134*

Cler Barbiero de Vargas   *143*

Dúnia la Luna   *153*

Jaqueline Conceição da Silva   *167*

Laura Bacellar   *181*

Ma Devi Murti   *193*

Marisa Sanabria   *206*

Patrícia Fox Machado   *219*

Patrícia Pinna Bernardo   *233*

Patrícia Widmer   *244*

Raquel Marques   *253*

Soraya Mariani   *267*

Referências   *278*

Prefácio

Venha, aceite nosso convite, *junte-se a esse círculo.*

Há um lugar para você.

Aqui você poderá ouvir as vozes de muitas mulheres – as de 13 entrevistadas, as nossas, as de curandeiras, feministas, terapeutas, místicas, escritoras, parteiras, batalhadoras, pensadoras, bruxas, mães, avós, irmãs de coração – e as de alguns homens.

Aqui são contadas histórias de círculos e histórias de mulheres, e algumas poderão ser parecidas com as suas. Aqui são narrados desafios, vitórias, feridas e curas que apostamos que são seus também.

Que são de todas nós quando estamos em roda.

Rodas de costura, de pintura, de benzimentos, de tomar café batendo papo; rodas para reivindicar direitos, apoiar companheiras, estudar deusas ou assuntos muito humanos, rodas grandes ou pequenas: quando nelas o feminino é valorizado e libertado dos velhos padrões opressivos, o mundo inteiro fica melhor.

No livro O feminino e o sagrado – Mulheres na jornada do herói, nós tratamos do poder transformador do modelo mítico da jornada do herói refletido na vida pessoal de mulheres de hoje.

Nesta obra, abordamos o poder transformador dos círculos de mulheres – que também têm um aspecto mítico – para a vida pessoal e coletiva não apenas das mulheres, mas de todos os seres humanos.

Um poder tão belo e forte que, se você nos acompanhar, embora pareça que está lendo este livro sozinha, vai perceber que pode nos ouvir e que sua voz também está aqui. Que de alguma forma estamos juntas desde as primeiras vezes em que mulheres se reuniram em círculo, lá no começo do mundo.

Por isso, mesmo que não esteja interessada em círculos, venha.

Entre nesse fluxo, nesse fluir em roda que é das mulheres e do cosmo.

Beatriz Del Picchia e Cristina Balieiro

Introdução – Que poder é esse?

Nós duas já experimentamos muitas vezes o poder inspirador, curativo, transformador e amoroso dos círculos de mulheres.

É difícil acreditar que o que parece ser apenas um grupo de mulheres conversando tenha toda essa potência. Mas tem, e se você já frequentou algum círculo temos certeza de que sabe do que estamos falando. Porém, talvez não consiga explicar isso direito a alguém que nunca foi a um.

Uma de nossas entrevistadas, a Raquel, explica como sentiu a força de um círculo de mulheres que conduziu com duas companheiras:

> Não sei que mágica que tem aí, mas sei que ela não está nas pessoas que mediaram o grupo, está na potência do encontro. Qual é o pulo do gato? Qual é o segredo do sucesso disso? Não sei. Eu sei que saí transformada, Ligia e Caroline também. Saímos verdadeiramente nos sentindo melhor, mudando, buscando outras coisas.

Que potência, mágica, segredo são esses? E por que esse assunto ainda é pouco pesquisado e divulgado?

Primeiro, porque são simples círculos de mulheres e, como tudo que é simples e feminino, não é valorizado pelo sistema patriarcal e complicado em que vivemos.

Segundo, porque até mesmo suas participantes nem sempre percebem todo o potencial que têm nas mãos.

Então, nós nos propusemos a investigar os processos, efeitos, dinâmicas e possibilidades dos círculos de mulheres para que mais de nós possam usufruir de sua potencialidade – e este livro é o resultado dessa pesquisa.

Pretendemos mostrar que círculos de mulheres são ao mesmo tempo um ideal utópico e um modelo de relacionamento igualitário que reforça a irmandade e traz caminhos de cura para muitos problemas e dores femininas ancestrais.

Vamos ver como eles podem transformar positivamente a forma como enxergamos a nós mesmas e a outras mulheres, e consequentemente o modo como procedemos conosco, com elas e com as outras pessoas. Que eles podem nos levar a descobertas que libertam, ampliam e trazem mais poder de escolha à nossa vida. Que podem nos ensinar a receber e a oferecer afeto com mais facilidade, a valorizar o apoio mútuo, a criar redes solidárias e meios de reivindicar direitos. Vamos ver que nos círculos há algo que inspira e eleva as participantes, e que, apesar de serem muito antigos, hoje fazem mais sentido do que nunca.

Agora você pode pensar: "Mas isso parece muito complicado! E se eu quiser apenas participar de uma roda de bordadeiras?"

Acredite, numa roda de bordadeiras todas essas coisas podem acontecer – e ainda se produzirão belíssimos bordados! Essa é uma das maravilhas da ideia, amiga!

Aliás, as artes e o artesanato ancestrais femininos têm tudo que ver com isso. É possível criar círculos incríveis com pouca gente, em lugares modestos e com intenções simples. Você pode criar um na sua casa apenas convidando amigas para cozinhar, estudar um livro ou apenas para comer um bolinho e conversar.

O essencial é que as participantes estejam dispostas a se ouvir com espírito aberto, respeitoso e valorizador do feminino, sem deixar aparecer aqueles velhos preconceitos que reduzem e oprimem as mulheres. Embora, como veremos, esse espírito não seja tão fácil de alcançar em virtude de certos condicionamentos que todas temos, só tentar obtê-lo já vale muito a pena! Seja de megafone na mão na passeata ou com uma xícara de chá na roda de bordados, unidas podemos transformar a nós mesmas e ao mundo.

Essas transformações e os benefícios que os círculos proporcionam estão detalhados neste livro, assim como os aspectos negativos que se refletem neles. Como todo ideal, na vida concreta os círculos estão sujeitos a distorções, deturpações e mal-entendidos, mas está em nossas mãos fazê-los funcionar bem.

O modelo de interação do círculo sempre foi usado por povos tradicionais e continua sendo aplicado em grupos com inúmeras finalidades. Porém, hoje, os círculos de mulheres estão se proliferando expressivamente, como você pode ver inclusive nas redes sociais.

Para nós, isso indica que neste momento ambos – o feminino e esse modelo – estão abrindo a possibilidade de mudanças positivas para toda a sociedade em vários campos.

Hoje há círculos de mulheres com intenções, focos, dinâmicas e formatos extremamente diversificados, e muitos têm condutoras, aquelas que guiam o processo.

Então, para ampliar ao máximo a abrangência de nossa pesquisa, entrevistamos condutoras de círculos de diversos temas. Selecionamos mulheres que conhecíamos pessoalmente ou por meio de seus trabalhos. A mais jovem tem 31 anos; a mais velha, 63. Todas as entrevistas foram gravadas, transcritas, editadas e aprovadas pelas entrevistadas em 2017.

Aqui você vai ver círculos que tratam de questões sociais, políticas e reivindicativas de direitos femininos; de maternidade, parto, sexualidade; dirigidos a mulheres negras e a lésbicas; de busca de uma nova identidade feminina; de cunho mitológico, espiritualista e psicológico e muitos que misturam vários desses temas.

Além das análises das entrevistas e dos estudos de obras que tratam do feminino, do tema específico e de outros correlatos, neste livro estão conteúdos de nossas experiências em círculos de que já participamos ou conduzimos – como o atual, os Encontros de Mitologia do Feminino.

Com isso e mais longas horas de conversas e reflexões, demoramos dois anos, 50 horas de gravação, dez vezes isso em horas de edição e sabe a deusa quanto tempo tentando entender umas coincidências significativas e dicas sutis que recebemos sobre esse trabalho (que às vezes nem foram tão sutis assim). Resumindo, metodologicamente trabalhamos com uma mistura de pesquisa de campo e bibliográfica, valorização de experiências pessoais e atenção às intuições e sincronicidades.

No final de nossa pesquisa de campo, ficamos com 13 entrevistadas. Não foi um número escolhido, foi o que calhou.

Esse tipo de trabalho meio que molda a si mesmo e tem sua lógica, quase como se fosse um terceiro autor além de nós duas. Apesar de saber disso, ficamos um pouco incomodadas com o número, mas depois percebemos a razão dele.

No ciclo de um ano, a Terra dá uma volta completa em torno do Sol e a Lua dá em média 13 voltas de 28 dias ao redor da Terra – ciclo esse relacionado ao ciclo menstrual da mulher. Além disso – ou por causa disso –, algumas tribos nativas norte-americanas compartilham uma lenda, "Treze mães das tribos originais", que reza que a Mãe Cósmica doou à humanidade as 13 lunações de um ciclo solar manifestadas na forma de 13 Avós Matriarcas. Essas avós criaram uma irmandade para unir as mulheres e lhes transmitir a força, a beleza, o amor, a compaixão, o poder e o mistério do sagrado feminino para que elas curem e beneficiem toda a humanidade (Faur, 2015).

Então, o número 13 faz sentido. Afinal, este é um livro sobre círculos, mas principalmente é um livro sobre mulheres.

Assim, além de tratar de temas ligados ao feminino, nós também pedimos às entrevistadas que nos contassem um pouco da trajetória que as levou a ser condutoras. Em seus depoimentos, aparecem muitas questões femininas contemporâneas – por exemplo, ligadas a maternidade, relacionamentos, aspirações, trabalhos etc.

Os desafios, sucessos e incidentes pelos quais passaram são parecidos com os que muitas mulheres enfrentam, e é útil saber como elas lidaram com isso e de que maneira isso influenciou o que são e o que fazem hoje. É interessante ver a grande importância das mães e avós na vida de muitas; é bom conhecer suas iniciativas, sua criatividade, as corajosas mudanças de caminho – e é motivador descobrir como estavam atentas aos chamados para suas jornadas de heroínas!

Sem posar de musas perfeitas – como pode parecer para algumas seguidoras –, elas tiveram coragem de se mostrar imperfeitas e, às vezes, infelizes ou impotentes. Ler suas histórias de vida nos espelha, iguala e inspira como acontece nos círculos de mulheres – o que explica parte de sua mágica e de seu poder.

Vamos revelar muito mais dessa poderosa mágica neste livro, mas avisamos que, como toda boa mágica, o poder dos círculos jamais é totalmente desvendado, sendo percebido apenas na prática. Só aprendemos o pulo do gato se, de alguma forma, nós nos tornamos gatos.

Ou, no caso, gatas.

1 Círculos de mulheres: conceitos e breve história

Qual é a diferença entre um círculo de mulheres e um grupo comum de mulheres? Não se trata da mesma coisa, e vamos destrinchar esse assunto neste capítulo. Veremos que o círculo é um modelo de relacionamento que, na versão feminina, apesar de milenar, é atual e revolucionário.

Milenar mesmo: o círculo de mulheres mais antigo de que temos notícia era um ritual anual de fertilização da Terra que acontecia milênios atrás, na Grécia.

Já no século XX, fazendo uma releitura do mito de Avalon (da corte do Rei Artur e Guinevere), o mitólogo Joseph Campbell criou um círculo misto, a roundtable, que hoje existe em vários países do mundo e, "assim como a Távola Redonda de antigamente, é um lugar onde indivíduo e comunidade se reúnem – um lugar para brincar, planejar, criar, participar de rituais e compartilhar histórias de sua própria busca", como explica o site da Joseph Campbell Foundation.

Em 2004, nós duas nos conhecemos numa roundtable e começamos a conversar sobre nossos mitos da infância, os do Sítio do Pica-Pau Amarelo, de Monteiro Lobato. Seguimos conversando até hoje, escrevemos livros juntas, mantemos um site e criamos uma roundtable focada em mitologias do feminino. Em um desses encontros, levamos como tema exatamente esse ritual de fertilização grego, que foi simbolicamente revivido, compartilhado e atualizado pelas participantes.

Neste capítulo, veremos que "o círculo é um princípio e também uma forma" (Bolen, 2005, p. 61), e que quando ele se manifesta como um círculo de mulheres fica acrescido de tudo que vem do feminino, sendo o futuro gestado neles. Algo novo encontra sua matriz, seu lugar de crescimento e nutrição.

Um provérbio africano reza que "muita gente pequena, em muitos lugares pequenos, fazendo coisas pequenas, mudará a face da Terra". E nós afirmamos que "muitas mulheres, reunidas em círculos grandes e pequenos, mudarão a face da Terra".

CÍRCULOS DE MULHERES, IRMANDADES RENOVADAS

O círculo é um símbolo que aparece no mundo todo. Para falar brevemente, ele pode representar a divindade, o céu, os corpos celestes, a perfeição, o próprio mundo, o tempo, a união – entre alma e corpo, entre a pessoa e a divindade e entre duas pessoas (daí a forma das alianças de casamento).

O círculo tem funções mágicas em muitas sociedades tradicionais; por exemplo, existem diversos rituais nos quais se desenha um círculo em torno do grupo ou da pessoa para criar um espaço interno de proteção, como um "limite mágico infranqueável" (Chevalier, 1989, p. 251-54). Sua forma é relacionada à da mandala, palavra que em sânscrito significa círculo e completude; talvez inspirado nisso, C. G. Jung afirmou que o círculo é uma imagem arquetípica da totalidade da psique, da inteireza psicológica, um símbolo do Self.

Mas o que interessa para nós aqui é que o círculo também representa um modelo de relacionamento humano que está expresso em sua forma. Pense num círculo: repare que nenhum ponto está "acima" ou "abaixo" do outro, todos os pontos são "visíveis" uns aos outros e estão na mesma distância do centro, que é o ponto em comum que os une.

Então, por analogia, o círculo representa um tipo de interação sem hierarquia no qual cada pessoa ocupa uma posição igual à das outras, a comunicação é facilitada pela falta de barreiras à visibilidade e algo em comum conecta todos os participantes.

Agora vejamos item a item como essas características se manifestam nos círculos de mulheres.

Nenhum ponto está "acima" ou "abaixo" do outro

A interação entre as pessoas é igualitária, sem hierarquia nem discriminação. Dessa forma, mesmo que um círculo tenha uma condutora, ela não é mais do que isso: uma condutora *daquele* processo (veja o Capítulo 4). A visão de poder que os círculos de mulheres compartilham não é a do poder de umas sobre as outras, mas a do poder transformador da irmandade, do "todas juntas".

Então, no círculo também não pode haver outras autoridades "acima" das participantes a quem elas devam obedecer ali – se houver, aquele pode ser um grupo de mulheres, mas não um círculo de mulheres. Nestes, as participantes são encaradas como adultas autônomas, capazes e livres para colocar o que pensam sem ter de se submeter a ideias, normas ou prescrições de autoridades de qualquer tipo de dentro ou fora do círculo.

Todos os pontos são "visíveis" uns aos outros e se espelham

A interação em círculo estimula as trocas entre os participantes e o aprendizado por experimentação, identificação e compartilhamento. Em termos práticos, os círculos de mulheres são espaços de aceitação em que todas acolhem as participantes que queiram compartilhar suas experiências. Isso faz que uma sirva de espelho para a outra e permite perceber que a questão de uma é a questão de muitas.

Como afirma nossa entrevistada Patrícia Widmer,

> acredito que o trabalho [nos círculos] traz uma sensação de pertencimento. Ele traz a possibilidade de honrar nossa própria história, de nos ouvirmos falando para o outro aquilo que vai no fundo de nossa alma. Isso faz que a gente tenha a possibilidade de nos enxergar um pouco pelos olhos da outra e ver que nossas dores são muito, muito parecidas, e que algumas são até arquetípicas.

Por conta disso, os círculos são o espaço por excelência para descobrirmos ou redescobrirmos nossa irmandade. As experiências que temos em roda nos induzem a construir ou reencontrar o sentimento de que "somos todas irmãs", que nos iguala inclusive pelas dificuldades comuns trazidas pelo fato de sermos mulheres numa cultura patriarcal. Nos círculos é possível experimentar a liberdade de ser quem se é e, ao mesmo tempo, o sentimento de pertencer a um grupo; há um diálogo construtivo entre o indivíduo e a coletividade.

O centro simbólico conecta a todos os participantes

O centro é o propósito, a motivação, literalmente o "ponto em comum" entre eles. Mas nos verdadeiros círculos existe algo mais, uma identificação das pessoas num nível mais profundo, que é "uma parte invisível da roda, conectada com todas as outras do círculo através do centro" (Bolen, 2005, p. 54). Qualquer que seja seu propósito e tema específico, em qualquer círculo feminino existe outra coisa em comum a todas: o "ser mulher".

A mulher como experiência arquetípica e vivencial é um ponto central e profundo que conecta todas as participantes em todos os círculos de mulheres, seja ele um grupo de bordadeiras, de estudos ou qualquer outro. Todas as interações passam por esse mesmo arquétipo que está constelado nas rodas – e isso traz consequências.

Em resumo, ressaltamos que neste livro assumimos que círculos de mulheres são um modo de relacionamento utópico e ao mesmo tempo um modelo de interação que pode ser usado aqui e agora por todas nós. Eles têm como característica básica o fato de as participantes compartilharem experiências num ambiente de igualdade, acolhimento, escuta, apoio, desenvolvimento e irmandade, facilitando transformações positivas para cada uma e para toda a sociedade.

Claro que esse é o círculo de mulheres ideal, perfeito, utópico. As coisas não acontecem desse jeito nos círculos reais, que são imperfeitos e limitados como tudo que é humano. Trataremos desse assunto nos capítulos 5 e 7, pois não é porque um ideal pode ser deturpado que devemos desistir dele. Ao contrário, um ideal é o horizonte que sabemos estar à frente, mesmo que às vezes fique encoberto pela neblina.

Bem, depois de todas essas explicações, pode parecer que aquela pequena roda de bordadeiras de que falamos na Introdução está com uma lista de atribuições complicadíssimas! Mas só parece.

Tudo isso pode acontecer de forma direta ou indireta, intencional ou não, junto com práticas simples e gostosas, com afazeres criativos, entre risadas e muitas, muitas histórias compartilhadas. Como disse nossa entrevistada Cler: "Sempre que mulheres se reúnem com intenção boa e irmandade – seja para estudar um livro, para bordar, para fazer alguma coisa por alguém – é bom, e é impressionante o que conseguimos juntas!"

Nossa intenção e esperança com este livro é que ele incentive mais mulheres a convidar outras:

— Então, vamos formar um círculo? É apenas uma rodinha de mulheres, só que não. É uma coisa sensacional!

Afinal, apesar de termos hoje mais consciência e condições de levar essas ideias adiante, nós, mulheres, fazemos círculos desde que o mundo é mundo, como veremos a seguir. Nas palavras de Jean Shinoda Bolen (2005, p. 20), "o círculo é uma forma arquetípica que parece familiar à psique da maioria das mulheres. Ele é pessoal e igualitário".

BREVE HISTÓRIA DE CÍRCULOS DE MULHERES: TRÊS EXPERIÊNCIAS ANTIGAS

As mulheres sempre se reuniam para cozinhar, tecer, costurar, lavar roupa, fazer cerâmica, plantar, contar histórias, tratar-se, parir, cuidar de crianças, fazer rituais etc. Mas, como a história sempre foi escrita pelos homens e focada em acontecimentos heroicos, conquistas, ganhadores e perdedores, pouco se sabe sobre o passado das mulheres e sobre o cotidiano das pessoas "comuns".

Especialmente na segunda metade do século XX, a entrada de maior quantidade de pesquisadoras mulheres nos campos da história, dos estudos sociais, da psicologia, da antropologia e da arqueologia fez que essa supremacia da ótica masculina para análise dos fatos do nosso passado começasse a ser revista. E surgiram algumas histórias incríveis e quase desconhecidas sobre grupos femininos.

Vamos contar três das mais antigas, duas da Europa e uma do Brasil.

Milênios atrás, na Grécia, existia um ritual anual de fertilização da Terra exclusivo para mulheres – homens e até animais machos eram proibidos de se aproximar do local – chamado Tesmofória. "Ninguém sabe o início desse ritual. Restos votivos, semelhantes àqueles usados na Tesmofória, têm sido encontrados na velha Europa, datando desde 6.000 a.C." (Zweig, 1994, p. 260).

Feito anualmente, o ritual durava vários dias e era realizado num campo considerado sagrado, irrigado com sangue menstrual – usado como elemento mágico para trazer abundância às colheitas. As mulheres mais velhas, já na menopausa, dirigiam os trabalhos. Ao final, depois de várias ações ritualísticas, todas plantavam sementes e encerravam o ritual consagrado à Serpente, considerada o poder de fertilidade da Terra e dos corpos femininos.

Rituais de fertilidade realizados exclusivamente por mulheres e consagrados a uma força feminina ancestral parecem ter acontecido em inúmeras culturas agrárias em várias regiões do planeta; provavelmente foram os primeiros círculos de mulheres.

Dando agora um salto para a Idade Média, nos séculos XII e XIII, dentro do catolicismo da Europa Ocidental, surgiu um movimento de mulheres que não queriam casar nem ter filhos; que tinham vocação religiosa, mas não queriam ser freiras. Elas procuravam uma vida espiritual não hierárquica – ativa no sentido de prestar auxílio aos necessitados e contemplativa, em que a prece, a meditação e a experiência visionária fossem valorizadas e desenvolvidas.

Essas mulheres, chamadas de beguinas, passaram a residir próximas umas das outras nas periferias das grandes cidades, formando os beguinários, comunidades femininas autossustentáveis. Muitas escreveram obras que só agora estão sendo consideradas explorações notáveis da psicologia e da espiritualidade femininas.

Apesar de cada uma ter seu alojamento, elas compartilhavam as refeições e os trabalhos sem a presença de autoridades internas ou externas, na medida do possível para a época. Claro que isso incomodava, e, embora o papa Honório III tenha reconhecido o movimento, as beguinas foram perseguidas – algumas chegaram a ser queimadas como hereges. Ainda assim, elas persistiram até o século XXI em alguns lugares da Bélgica. A última beguina faleceu em abril de 2013, após 800 anos de história!

Vindo agora para o Brasil de 1820, foi criada na Bahia a Irmandade da Nossa Senhora da Boa Morte, formada exclusivamente por mulheres negras e mestiças descendentes de escravos. A irmandade tinha duas metas principais: coletar ganhos vindos da venda de seus quitutes para comprar cartas de alforria para maridos, filhos e outros escravos; e preservar os rituais das religiões africanas. Mas, no sincretismo religioso típico do Brasil, começavam as cerimônias e rituais pedindo a intercessão de Nossa Senhora da Boa Morte para libertar os escravos.

A partir de 1889, com a promulgação da Lei Áurea, a irmandade passou a se encarregar da organização da festa católica anual de Nossa Senhora da Boa Morte, devoção que divide até hoje com o culto aos Orixás. Essa religiosidade dupla é um dos requisitos para a aceitação de novos membros, além da idade e da ancestralidade – só podem entrar mulheres com mais de 40 anos e descendentes de escravos. Na sede da Irmandade existe um quadro com a seguinte definição: "Organização privativa de mulheres com vínculos étnicos, religiosos e sociais, também unidas por parentescos consanguíneos ou de fé, deixando fluir a maneira afro-brasileira de crer".

Três histórias, tempos e lugares diferentes, mas que mostram que, mesmo com toda repressão, mulheres sempre se reuniam em grupos unicamente femininos para alcançar seus objetivos – fosse a fertilidade da terra, uma espiritualidade mais livre ou comprar alforria para seus irmãos. Enfim, para desafiar o sistema e buscar transformar sua condição de vida.

BREVE HISTÓRIA DOS CÍRCULOS DE MULHERES: O MOVIMENTO FEMINISTA DO SÉCULO XX

Dando mais um salto no tempo, vamos para a segunda metade do século XX: década de 1960, época de enormes mudanças culturais. Foi um momento em que praticamente todos os pressupostos e valores que regiam a vida e o comportamento passaram a ser questionados, especialmente pelos jovens. Esse movimento, chamado de contracultura, se alastrou por todo o mundo ocidental e em sua esteira ressurgiu a luta pelos direitos da mulher.

Nos Estados Unidos, na Europa e na América Latina, pequenos grupos de mulheres começaram a se reunir para discutir de forma ampla a condição feminina. Chamados de "grupos de criação ou expansão de consciência", eles colocavam em xeque não apenas a escassez ou ausência de direitos das mulheres no mundo público, mas também no privado, no casamento, na família – enfim, dentro do "coração" da cultura.

Os grupos reuniam-se na casa das participantes, em cafés, escritórios etc. Nesses encontros, cada mulher deveria falar partindo da própria experiência e não apenas de um ponto de vista teórico. Nenhum aspecto da vida era deixado de lado. Depois de participar de um grupo, cada mulher era encorajada a tornar-se uma formadora de outro "grupo de consciência", e assim estes foram proliferando.

Nesses encontros, as mulheres tomavam consciência das condições opressivas em que viviam e descobriam ter muito mais experiências em comum do que imaginavam. Como afirma a feminista e escritora Gloria Steinem, no livro *Moving beyond words* (*apud* Bolen, 2005, p. 235), a ideia era: "Conte sua verdade pessoal, ouça as histórias das outras mulheres, perceba os temas em comum e descubra que o pessoal é também político – você não está só".

Entre as múltiplas questões levantadas, passou-se a examinar o papel das principais religiões na disseminação da visão da mulher como ser inferior e submisso ao homem, e com isso surgiu o movimento de busca de uma nova espiritualidade mais feminina.

O que esses pequenos grupos fizeram foi questionar as crenças impostas pela cultura patriarcal e desconstruir a visão que as mulheres tinham de si mesmas. Descobriu-se ser possível ver as outras mulheres não como rivais, mas como companheiras, "irmãs" sofrendo das mesmas demandas, repressões e preconceitos só por serem mulheres. E a força da união feminina começou a ser experimentada por muitas.

CÍRCULOS DE MULHERES

Riane Eisler, autora do livro *O cálice e a espada* (2007, p. 58), resume:

"Consciência feminina" é uma expressão que começou a ganhar popularidade nos anos 60. Num nível pessoal, refere-se a um novo modo de enxergamos a nós mesmas e ao mundo, no qual os dogmas convencionais sobre a subordinação das mulheres, por ordem divina ou natural, já não são aceitos. No nível social, refere-se ao resultado de um processo grupal especial: a congregação de mulheres, não apenas para elaborar novas perguntas sobre a natureza da realidade, mas também para apoiar e alimentar umas às outras, numa nova irmandade social. No nível da cultura, refere-se ao reconhecimento crescente de que a subordinação das mulheres e dos valores "femininos", como cuidado, criação e compaixão, está no núcleo de um sistema social anômalo – e crescentemente suicida.

Esses grupos foram uma das faces menos conhecidas, porém de importância fundamental, no movimento feminista que se alastrou mundo afora. E a força dos círculos de mulheres num contexto de aumento de consciência e ao mesmo tempo como método ou tática tem uma relevância que muitas de nós desconhecem, como mostra essa incrível história que Gloria Steinem conta em seu livro de memórias, *Minha vida na estrada* (2017, p. 65-67).

Durante a década de 1950, ela passou dois anos na Índia. Lá visitou vilas no interior, buscando vivenciar a mudança trazida pela luta da independência liderada por Gandhi, e participou de várias reuniões com os aldeões. Diz Gloria: "Pela primeira vez testemunhei a magia ao mesmo tempo antiga e moderna de grupos nos quais qualquer um pode falar, cada um na sua vez, todos devem ouvir, e o consenso é mais importante que o tempo [...] eu podia ver que, porque os seguidores de Gandhi sabiam ouvir, eles também eram ouvidos".

Quando Gloria voltou à Índia no final da década de 1970 a fim de compilar as táticas de Gandhi para que fossem usadas pelos movimentos feministas, entrevistou Kamaladevi Chattopadhyay, líder que havia trabalhado lado a lado com ele. Essa mulher a surpreendeu, dizendo que "nós [as mulheres] ensinamos a ele tudo que ele sabia".

Ela disse que Gandhi testemunhara a grande mobilização das mulheres indianas contra o *sati*, a imolação das viúvas nas piras funerárias dos maridos, e que isso o tinha inspirado a criar um modo de mobilizar pessoas. E que, quando vivia na Inglaterra, ele testemunhou o movimento das mulheres que lutavam pelo direito ao voto e depois, na Índia, encorajou os ativistas a usar as corajosas táticas das sufragistas inglesas. Enfim, a base de tudo eram as rodas de conversas e a resistência não violenta.

E Gloria concluiu: "Conhecíamos a História com base na Teoria do Grande Homem e não sabíamos que as táticas às quais queríamos recorrer eram nossas".

Será que isso não aconteceu milhões de vezes: conhecermos só o valor e os feitos dos grandes heróis masculinos e não sabermos nada das ações das várias heroínas anônimas que deram sustentação e respaldo a suas vitórias – ou pior, que foram as verdadeiras protagonistas?

Reescrever a história das mulheres e dar um significado diferente ao passado também é uma contribuição importante para a construção do nosso futuro.

É por isso que consideramos fundamental que todas conheçam melhor a história de nossos grupos e círculos, pois ela mostra que muitas mulheres lutaram por nossas conquistas, mesmo que delas não tenham podido usufruir.

Como disse a jornalista Nana Queiróz no prefácio de livro *Lute como uma garota – 60 feministas que mudaram o mundo* (2018, p. 10): "Somos nós as herdeiras dessas mulheres. Cabe a nós levar adiante seu legado no pequeno e no grande espaço a ser preenchido por nós. Cabe a nós abdicar o direito de desistir. Cabe a nós não aceitar sermos definidas por nada menos que a liberdade".

Continuando nosso breve relato, em 1999 a já citada analista junguiana Jean Shinoda Bolen lançou nos Estados Unidos o livro *O milionésimo círculo* (2005), no qual propõe que os círculos de mulheres podem acelerar a mudança da humanidade para uma era pós-patriarcal.

Usando a alegoria de *O centésimo macaco* (1995), escrito por Ken Keynes Jr e baseado na Teoria do Campo Mórfico do biólogo Rupert Sheldrake – que afirma que quando um comportamento atinge seu número crítico torna-se um padrão para a espécie –, ela defende que se as mulheres se reunirem em círculos em quantidade suficiente podem mudar o mundo patriarcal, violento e excludente em que vivemos, tornando-o melhor para todos (veja mais sobre isso no Capítulo 8).

Enfim, da ótica poética, o escritor José Saramago diz em seu livro *Memorial do convento* (2013, p. 109): "A grande, interminável conversa das mulheres, parece coisa nenhuma, isto pensam os homens, nem eles imaginam que esta conversa é que segura o mundo na sua órbita, não fossem falarem as mulheres umas com as outras, já os homens teriam perdido o sentido da casa e do planeta".

Mas veremos como tudo isso acontece de fato, aqui e agora, por meio de depoimentos que colhemos de 13 experientes condutoras de círculos. No próximo capítulo ficará clara a influência que a infância, a mãe e as avós tiveram na escolha de seus caminhos e na constituição de seus círculos, pois é no pequeno e pessoal que toda grande história começa e termina.

2 A caminho dos círculos: a influência das mães, das avós e da infância

Depois de tanta história *e teoria sobre os círculos de mulheres, vamos ver na prática como as coisas aconteceram para nossas entrevistadas.*

E tudo começou na infância! Isto é, suas vivências infantis com mães e avós são parte fundamental do impulso que as levou a trabalhar com mulheres e estão presentes em cada círculo que conduzem. Para nós, mulheres, muitas vezes o particular e o pessoal se misturam nas atividades que desempenhamos.

Isso vale igualmente para nós duas, claro. Começamos a escrever este capítulo no carnaval de 2018. Como os outros, ele foi pensado e embasado em pesquisas e em sólidas referências, mas também na nossa vida cotidiana e privada: enquanto escrevíamos sobre ser avó (e ser mãe, e ser filha), nós duas vivíamos a função de avós tomando conta de nossos netos, filhos das nossas filhas. A gente contava contos de fadas e de super-heróis, cozinhava para eles, consultava livros, conversava e trabalhava neste texto – do jeito que mulher faz, um monte de coisas ao mesmo tempo.

Além disso, também nessa época fizemos um encontro de mitologias do feminino sobre mães e filhas que enriqueceu ainda mais essas reflexões. O geral e o particular, o grandioso e o miudinho, a rua e a casa, o abstrato e o concreto, os depoimentos do nosso círculo feminino, as pesquisadas, as pesquisas e as pesquisadoras estão aqui, tudo junto.

Femininamente junto.

MÃES: MODELOS, INFLUÊNCIAS, CONTRADIÇÕES

A mãe, a ancestralidade e a infância obviamente são diferentes para cada uma das entrevistadas, mas percebemos que existem algumas coisas em comum entre elas, relacionadas aos círculos de mulheres.

Claro que as mães são importantes na vida de qualquer pessoa, mas para as meninas elas são também o modelo pelo qual começam a construir a própria identidade e sua primeira definição do que é ser mulher.

Isso pode ser forte a ponto de, "ao reexaminar os pontos cruciais e significativos de sua vida, uma mulher [...] ficar surpresa ao descobrir que eles seguem o padrão exato da vida de sua mãe [...]", como disse a analista junguiana Marion Woodman (*apud* Zweig, 1994, p. 154).

Como esse é um processo visceral do feminino que influencia a relação da mulher com as outras mulheres, começamos nossa pesquisa com a relação das entrevistadas com a mãe e, para nossa surpresa, as respostas sobre isso acabaram incluindo muitas avós.

Várias entrevistadas têm clareza de como suas mães inspiraram o que elas queriam ou não queriam ser. Nesse sentido, Patrícia Fox comenta:

> Eu e minha irmã crescemos num ambiente não com discurso, mas com uma prática bem feminista: ela [a mãe] nos deu uma educação de muita liberdade acompanhada de responsabilidade. Com 10 anos, eu cuidava da minha irmã de 8. Ao sair para trabalhar, minha mãe falava: "Tranque a porta" – e a gente sabia o que podia ou não fazer com aquela chave. Esse berço trouxe muito da forma como lido com as mulheres: com muita independência, mas com confiança na responsabilidade e na interdependência que elas vão ter no círculo, por exemplo.

Patrícia Pinna teve outra experiência observando a vida de sua mãe:

> Minha mãe fez magistério e sempre gostou de ser professora, de ensinar e de estudar, mas quando se casou parou tudo porque achava que tinha de ser somente uma excelente dona de casa. Tentou com todas as suas forças, mas ela não dava para isso. E, quanto mais tentava ser boa, mais infeliz ficava e mais complicada se tornava a vida para nós, as filhas.

E Raquel:

> Ela [a mãe] era muito identificada com o papel de mãe e de cuidadora, e enquanto era mãe de crianças foi supertranquilo, mas adolescente não quer mais isso. [...] Ficou com uma vida meio esvaziada porque não tinha carreira, não tinha grana, dependia do marido. [...] Pensei: "Vou fazer completamente diferente. Tudo que não quero é ser igual a minha mãe. Quero ser o contrário dela".

Algumas mães foram modelos como buscadoras e introduziram as filhas nesse caminho.

Patrícia Fox conta:

> Minha mãe sempre foi buscadora. Fomos para a umbanda, a Igreja católica, Seicho-No-Ie... O kardecismo foi a última religião dela. Vem daí minha espiritualidade "mestiça". Acho que tinha de encontrar o porquê do que estava vivendo. E isso me influenciou; desde criança a "filosofazinha" aqui já queria saber todos os porquês das coisas...

CÍRCULOS DE MULHERES

E Ana Cecília:

E aí começou a peregrinação, primeiro com um psiquiatra, porque diziam: "A menina não está bem!" O psiquiatra não achou nada [...], mas me receitou Gardenal! Minha mãe me deu esse remédio uma única vez [...] Minha mãe entendeu que o meu problema era espiritual. [...] Ela me levou para tudo quanto foi religião! Onde falavam que tinha alguém que podia explicar ou lidar com essa questão ela me levava. Minha mãe foi a minha grande escudeira [...].

Mães também podem ser modelos de vivências domésticas e de executoras de tarefas consideradas femininas que marcam as entrevistadas, que mais tarde vão apropriar-se delas ou renegá-las. Marisa comenta:

Fui educada com parâmetros que não eram habituais naqueles tempos: por exemplo, não sei cozinhar. Sempre que entrava na cozinha, minha mãe dizia: "Não, não cozinhe. Estude e pague alguém que cozinhe para você". Até hoje, com 63 anos, não vou para a cozinha [...] Minha mãe costurava e bordava e eu hoje costuro e bordo. Atualmente, quero fazer as minhas roupas porque ela fazia minhas roupas. Acho que esse é um dos grandes resgates das questões com minha mãe.

Patrícia Widmer, cuja mãe sempre participou da economia doméstica com seus bordados e costuras, mais tarde se conectou profundamente com a costura na arteterapia e depois na sua pesquisa para o doutorado.

Algumas mães influenciaram as filhas a se adequar aos papéis tradicionais esperados das mulheres. Ma Devi explica:

Com 17 anos conheci o primeiro namorado, dei o primeiro beijo e com 20 casei com esse homem. Casei porque fui me deixando levar, como se fosse o natural a fazer. Ele era o cara "perfeito" para minha família. Lembro que, dias antes de casar, falei para minha mãe: "Mãe, eu não quero isso!" E ela respondeu: "Menina, sua louca, como assim? Você vai casar, sim! Ele é maravilhoso: não fuma, não bebe, é trabalhador, é honesto".

Porém, de forma geral, as mães refletem a cisão interna que partiu a mulher em várias partes desde a ascensão do patriarcado, que limitou a expressão da plenitude feminina. Como diz Soraya,

o feminino está muito machucado, ferido pelos séculos da cultura patriarcal. Sofreu e ainda sofre muita repressão. E a deusa mãe, essa deusa mãe ancestral, feita de tudo, da energia vital que é luz e sombra, dia e noite, ctônica e celestial, foi se fragmentando nas deusas gregas, nas deusas egípcias. Tudo foi fragmentado. A Maria é totalmente fragmentada. E a gente está fragmentada também.

Assim, várias mães mostram-se contraditórias, oscilando entre acolher e reprimir as escolhas de suas filhas – talvez porque, como espelho, elas não saibam o que acolher ou reprimir em si mesmas devido às imposições culturais sobre o que é adequando a uma mulher.

Essa fragmentação foi levada ao limite na década de 1960, época em que as mães citadas aqui foram pegas num momento de enorme mudança de padrão cultural referente a todos os aspectos da vida social e familiar – obviamente incluindo as relações homem-mulher –, e coube a cada uma resolver no plano privado o que se passou no plano coletivo. Seguramente foi (e ainda hoje é assim) um período turbulento, cheio de ambiguidades e contradições.

Desse ponto de vista, as entrevistadas relatam:

Dúnia – Minha mãe foi superatenciosa, preocupada em me informar sobre o meu corpo, como era constituída a mulher, até certa idade... Quando fiz 12 anos, ela entrou numa igreja cristã e vinha com coisas sobre pecado... Lembro que ali eu me afastei criando uma fenda no meu feminino [...] fiquei com essa fenda, não podia mais dividir o meu mundo de mulher com ela.

Jaqueline – Quando fui fazer faculdade, minha mãe disse: "Mas por que você vai fazer faculdade? Você tem é que arrumar um emprego e casar". Ela criou a gente para não depender de homem, estimulou que a gente trabalhasse, mas ao mesmo tempo, por sua experiência de vida, achava que ter um marido traria segurança. [...] o vínculo é delicado porque somos bem diferentes em questões de visão de mundo, crenças, pensamentos, valores [...] Mas priorizar a independência é uma coisa que a minha mãe me ensinou, apesar desses pequenos conflitos.

Soraya – Liguei para ela [mãe] para contar da separação, para pedir colo, acalanto, e lembro que ela disse uma frase que ficou marcada: "Sem casamento não apareça aqui!" Na época ela foi muito dura! Depois, com meu filho ainda pequeno, tive um pequeno tumor no cérebro e nos aproximamos de novo.

Idealmente, mais tarde a filha fará um movimento de conscientização e liberação a fim de tornar-se um indivíduo adulto e distinto da mãe. Marion Woodman (*apud* Zweig, 1994, p. 145) afirma: "Por mais perfeito que seja o vínculo entre elas [mãe e filha], é necessário torná-lo consciente, caso cada uma queria descobrir sua própria vida. Um relacionamento feminino maduro só é possível quando se permite que uma nova luz ilumine o espaço que há entre elas".

Duas entrevistadas relataram como lidam ou lidaram com isso.

Marisa – Por conta do autoritarismo da minha mãe quis sair do Uruguai, e fiz isso assim que tive oportunidade. Com 21 anos vim trabalhar no Brasil e nunca mais voltei a morar lá. A filha única mudar de país foi um grande impacto para ela, mas nunca disse: "Não vá!" Ela chorava, mas não dizia para eu não ir. [...] Já adulta, com minha filha saindo da adolescência, vivi uma grande reconciliação com a minha mãe [...] me entender com ela foi muito bom e importante para mim.

Jaqueline – Mesmo não sendo feliz com o meu pai, minha mãe esperou a gente ter uma idade em que poderíamos nos cuidar sozinhas (minha irmã tinha 10 anos e eu, 8) para se separar. Hoje ela é casada novamente e mora num bairro longe daqui. Eu a vejo uma vez a cada 15 dias, mas falo com ela sempre. [...] Ela acha que tenho de pôr a comida dos meus filhos no prato. Imagina! Parece que é pouca coisa, mas no dia a dia isso gera um desgaste muito grande. Então optei por morar longe.

Distantes ou não, mães são influências que continuam ao longo da vida, como diz Soraya:

E, como minha mãe sempre foi muito católica, foi difícil quando comecei a lidar com a questão da feminilidade sagrada, da deusa e de rituais para a deusa. Para ela, isso era ser herege, pagã. No começo eu escondia meus altares da minha mãe. Olha como ela é influente na minha vida! São necessários 50 anos de terapia!

AVÓS: VELHAS, BRUXAS E SÁBIAS

As avós tiveram papel importante na infância de várias entrevistadas. Além de fontes de apoio, exemplo e inspiração, as entrevistadas se referiram a essa importância também em relação ao trabalho que fazem. Em sequência, vejamos os depoimentos de seis delas:

Bianca – Sempre tive uma relação muito forte com minha avó materna [...] Eu era muito próxima e adorava ficar com ela nos finais de semana, porque acordávamos bem cedo, tomávamos café e íamos bater perna. [...] Ela me levava para conhecer bibliotecas e outros lugares no centro da cidade; tenho essa lembrança bem presente, tanto que tenho muito afeto pelo centro de São Paulo por causa dela. Ela me contava muitas histórias da sua infância... Embora tivesse essas questões de saúde, ela sempre foi uma inspiração para mim, sempre vi muita coragem nela. Enfrentou coisas difíceis, intensas, podia ter enlouquecido de vez, mas lutou e conseguiu sobreviver.

Dúnia – [...] praticamente fui criada com meus avós paternos nos sete primeiros anos de vida, até minha avó falecer. Ela tinha um centro de umbanda, e a irmã dela era a mãe de santo do terreiro. Minha avó era uma das médiuns e também lia cartas. Enfim, uma bruxinha. [...] Eu ouvi muito atabaque e aquilo ficou impresso em minhas células, tão forte... Mais tarde, ao ouvir música árabe nas aulas de dança do ventre, me vinha a memória corporal dessa época.

Cler – Tive uma nona italiana, minha avó materna, que era benzedeira e erveira, embora fosse muito católica. E eu ia com ela na horta para pegar as ervas, que depois fervíamos numa panela grande no fogão a lenha para fazer a garrafada. Além da garrafada, tinha de rezar o terço para a pessoa a ser benzida. Eu queria sempre estar junto rezando, mas na terceira ou quarta reza já estava dormindo, então muitas vezes o meu ninar foram essas orações. [...]

Marisa – Nós fomos morar na casa dos meus avós, então passei a infância bem próxima da minha avó, uma pessoa muito decidida. Era uma mulher do lar, mas que plantava, cozinhava, tinha diversas atividades e era bastante imponente.

Patrícia Pinna – [minha avó] morreu com 103 anos, e era muito ligada à natureza; na casa dela sempre teve horta, galinheiro... [...] Outra coisa que também foi importante na minha trajetória e começou na infância é minha conexão muito forte com a natureza.

Soraya – Minha facilidade de lidar com pessoas, além de ser uma característica da minha natureza, foi incentivada por essa infância lúdica ao lado de uma avó que possibilitou o contato com muita gente. Ela foi superimportante na minha vida! Minha avó foi sempre muito afetiva e acolhedora. E isso tem muito que ver com o círculo de mulheres. As pessoas buscam no círculo esse acolhimento, esse afeto.

A psicoterapeuta americana Naomi Ruth Lowinsky (*apud* Zweig, 1994, p. 137) fala da importância das avós para as mulheres:

O significado psicológico da avó é um aspecto de um padrão arquetípico ao qual dou o nome de linhagem materna. A psique de uma mulher se organiza em torno de uma conexão central com uma continuidade feminina e da capacidade de parir do feminino. A mulher, que é tanto mãe como filha, avó e neta, carrega em sua experiência vivida esse mistério central do feminino.

As avós evocam as imagens da Velha Sábia ou da Bruxa, figuras que existem em todas as tradições mitológicas e em nosso imaginário coletivo. Jung (2012, p. 107) afirma:

[...] todas as qualidades fabulosas e misteriosas desprendem-se da imagem materna, transferindo-se à possibilidade mais próxima, por exemplo, à avó. Como mãe da mãe, ela é "maior" que essa última. Ela é propriamente a "Grande Mãe". Não raro ela assume traços de sabedoria, bem como as características da bruxa.

E quais são essas características? Para começar, a maioria das "bruxas" dos desenhos animados e da imaginação popular é representada como velhas esquisitas. Também as "bruxas" de carne e osso que foram levadas às fogueiras por vezes eram mulheres mais idosas e com aparência, atitudes ou costumes diferentes dos aceitos pelas autoridades masculinas civis e religiosas. Rebeldes, em suma.

Além dessa rebeldia voluntária ou involuntária em relação aos padrões, muitas mulheres perseguidas eram eficientes parteiras, curandeiras, artesãs e benzedeiras, habilidades que hoje estão sendo revalorizadas em vários meios, mas que na época desafiavam o incipiente capitalismo. Em seu trabalho de formiguinha, elas concorriam com os novos negócios de exploração popular que começaram a surgir a partir dos séculos XVI e XVII – e, não por coincidência, essa época foi o auge das fogueiras e perseguições às "bruxas" (Federice, 2017).

E, claro, elas eram "esquisitas" também por desafiar a Igreja, tanto católica como protestante, por sua espiritualidade intuitiva e pouco disposta a aceitar imposições religiosas.

Então, não é de estranhar que muitos círculos, cursos e rituais femininos estejam resgatando a imagem da Grande Avó, ou *abuelita* como é carinhosamente chamada no México, assim como alguns conhecimentos arcaicos e estilos de vida que foram relegados ao esquecimento com a desvalorização do que é caseiro e feminino.

Nesse sentido, Patrícia Fox afirma:

Nós somos as netas das bruxas que não foram mortas, nós somos as netas das avós que foram adormecidas ou distanciadas de si mesmas, mas sua essência selvagem sobreviveu. Ficou uma lacuna na nossa sociedade atual, uma chaga no feminino: perdemos muitas avós e sua sabedoria. Elas estavam adormecidas, mas estão começando a conseguir se comunicar. Precisamos recuperá-las, buscando envelhecer sabiamente. [...]

E Bianca fala dos saberes das velhas parteiras:

Sempre que viajo procuro saber se existem parteiras no local para conhecê-las e absorver o conhecimento delas. E aprendo muita coisa, mesmo que elas já estejam tão velhinhas que nem façam mais partos. [...] E tudo que ela sabe se perde, pois esses saberes não são validados pela ciência; pelo contrário, são perseguidos. Então todo esse conhecimento de toques, de manobras, de movimentos que elas sabiam fazer durante o parto, que o auxiliavam muito e que adquiriram com a prática e a intimidade de lidar com o corpo feminino se perdeu! A gente não sabe mais nada disso; os médicos, então, nem se fala!

Soraya tem nas avós arquetípicas uma fonte de inspiração para seu trabalho: "Eu tenho um xodó por essas anciãs. Elas não julgam!"

Finalmente, até em termos biológicos as avós têm sua função! Estudos mostram que elas exercem importante papel na sobrevivência da espécie, inclusive no reino animal, auxiliando as fêmeas jovens a cuidar da cria. Especula-se até que esse seja um fator que influencia a taxa mais elevada de sobrevivência feminina do que a masculina.

Marisa fala sobre esse papel:

> Tenho gostado muito de ser avó, tem me encantado exercer esse papel, mas é preciso estar pacificado para curtir a oportunidade que a vida dá de ter netos. E nós somos avós da modernidade, presentes e participantes em todos os sentidos. Acho que de certa forma nos tornamos uma fonte de equilíbrio para os netos e filhos ao prover ajuda, de tomar conta das crianças até eventualmente dar ajuda financeira. Mas é preciso exercer esse papel com certa sobriedade, não interferir demais, só quando solicitado. E, ao mesmo tempo, ser um ponto de estabilidade, de tal forma que os jovens saibam que podem contar com você.

Além da questão das avós, nos círculos e no feminismo de forma geral existe um movimento para valorização de vários tipos de pessoa que não correspondem aos padrões estéticos que, por exemplo, fazem da mulher um objeto sexual de corpo perfeito e eternamente jovem. Nesse sentido, as mulheres velhas estão sendo "resgatadas da invisibilidade" a que foram relegadas, sendo o próprio envelhecer visto de outra maneira.

Segundo Marisa,

> [...] a "boa" maturidade, além da condição material digna, além de ter grupos de amigas, tem que ver com a sensação de pacificação. [...] A maturidade é esse lugar do entendimento, da pacificação de quem você é, das opções que você fez, da coragem de mudar o que ainda pode ser mudado e da aceitação do que é irreversível.

Pensando no próprio envelhecimento, Patrícia Fox comenta:

> Estou mais velha, mas estou mais nova. Estou mais velha, mas estou mais ágil – se não de corpo, na alma; estou mais velha, mas estou enxergando mais – se não com os olhos, com o espírito. Vou fazer 50 anos daqui a pouco e olha quanta coisa ainda tenho para fazer, e olha quanta coisa já fiz! Fiz com ajuda das mulheres que compõem a minha caminhada, não sozinha. Amo estar com essa idade! [...]

RESPEITO E ADMIRAÇÃO PELO FEMININO

Outro aspecto que ficou claro é que as entrevistadas têm respeito e admiração pelo feminino, não seguindo o padrão de grande fascínio pelo masculino (disfarçado de várias maneiras) que é próprio da cultura patriarcal.

Como diz Jaqueline,

Eu acho que essa é a dimensão do gênero que nos une como mulheres, porque o "ser" que existe é homem branco, hétero, cis, burguês. Ele é o "ser", ele é deus, um modelo. Quanto mais próximo dele a gente conseguir chegar, beleza!

Porém, nos círculos femininos o "ser" que existe é mulher – o que faz toda diferença!

Talvez por seu respeito e admiração pelo feminino, várias entrevistadas relatam a presença de mulheres fortes e certa distância, ausência ou fraqueza do masculino em suas famílias de origem.

Acreditamos que isso seja mais comum do que parece. Num Brasil em que em 2015, segundo o IBGE, 40,5% das famílias eram comandadas por mulheres, ser forte pode ser condição de sobrevivência e também indicativo da existência de vários outros modelos de família não convencionais.

Jaqueline relata:

Meu pai e minha mãe separaram-se muito cedo e não tenho vínculo nem com meu pai nem com sua família. O que eu tenho de família é minha mãe, minha avó e minhas tias. [...] Na tradição na maioria dos países e das tribos africanas, e não tem como apagar essa memória ancestral, as mulheres são chefes de família. Eu era casada, mas na minha casa a palavra final era minha – não por uma questão de feminismo, era meio natural [...] Isso é uma coisa. A outra coisa é o fato de que há a ausência de homens nas famílias negras da periferia. Isso tem que ver com genocídios e com dificuldades de estabelecer vínculos familiares, mas também com o fato de que esse modelo familiar burguês – pai, mãe, filho, cachorro, papagaio e periquito – é um modelo branco ocidental.

Mulheres fortes em situação difícil e tendo de lutar para sobreviver constituem uma realidade bastante frequente, como se pode ver nos depoimentos a seguir:

Marisa – Tive uma relação distante com meu pai, pois, quando ele e mamãe se separaram, ele saiu de Montevidéu e a gente só se encontrava de vez em quando. Só adulta resgatei nossa relação. [...] Tive tias também que faziam e aconteciam, como se diz na Espanha, de "armas tomar". Assim eram as mulheres da minha família.

Patrícia Fox – Minha ancestralidade é de mulheres muito fortes, mas muito sofridas. Penso que o meu trilhar de uma jornada espiritual tendo essa relação com o feminino quebrou muitos paradigmas desse sofrimento.

Raquel – A família do meu pai era um matriarcado: as mulheres conduziam as coisas. E do lado da minha mãe as mulheres também eram fortes.

Soraya – A minha outra avó também tem uma história forte. [...] Essa mãe da minha mãe, que teve cinco filhos, disse a eles: "Eu tive de casar, tive de me sacrificar, mas vocês vão estudar"! E todos eles se formaram. É dessa linhagem feminina forte que eu venho.

Patrícia Pinna – A minha mãe e as minhas tias de ambos os lados da família brigaram muito para estudar, porque família portuguesa achava que mulher não precisava de estudos.

Isso também desperta a vontade de cuidar do feminino, de curar suas feridas. Para Bianca, essa é a inspiração de seu trabalho:

Minha avó morreu dizendo para mim que nunca foi louca: que a culpa de tudo que se passou era do meu avô. E de certa forma minha mãe repetiu essa vida difícil. Ela foi casada com o meu pai por 16 anos. Meu pai era alcoólatra, então ela praticamente criou a mim e a meu irmão sozinha, trabalhando como professora de escola pública. E desenvolvi isso bem pequena: tinha percepção de quando minha avó não estava bem, percebia o que minha mãe estava sentindo. Desenvolvi essa intuição desde a infância por estar sempre prestando atenção ao que as mulheres da minha família sentiam e tentando dar um jeito de acolhê-las. Observava como elas viviam essas questões sofridas de relação com homens alcoólatras e relacionamentos abusivos, e tinha vontade de ajudar. Queria muito que minha mãe, minha avó, minha tia (também uma figura feminina importante) não sofressem daquele jeito. Queria fazer alguma coisa, como ficar com a minha avó, pois sentia que ela ficava feliz quando eu estava com ela. Acho que tudo isso influenciou muito a minha escolha de cuidar de mulheres.

E também para Patrícia Pinna:

Acho que um dos grandes motivos da minha opção por psicologia foi tratar desse feminino ferido, começando pelas mulheres da minha família, pela minha irmãzinha, por mim mesma – as feridas desse matriarcado violentado e desrespeitado.

MENINAS DIFERENTES, "ESQUISITAS"

Várias entrevistadas tiveram a sensação de ser uma criança diferente das outras pessoas de seu meio, classificando-se como "esquisitas", "inadequadas", "perigosas", "sem referência".

A analista junguiana e autora do livro *Mulheres que correm com os lobos*, Clarissa Pinkola Estés (1994, p. 218), afirma:

> As meninas que demonstram ter uma forte natureza instintiva muitas vezes passam por sofrimentos significativos no início da vida. Desde a época em que são bebês, são mantidas presas, domesticadas, e ouvem dizer que são inconvenientes ou teimosas. Suas naturezas selvagens revelam-se bem cedo. Elas são curiosas, habilidosas e possuem excentricidades leves de vários tipos, características estas que, se desenvolvidas, constituiriam a base para sua criatividade para o resto das suas vidas.

Assim, não é de espantar que mais tarde essas meninas acabem lidando com círculos de mulheres – prática um tanto anticonvencional, ao mesmo tempo ancestral e moderna.

Na sequência, depoimentos das entrevistadas sobre seu modo "diferente" de ser:

Ana Cecília – Quando eu tinha uns 7, 8 anos fazia umas coisas (e achava que todo mundo também fazia) meio estranhas. Pegava um baralho normal e falava umas coisas... Eu "lia" as cartas. [...] Além disso, via gente que outros não viam [...] eu queria ser normal e já não me via como normal. Eu era "aquela" esquisita, a menina esquisita. Não era convidada para muitos eventos porque era esquisita.

Cler – [...] fui criada dentro de uma tradição católica muito rígida: primeira comunhão, crisma, pecado... Essas coisas... E eu era exuberante, muito imaginativa, e isso era visto como um problema, ainda mais para uma menina. Então foi uma infância em que essa alma selvagem foi quebrada – não porque não fosse amada, mas porque meu jeito de ser era visto como uma coisa perigosa, inadequada para uma menina. [...]

Ma Devi – Tapiraí era uma colônia japonesa, com algumas famílias de origem italiana e alemã. A única família que tinha negros era a minha. Fizemos muitos amigos, eles gostavam de nós, mas eu sentia necessidade de me colocar, de ter postura. Sempre fui tímida, mas, com a questão de ser muito mais alta que as outras crianças e negra, não me sentia igual a elas. Então buscava me sobressair [...] Sempre procurei ser a primeira em tudo para esconder uma timidez enorme e a sensação de ser diferente.

> **Laura** – Eu tenho pais bem católicos, católicos intelectuais, não beatos. [...] Fui criada nesse meio: branca, classe média, escola tradicional, num meio em que não existia ninguém que se autodeclarasse gay ou lésbica, e nem se falava disso. Eu me sentia lésbica, mas não tinha referência, nada no meu entorno que me explicasse o que era ser assim.

> **Patrícia Pinna** – Na escola eu era quase muda, acho que porque as coisas que passavam pela minha cabeça eram muito diferentes das que provavelmente passavam pela cabeça das outras crianças. Ninguém tinha uma irmãzinha que morreu e ficava perguntando o que é a morte com 4 anos de idade. Então, as minhas brincadeiras eram solitárias, filosóficas e inventivas; minha imaginação sempre foi muito fértil.

Enfim, a saga familiar das pessoas tem uma importância para além do óbvio, como mostra a constelação familiar de Hellinger – que inclusive algumas entrevistadas usam em seus trabalhos. Somos produtos dela, embora sempre tenhamos responsabilidade pelo que fazemos com essa herança.

Por exemplo, Patrícia Widmer contou como descobriu que o que fazia tinha conexões ancestrais com sua família:

> Um dia, minha tia e madrinha [...] Contou que meu bisavô, avô dela e da minha mãe, veio de uma família só de alfaiates. Eles tinham uma alfaiataria na Suíça que passava de pai para filho. [...] Foi aí que me lembrei da minha ligação apaixonada com a costura para minhas bonecas, e que minha monografia de conclusão no curso de Arteterapia foi uma análise do filme *Colcha de retalhos*. E a costura acabou sendo o tema do meu doutorado. [...] a questão com a costura na minha vida é uma saga familiar!

Partindo dessas origens, a sequência da vida delas vai se configurar numa jornada ligada ao feminino em vários sentidos, como veremos a seguir.

3 A caminho dos círculos: jornadas e aprendizados

Ouvindo as histórias *das entrevistadas, descobrimos que elas passaram por uma parte da jornada da heroína denominada "chamado à aventura" (que explicaremos a seguir), e lembramos como nós duas recebemos alguns chamados.*

O chamado para fazer nosso livro anterior veio quando a Bia leu um livro impactante num momento em que estava doente, teve um insight *de que deveria fazer algo baseado nele, convidou a Cris e ela topou na hora. O deste livro aqui veio num* insight *que a Cris teve tomando banho (ambos, doença e banho, são ótimos inspiradores de* insights, *aliás), de que deveria fazer um livro sobre círculos de mulheres, convidou a Bia e ela topou na hora.*

Nós sabíamos que eram chamados! Como a gente sabe isso? Sabe porque algo na nossa barriga assim afirma. Sabe porque faz sentido. Sabe porque sabe – e, pode crer, você também sabe. Mas, se não tem certeza, continue lendo. A segunda parte deste capítulo fala de aprendizados e está intimamente relacionada com o chamado.

AS JORNADAS PESSOAIS E O CHAMADO

Jornadas pessoais, como o nome diz, são pessoais. Porém, encontramos algo em comum nas diferentes jornadas das entrevistadas: todas relataram um momento no qual fizeram uma virada na vida. Estavam num caminho e então aconteceu algo que as levou a sair dele, a escolher outro ou a assumi-lo de outra maneira.

Essa "semelhança na dessemelhança" não é coincidência. É o acontecimento típico do início da "jornada do herói", tema de nosso primeiro livro *O feminino e o sagrado – Mulheres na jornada do herói* (2010). É o chamado: um acontecimento que convoca a heroína a mudar a forma de ver e estar no mundo e que, ao aceitar, a levará a viver sua grande aventura.

Joseph Campbell (1992, p. 66) afirma que "esse primeiro estágio da jornada mitológica – que denominamos aqui "o chamado à aventura" – significa que o destino convocou o herói e transferiu-lhe o centro do seio da sociedade para uma região desconhecida".

A "região desconhecida" para qual o chamado nos convoca é a da busca da realização pessoal, missão, vocação ou, na linguagem de Campbell, da *bliss*. Como diz Patrícia Fox, "todo mundo nasceu com alguma coisa para fazer nesta vida. Essa busca é linda..."

E Patrícia Pinna: "Quando você está na sua vocação, na sua missão de vida, está no caminho da sua saúde integral física e psíquica".

Esse chamado pode acontecer de inúmeras maneiras. Pode vir por meio de um acontecimento subjetivo (como uma depressão, uma descoberta sobre si ou um *insight* poderoso) ou de um acontecimento objetivo, concreto, oriundo do próprio corpo ou do mundo externo. Não é necessariamente uma coisa grandiosa, podendo ser forte, porém sutil.

Geralmente recebemos vários chamados ao longo da vida, mas, se fizermos uma retrospectiva de nossa história pessoal como nossas entrevistadas fizeram, é possível identificar alguns mais poderosos ou que são a síntese dos outros.

Então, como reconhecer um chamado? Por sua repercussão: quer seja aceito ou não, quer venha de uma percepção interna ou de um acontecimento externo, ele tem um efeito extremamente mobilizador na vida psíquica da pessoa. Nos depoimentos a seguir, você notará a abundância das expressões de impacto, choque, identificação ou surpresa quando as entrevistadas falam de seus chamados.

Segundo o psicoterapeuta James Hillman (2001, p. 13),

mais cedo ou mais tarde, alguma coisa parece nos chamar para um caminho específico. Essa "coisa" pode ser lembrada como um momento marcante na infância, quando uma urgência inexplicável, um fascínio, uma estranha reviravolta dos acontecimentos teve a força de uma anunciação: isso é o que eu devo fazer, isso é o que eu preciso ter. Isso é o que eu sou.

A convocação para começar ou retomar sua busca de realização pode vir por meio de experiências dolorosas, mas se a pessoa conseguir enxergá-las como um chamado e não simplesmente como infelicidade ou infortúnio, sua vida se abrirá em outra perspectiva.

Como afirma Patrícia Pinna: "Posso trazer meu fado, esse destino, para minha mão e transformá-lo em meu e em uma coisa a meu favor, e para o bem de todos".

Várias entrevistadas viraram o jogo desse modo.

Jaqueline atendeu ao chamado que a convocou para achar sua "localização no mundo" no mestrado:

Quando terminei a faculdade, queria muito fazer mestrado e consegui uma bolsa na PUC. E lá foi muito diferente, lá fui entender que eu era negra e o que era ser negra: as situações cotidianas de racismo foram me mostrando isso. [...] Entrei em depressão, fiquei doente, engordei muito, mas fui entendendo o processo. Enfim, descobri que eu era negra e que ser negra não era bom. Mas aí pensei: o que é ser negra? [...] com essa situação na PUC, pensei: "Bom, já que eles estão criando o modelo do que é ser negro, eu, rebelde por natureza, vou no contrário disso. O que é que a branquitude diz que é atrasado? O candomblé? Então eu vou me iniciar", e fui para o candomblé. Ele me deu uma localização no mundo.

Patrícia Widmer, que trabalhava fora desde a adolescência e com psicologia desde que se formou, ficou algum tempo sem emprego. Isso mudou sua visão das atividades manuais e domésticas e a levou a descobertas que depois se incorporaram a suas atividades profissionais:

Depois que saí de lá amarguei dois anos sem perspectiva, questionando minha escolha profissional: foram tempos muito difíceis. Mas por outro lado redescobri o prazer da vida doméstica, de cuidar do lar, de cozinhar, algo que nunca foi muito "a minha". Eu sempre fui para o mundo, trabalhava fora desde os 13 anos, então foi uma época da descoberta desse outro lado. Compreendi mais minha mãe, me senti mais conectada com o mundo dela. Acho que o cuidado da casa, da alimentação, toda essa coisa do valor do trabalho manual começou nessa época.

Raquel teve uma primeira convocação bem jovem, na forma de dois sonhos cujo valor significativo em sua vida só se esclareceu anos depois:

Quando tinha 15 anos, tive um sonho cinestésico, que dá a sensação de que realmente aconteceu. Foi muito louco, muito vivo, uma experiência muito forte. Sonhei que tive um bebê na cama, na casa dos meus pais, num parto domiciliar desassistido – no sentido de que eu estava sozinha. [...] Aos 18 anos, tive um segundo sonho, no qual pari um segundo filho naquela mesma cama do primeiro sonho, também num parto desassistido. [...] Achei os dois sonhos malucos e muito legais! Mas ficava esse negócio: "Foram sonhos, isso não existe, parto não é assim, parto é no hospital, parto bom é cesárea... Quando casei, queria muito ter um filho, e fui buscar na internet informações sobre gravidez e parto. Era 2001, havia poucos sites e blogues sobre isso, mas achei um site de quatro mulheres que haviam passado por uma experiência de parto traumático e estavam questionando o modelo obstétrico brasileiro. Aí falei: "É isso! Isso aqui é o parto que tive lá atrás, quando tinha 15 anos! Isso existe: tem gente tendo esses filhos desse jeito"! E pirei! Umas 300 pessoas se encontravam num grupo do Yahoo para discutir esse assunto virtualmente. Eu me conectei a elas e passei a fazer parte dessa militância do parto humanizado.

Essa militância inspirada pelos sonhos seria decisiva anos depois, quando ela sofreu um grande revés pessoal, profissional e financeiro, perdendo tudo ao separar-se do marido: casa, trabalho, dinheiro, guarda dos filhos.

Mas ela tinha feito uma amiga no movimento do parto humanizado, que nesse momento a convidou para abrirem uma ONG para trabalhar com mulheres. Raquel respondeu:

Cara, eu estava pensando em me matar, mas esse é um "plano" que posso colocar em ação a qualquer momento. Nada me prende e nada me impede. "Então, vamos!" Eu tive de perder tudo, tudo, tudo.... Se essa proposta chegasse em qualquer outro momento da vida em que eu tivesse alguma coisa a perder, não teria embarcado nessa em que estou agora. Só fui porque não tinha mais nada a perder.

O chamado de Marisa também veio na forma de um espantoso sonho premonitório que se realizou e a levou a mudar sua linha de trabalho, revolucionou seu estilo de vida e a fez lidar mais fortemente com questões do feminino:

Já estava casada havia alguns anos quando tive um sonho impactante, no qual a mãe da filha do meu marido morria e a menina vinha morar conosco. Eu não conhecia nem a garota nem a mãe. Sempre tinha tido sonhos premonitórios, mas havia estudado psicanálise, então isso ficava como um enigma sem explicação. [...] Mais ou menos um ano depois desse sonho, essa filha de 7 anos, com quem ele [o marido] não convivia, ligou e disse que queria conhecê-lo. Ele ficou "mexido" com esse pedido e foi se encontrar com a garota. Voltou encantado, apaixonado pela menina. [...] poucos dias depois a mãe da menina morreu de um aneurisma – e ela era jovem, tinha cerca de 30 anos. Aí eu disse a meu marido: "Ela virá morar conosco, é ponto pacífico". Foi igual ao meu sonho! A gente nem se conhecia, mas ela veio. Tudo aconteceu em cinco dias. [...] foi uma grande guinada na minha vida, e como a psicanálise não explicava nem meu sonho premonitório nem o que eu estava vivendo, fui procurar outros saberes que dessem conta disso. Fiz uma formação em Psicologia Transpessoal que durou sete anos e foi importante porque me deu outras perspectivas, outras visões. E, desde que vivi essa experiência de me tornar mãe no "tranco", a questão do feminino e das mulheres começou a me chamar. Fazia mestrado em Filosofia na época e comecei a cursar matérias que estudavam a questão da mulher.

A doença pode ser um chamado – muitas vezes precisamente para que a pessoa se torne curadora. Nas sociedades arcaicas, essa é uma jornada xamânica clássica: alguém passa por uma doença grave ou experiência de quase morte e volta dela apto a curar os outros. "O mago primitivo, seja ele curandeiro ou xamã, não é apenas um doente: é, antes de mais nada, um doente que conseguiu curar-se, que curou a si mesmo" (Eliade, 2002, p. 38). Na mitologia grega, essa trajetória está representada pelo centauro Quíron, chamado de "o curador ferido" (Downing, 1999, p. 233).

Entre nossas entrevistadas, duas citaram a doença como gatilho de suas mudanças de vida e inspirações. Ma Devi passou por experiências físicas que a levaram a fazer mu-

CÍRCULOS DE MULHERES

danças profissionais, como a formação ayurvédica, e a lidar com o feminino. Duas dessas experiências serão relatadas no próximo capítulo; as outras se passaram num plano sutil.

Ao lidar com um câncer de garganta, ela se conectou com a medicina hindu e descobriu outras maneiras de ajudar sua cura. Teve uma experiência com a ayuasca e,

> a partir daquele momento, foi como se eu tivesse recebido um *download*, mas um *download* hindu! Não foi nem africano, o que por ser negra talvez fosse o lógico, mas hindu. [...] E um dia, na casa da minha mãe, enquanto fazia a radioterapia, senti como se todos os meus ossos fossem de vidro e fossem quebrar. Minha mãe me socorreu, me levou para a sala e eu me vi – eu me vi! – deitada no sofá moribunda, com a família toda em volta, aquela coisa pesada. Então falei: "Não, não vou deitar no sofá! Mãe, põe música para mim?" Ela colocou o mantra de Narayana, fiquei em pé e, conforme ia sentindo a música no meu corpo, comecei a dançar. E não quebrei nem tive dores terríveis. Ali percebi uma forma de me autocurar que levo para o resto da minha vida: a alegria, a dança, a brincadeira, o sorriso, o humor, tudo isso é curador para mim.

Anos depois, ao se defrontar com uma ferida no seio que não fechava, ela teve uma experiência parapsicológica na qual se sentiu

> [...] transportada para outro lugar e vivi, vivi mesmo, uma experiência de outra vida. Vivi da infância até a morte como uma menina chamada Maria, negra e escrava numa fazenda no interior da Bahia. [...] Essa história da Maria me levou muito para a questão da mulher, para essa coisa do útero, da mãe, de querer e de não querer amamentar.

Cler também mudou de vida pelo chamado oriundo de uma doença. Aos 26 anos, ela trabalhava numa agência como redatora publicitária, começara a montar uma pequena agência com uma sócia e tinha passado por uma ruptura amorosa recente; estava física e emocionalmente exausta. Certo dia, acordou com o lado direito paralisado: havia tido um acidente vascular cerebral, um AVC. Diz ela:

> [...] uma pessoa [...] me indicou uma mulher que trabalhava com energia e, mesmo sem saber direito o que era, fui lá. Naquela situação, faria qualquer coisa. [...] O médico disse que eu ia ficar com sintomas, que provavelmente haveria coisas que eu não poderia fazer nunca mais. No entanto, eu estava plenamente curada em um ano! Obviamente foi resultado dos tratamentos alternativos. Então fiz a mudança que o médico recomendou: vendi minha parte da agência e fiquei trabalhando meio período na outra, mudei do apartamento do centro de Florianópolis para uma casinha no meio do mato, na Lagoa da Conceição, mudei minha alimentação para uma mais vegetariana e comecei uma rotina de meditação e ioga. [...] Foi aí que começou o meu processo de transição para outra profissão.

O chamado também pode vir como uma percepção interna que é validada ainda que exija sacrifícios. Foi o caso da Dúnia:

> Com 22 anos eu era uma dançarina bem-sucedida e reconhecida, mas comecei a notar uma dicotomia em mim e nas outras – a sexualidade era uma grande ferida e um grande portal para as mulheres. Até então eu tinha como referência de "mulher" algo fora de mim, mas comecei a sentir um chamado para mergulhar na questão da minha sexualidade. [...] E percebi que o que um dia me conectou agora estava me colocando longe de mim. E aí comecei a mudar tudo... E a não agradar, claro. Fui convidada a me retirar da casa.

O chamado de Soraya veio na forma de *insights*:

> Sempre tive essa relação mística muito forte. Mas isso veio de forma mais consciente quando pedi oficialmente a separação do pai da Julia e fui fazer um curso na Hera Mágica sobre o *Livro da sombras*, aquele que guarda os mistérios das bruxas. Foi quando chegaram os *insights*: "Uau! Eu gosto mesmo disso!" Uma sensação de retorno ao lar! Eu tinha 32 anos [...] Foi quando tomei consciência da deusa e do feminino, porque até então eu sabia que gostava do que era místico, mas não tinha essa consciência da deusa no meu caminho.

O da Ana Cecília foi uma convocação espiritual para trabalhar com um grupo só de mulheres:

> Certa época, uns 25 anos atrás – meu filho mais velho tinha 1 ano –, organizei um grupo de meditação. Numa madrugada, acordei e falei: "Eu vou para São Tomé, e vou só com mulheres". Foi assim que isso começou. Eu nem sabia que aquilo era um círculo de mulheres, não se falava disso naquela época.

O chamado também pode vir do impacto causado por uma criação artística. Isso ocorreu com quatro entrevistadas, três por meio de livros e uma, de um filme.

Um livro causou enorme efeito na vida da Laura ao ajudá-la a perceber que o lesbianismo não precisava ser sinônimo de sofrimento, como aparecia no imaginário brasileiro da época:

> Sempre gostei de ler e lia muito, mas não havia literatura no Brasil que abordasse as questões das minorias sexuais. Quando havia, era tenebrosa! [...] Dei um jeito para ser babá na Inglaterra. [...] Lá existem muitos sebos; fui passear sozinha e entrei num deles. E xereta daqui, xereta dali, achei um livro com a capa rasgada, mas olhei a contracapa e pensei: "Parece que tem alguma coisa, sei lá, de mulheres..." Comprei, passei a noite lendo, e foi um impacto incrível! [...] por

sorte caiu esse livro na minha mão; é o primeiro da literatura mundial em que há uma história lésbica com um final feliz! Foi um *best-seller*, vendeu mais de um milhão de exemplares... Passei a noite lendo e... Imagina? O livro teve um impacto, mas um impacto! Foi muito forte para mim! Pensei: "Meu Deus, isso é possível!"

Também para Patrícia Fox um livro foi o chamado para que ela entrasse no caminho do feminino sagrado:

E nessa loucura de perder mãe e logo depois pai, em 1990 "visitei Avalon". Ler *As brumas de Avalon* me abriu outro universo. O livro mostrava a possibilidade de haver uma divindade feminina selvagem, algo que não é mostrado normalmente em Nossa Senhora, a maior representante do sagrado feminino no Ocidente.

Patrícia Pinna aceitou o chamado vindo da psicologia de Jung:

Foi quando li – achei na biblioteca do meu pai – o livro do Miguel Serrano com entrevistas com o Herman Hesse e o Jung, *O círculo hermético*. E fiquei encantada, apaixonada pelo Jung! Comprei então um livro dele, *Fundamentos da psicologia analítica*. Li, não entendi quase nada, mas percebi: "Esse cara fala as coisas que estou querendo entender".

E resolveu fazer Psicologia, mas sem abandonar o curso de Artes Plásticas, as duas vertentes que une em seu trabalho.

Um filme ratificou a percepção da Bianca de que estava no caminho certo:

Desde a adolescência eu pensava em trabalhar cuidando de famílias, não ainda em cuidar de mulheres. [...] Li que a função da obstetriz era cuidar da gravidez fisiológica e no contexto da família, e resolvi prestar [vestibular]. Mas não tinha entendido muito bem o que era o curso, até que no primeiro ano da faculdade assisti ao filme *O mundo nasce ao ritmo do coração*, que me marcou muito; tive uma longa crise de choro enquanto assistia. O filme foi feito por uma parteira mexicana, Naolí Vinaver. É um documentário que fala sobre a experiência dela com partos fisiológicos e domiciliares no México, e a trilha sonora de fundo é o batimento cardíaco do bebê – tum, tum, tum. Ali eu soube: "É isso mesmo que quero fazer. Agora tenho certeza!"

Enfim, embora todas as nossas entrevistadas lidem com o feminino, conduzam círculos de mulheres e tenham muitos pontos em comum, o tema e a dinâmica do trabalho que fazem são suas respostas pessoais ao chamado que aceitaram, reconheceram e validaram, muitas vezes por meio de duras experiências. Diz Jung (2012, p. 40):

Somente através de um árduo trabalho é possível reconhecer progressivamente que por detrás do jogo cruel do destino humano se esconde algo semelhante a um propósito secreto, o qual parece corresponder a um conhecimento superior das leis da vida. É justamente o mais inesperado, as coisas mais angustiosas e caóticas que revelam um significado profundo.

APRENDIZADOS E INSPIRAÇÕES

Como nossas entrevistadas "aprenderam" o que sabem, inclusive a conduzir círculos? Quando olhamos para a diversidade das trajetórias delas, fica difícil de ver algo em comum.

Descobrimos a chave quando nos fazemos a seguinte pergunta: o que é um "aprendizado"? Aprender vem do latim *apprehendere,* palavra que guarda o sentido de prender, apreender, agarrar; e de *hedera,* hera, a planta trepadeira que se agarra às paredes a fim de crescer. Assim, podemos dizer que nós "aprendemos" agarrando-nos ao que nos permite crescer, nos enroscando feitos heras para ir em direção ao que nos chama.

O que todas as entrevistadas têm em comum, apesar da diversidade de estudos, cursos e caminhos que trilharam, é que todas foram em direção àquilo que as convocou. Por isso, a forma como aprenderam – a parede na qual se agarraram – variou muito. Elas seguiram por diversas linhas de conhecimento e de autoconhecimento, dentro ou fora de sua área de formação, por vezes de maneira autodidata, e usam a palavra "aprendizado" para referir-se a experiências que passam longe do sentido convencional.

Dúnia discute essa questão no contexto do feminino:

> Por algum tempo, achei que seria necessário legitimar meu conhecimento com cursos e diplomas formais. Mas hoje vejo que muito dessa "formalidade" tem que ver com a lógica patriarcal. Esse tipo de estrutura nunca reconheceu, por exemplo, o trabalho de parteiras, curandeiras, conhecedoras de ervas ou outras práticas ancestrais. Não estou interessada em títulos, mas em expandir a consciência e o conhecimento partindo dessa linhagem feminina, que envolve a terra e o corpo, percebendo a conexão vital entre eles. [...]

Cler, antes distante do mundo alternativo, depois do AVC quis saber mais sobre as fontes de cura que a surpreenderam:

> [...] queria entender o que aconteceu, saber o que aquela mulher fez comigo que me deixou bem. E comecei a estudar. Fiz cursos, mas como sou bem autodidata fui também atrás de tudo quanto era livro. Comecei a estudar, estudar e, de forma inesperada, me apaixonei totalmente por esse campo.

Ma Devi resolveu aprofundar seus conhecimentos "mergulhando" internamente em seu próprio processo de cura e aprendendo a lidar com isso em vários níveis. Raquel buscou a expansão acadêmica em saúde pública, além do seu ativismo político na luta pelos direitos da mulher.

Assim, o sentido orgânico inerente a *hedera/hera* na etimologia da palavra aprendizado é bastante adequado ao tipo de construção de conhecimento vivido por nossas entrevistadas. Seu aprendizado envolveu dedicação a cursos e estudos – formais ou não – e práticas profissionais, mas também incluiu busca de autoconhecimento e desenvolvimento pessoal, disposição para fazer mudanças de rumo, atenção a fatores psicológicos e a outros mais sutis.

E para todas o valor da experiência é fundamental para o exercício de seu trabalho, como veremos nos trechos dos depoimentos a seguir.

Dúnia resume essa questão em duas frases:

Se queria orientar mulheres, tinha primeiro de me orientar em alto nível. Enfrentei desafios, atravessei tempestades muitas vezes, mas hoje me sinto preparada para ajudar outras mulheres a atravessar suas tempestades.

Jaqueline se propôs a aprender e a produzir conhecimento sobre a experiência da negritude tanto em termos acadêmicos como para além da academia:

Comecei a ler teoria crítica, e o que ela diz ser formação? Absorver a cultura, ressignificar e mudar a realidade para avançar, sair do lugar. Walter Benjamin diz que, para a formação acontecer, para poder absorver a cultura, é preciso que os indivíduos vivenciem as coisas. Então, naquele momento vivi uma sede de experiências. Fui ver filmes que nunca tinha visto, fazer coisas que nunca tinha feito, vivenciar coisas que nunca tinha vivenciado. Comecei a querer vivenciar a experiência ancestral e busquei saber mais sobre o candomblé e sobre o que era ser negra. Minha família já frequentava um terreiro e me iniciei nesse terreiro de Xangô.

Marisa trouxe para os círculos recursos vindos de sua formação acadêmica em Psicologia e de dinâmicas de grupo e grupos operativos, mas em seu depoimento ressalta a palavra "aprendizado" para trabalhar o feminino em diversos contextos, referindo-se a formações e estudos, afazeres domésticos, experiências profissionais e práticas de vários tipos:

e me tornei diretora do Centro Cultural Brasil-Espanha [...] Trabalhei lá por 19 anos, anos de muito aprendizado. [...] Nessa época também defendi a tese de mestrado na Filosofia, fiz a formação em Transpessoal, estava educando minha filha e nós construíamos uma casa. [...] Tudo isso foi um aprendizado maravilhoso para mim!

Patrícia Widmer buscou em si os efeitos de técnicas que usaria:

> Quando terminei o curso [de Arteterapia] vi que me faltava o domínio de técnicas artísticas. [...] fiz acrílico, mosaico, pintura, escultura. E, junto com a prática, fazia os diários dessas experiências, o que tinha pensado, como aquilo tinha me mobilizado, o que tinha sentido. Foi uma forma de ir criando um mapa do que cada técnica desperta e propicia; ficou uma coisa bem rica, acho que desse modo acabei completando a minha formação.

Laura encontrou o caminho que a levaria a criar uma editora focada em autoras e temáticas lésbicas e a conduzir círculos de mulheres lésbicas partindo de livros e de várias vivências com comunidades LGBT, especialmente fora do Brasil:

> Minhas experiências fora do Brasil foram muito boas porque entrei em contato com a literatura, o movimento e o pensamento de minorias sexuais, inclusive com um viés mais feminista. [...] Quando estava nos Estados Unidos fiz um "curso" de lesbianismo político, digamos assim.

Formadas em Pedagogia, Ana Cecília e Soraya buscaram fontes de conhecimento em outros campos, mas aplicam os recursos pedagógicos em seu trabalho com mulheres. Ana Cecília foi levando em paralelo as conexões místicas que a instruíam e hoje marcam seus círculos e os aprendizados e exigências acadêmicas para dar as aulas que eram sua fonte de sustento.

Soraya fez cursos de bruxaria, de espiritualidade celta, de Wicca e vários outros que a levaram a encontrar dentro de si aquilo que hoje ilumina seus círculos e atendimentos:

> Sou uma praticante da espiritualidade feminina, um caminho de resgate e afirmação dos valores sagrados da terra, da natureza e da mulher. [...] Mas trabalhar com círculos fui aprender fazendo.

Patrícia Fox começou fazendo cursos sobre tradições neopagãs, Wicca, ervas, astrologia, tarô, reiki, massagem terapêutica, dança e temas mitológicos ligados à mulher. Aprendeu na prática dando palestras, cursos e conduzindo grupos de mulheres, e depois foi fazer graduação, mestrado e doutorado em Filosofia, sempre escolhendo temas do feminino.

Patrícia Pinna aprofunda sua ligação com a psicologia junguiana e a arte como professora universitária em seus estudos acadêmicos e em suas práticas como psicoterapeuta no consultório.

Enfim, existem muitos campos de aprendizado nos quais a única parte exigida do aprendiz é sua mente racional. São conhecimentos padronizados. Pessoas que vão trabalhar em cálculos de engenharia aprendem mais ou menos as mesmas coisas e depois seguem aproximadamente os mesmos passos em seus cálculos profissionais. Você pode aprender a fazer esses cálculos sem mudar nada dentro de si mesma. Você pode crescer profissionalmente agarrada à sua parede técnica sem crescer como indivíduo. Mas você não pode aprender a conduzir círculos de mulheres assim. Será difícil até participar de um deles e continuar a mesma pessoa. Esse tipo de caminho, como alguns outros, segue a regra dos que pretendiam ser alquimistas e eram avisados antes de começar: *Ars totum requirit hominem* — a arte exige o homem inteiro.

Nas antigas iniciações, os mestres qualificados não apenas ensinavam um ofício, mas também levavam o aprendiz a passar por mudanças pessoais. E é assim que Dúnia trata seu aprendizado:

> Meu processo de trabalhar com o feminino começou com a dança do ventre. Tinha uns 15 anos quando comecei a fazer aulas de dança e aquilo despertou em mim uma coisa completamente atemporal, com a qual eu me conectava e que não conseguia nomear. [...] descobri que a minha relação com a dança tinha muito que ver com a relação com minha primeira professora, a Layla. [...] Layla foi me explicando muitas coisas: questões de processos energéticos, a conexão do corpo como microcosmo ligado a um macrocosmo... As aulas se transformaram em encontros com um lugar misterioso em mim, e a dança a se tornou um portal. [...] A conexão dança-Layla-sombras foi minha "faculdade"! Uma verdadeira iniciação/formação. Isso cria uma raiz, uma consistência... [...]

Assim, ao contrário da construção do conhecimento pela especialização e pelos métodos estritamente científicos, nessa perspectiva tudo que acontece pode e deve ser trabalhado como fonte de aprendizado.

Isso reforça a ideia de que o requisito mais importante para conduzir círculos e até para aproveitá-los como participante é que a pessoa trabalhe consigo mesma e amplie continuamente seu autoconhecimento.

E trabalhar consigo mesma começa por lidar com os *desafios enfrentados por ser mulher*, de que trataremos a seguir.

4 A caminho dos círculos: desafios enfrentados por ser mulher

Nós duas pertencemos *a um grupo social e economicamente privilegiado neste país: mulheres brancas, origem urbana, classe média, universitárias, profissionais. Mas também fomos jovens nos anos 1970, fazendo parte da geração que contestou o papel da mulher no mundo. E, de certa forma, fomos pioneiras em nossas famílias: as primeiras mulheres a fazer faculdade, a buscar uma carreira para além de "ajudar" no orçamento familiar, a discutir o "amor livre", a usar pílula anticoncepcional e definir os filhos que queríamos ter.*

Nossa geração conquistou coisas que fizeram diferença na vida de muitas mulheres – mas ainda há muito a fazer, como fica claro neste capítulo, que fala dos desafios que temos de enfrentar simplesmente por sermos mulheres.

Eles nos lembram que continuamos num sistema patriarcal que nos desfavorece de maneira tão "natural" e cotidiana que nem sempre – nem todas nós – temos consciência da amplitude disso. Os casos relatados aqui vão deixar claro como tropeçamos diariamente com esses desfavorecimentos. Mas o capítulo também mostra que, ao serem corajosa e criativamente enfrentados, esses mesmos desafios podem impulsionar mais conquistas e gerar uma forma de vida melhor e mais plena para todas.

AS EXPERIÊNCIAS DO CORPO E A ALMA FEMININA

Claro que todas as nossas entrevistadas lidaram e lidam com as dificuldades e os desafios das mulheres e do feminino: afinal, o trabalho delas é esse mesmo. Neste capítulo, porém, vamos falar daqueles que elas enfrentaram pessoalmente por ser mulheres e muitas vezes foram parte importante da jornada que as levou a trabalhar com os círculos.

O que podemos dizer que elas compartilham especificamente por ser mulheres?

Duas coisas: a vivência de "habitar" um corpo feminino e a experiência de ser mulher numa cultura que cria expectativas sobre os papéis, comportamentos, atitudes e até sentimentos que seriam adequados ao nosso gênero. Essas expectativas existem tanto fora de nós – na família, no entorno, na sociedade (e reforçadas por inúmeros meios de comunicação) – como dentro, de modo consciente ou não.

A comparação entre o que é esperado pela cultura que uma mulher "sinta" e o que ela verdadeiramente sente – muitas vezes, coisas bem diferentes – pode fazer que ela se ache errada, inadequada e culpada sem perceber que a origem do problema não está nela, mas na visão estereotipada de como deve ser e viver uma mulher.

E qual é a consequência disso? Nossas experiências pessoais como mulheres, especialmente aquelas que vivenciam com o corpo, não são legitimadas completamente até por nós mesmas porque usamos parâmetros da cultura sobre o jeito "correto" de vivê-las.

Isso pode levar a mulher a se alienar de si, a perder sua alma e se afastar da sua "natureza selvagem". E, como diz Clarissa Pinkola Estés (1994, p. 23-26),

> a Mulher Selvagem é a saúde para todas as mulheres. Sem ela, a psicologia feminina não faz sentido. Essa mulher não domesticada é o protótipo de mulher. A natureza selvagem implica delimitar territórios, encontrar nossa matilha, ocupar nosso corpo com segurança e orgulho independentemente dos dons e das limitações desse corpo, falar e agir em defesa própria [...] recorrer aos poderes da intuição e do pressentimento [...] adequar-se aos próprios ciclos [...] e manter o máximo de consciência possível.

Essa cisão interna vem de muito longe. Quando falamos sobre as mães das nossas entrevistadas, vimos como essa dissociação traz ambiguidades e contradições para o comportamento feminino.

Nas palavras de Cler,

> acredito que a ferida do feminino é uma questão sistêmica, não é uma ferida minha, que veio da minha família ou das minhas antepassadas, mas é uma ferida de gênero. Você nasce mulher, você nasce com essa ferida.

Algumas das experiências femininas mais fortes e complexas são a gravidez, o parto e a maternidade porque têm componentes corpóreos, psicológicos, sociais e espirituais. São vivências impactantes em si mesmas, mas que se tornam muito mais difíceis de ser vividas por causa das várias camadas de idealização e romantização "vendidas em toneladas" pela cultura. Essa visão idealizada é fonte de pressão e estresse para nós, mulheres.

A analista junguiana Polly Young-Eisendrath (2001, p. 94) diz da própria experiência:

> Minha primeira lição feminista: que a minha experiência como mulher não estava no arquivo cultural, e que eu não devia me comparar com aquele arquivo, especialmente com relação à maternidade. Logo percebi que precisava fazer uma distinção entre o ideal de maternidade e as minhas experiências de mãe.

Além de trazer uma imagem idealizada e extirpada da ambiguidade inerente a qualquer experiência forte, a cultura patriarcal usurpou o saber das mulheres sobre essas questões e o "entregou" aos especialistas – normalmente homens – da ginecologia, da obstetrícia e da pediatria, entre outros. A alma feminina foi tirada desses processos quando estes foram transformados em procedimentos basicamente médicos e, sobretudo para as mulheres mais privilegiadas econômica e socialmente, também em rituais esvaziados, romantizados, infantilizados.

Bianca afirma sobre o parto:

A sabedoria sobre o corpo feminino que as parteiras tinham e aprenderam com outras mulheres não está na medicina. Você pega a história da medicina e percebe que é uma história masculina: o corpo foi descrito de uma perspectiva machista. Parto não tem nada que ver com o que está nos livros, definitivamente! Os livros médicos foram escritos por homens e os homens estão errados, nunca pariram ninguém!

Resgatar e legitimar a experiência real desses processos femininos e nossos saberes sobre eles é passo fundamental para recuperarmos o poder sobre a vida. Duas entrevistadas se "apoderaram" de seus saberes internos para lidar com o engravidar.

Dúnia, que recebeu o diagnóstico de ovários policísticos, foi avisada de que não se curaria se não tomasse hormônios. Ela se recusou:

Não tomo hormônio; fazia tratamentos com ervas, acupuntura, e às vezes a menstruação vinha, às vezes não. Sonhei que estava grávida, que estava tendo um nenê e esse desejo cresceu em mim, então fui fazer uma bateria de exames – e para minha surpresa já estava grávida de três meses! Acredito que engravidei porque convergiu meu desejo com o momento propício de criação da vida.

No caso da Cler, sua vivência acabou sendo a gênese do seu trabalho com os círculos:

Logo que casamos comecei a pensar em ter filho, mas não conseguia engravidar. Eu ovulava, mas o meu ovário tinha criado uma capa ao redor dele e o óvulo não conseguia sair. Se fizesse um tratamento hormonal resolvia, mas eu, que já estava no caminho da autocura, me questionei: "Por que estou criando uma carapaça dura que faz que a minha fertilidade fique impedida? Alguma coisa no meu feminino está muito errada". [...] Daí uma amiga me falou do trabalho da Mônica Giraldez, baseado no livro da argentina Ethel Morgan, *La diosa en nosotras*. [...] E eu fui. Foi [...] uma revelação. Parecia que eu tinha caminhado a vida inteira para encontrar a deusa. [...] E comecei eu mesma a fazer uns rituais na lua cheia para Deméter, para engravidar. [...] engravidei naturalmente do meu filho mais velho, sem fazer tratamento. Ele nasceu quando eu tinha 34 anos.

Lógico que não é necessário ir por caminhos alternativos, como fizeram Dúnia e Cler; o importante é nos apropriarmos do protagonismo desses processos e ver os especialistas –importantes, sem dúvida – como auxiliares de uma vivência que é nossa.

Diz Bianca:

A partir de 1950 [no Brasil], os partos começaram a ser feitos em hospitais por médicos, especialmente nas cidades maiores. As mulheres que pariram a partir dessa época tiveram experiências muito diferentes das de suas ancestrais que tiveram filhos com parteiras em casa. [...] a maioria das amigas das mulheres de classe média e alta fez cesárea eletiva, e a das mulheres mais pobres fez parto normal no SUS, muitas vezes com oxitocina e episiotomia desnecessárias, partos violentos. Ambas as mulheres precisam desconstruir suas crenças sobre o parto para se preparar para esse parto fisiológico com menos intervenção possível, um parto muito diferente do hospitalar, que as mulheres do seu entorno não tiveram.

Para algumas de nossas entrevistadas, essa vivência foi muito marcante e de alguma forma teve relação com seu chamado para lidar com o feminino; vimos isso, de uma ótica positiva, na jornada da Raquel.

Nesse mesmo campo, porém de maneira oposta, Ma Devi passou por experiências que se transformaram em motivação para seus trabalhos com círculos:

Como a gravidez foi muito solitária, decidi que não queria sentir dor no parto e paguei para ter cesárea agendada. E foi horrível! Na hora do parto, senti eles rasgando a minha barriga. Aquele monte de luz, aquele monte de gente em volta e aquele solavanco deles puxando o neném. [...] não tive suporte de ninguém: nem de mãe, nem de nenhuma mulher. Por isso que são importantíssimos os círculos de mulheres.

A outra experiência da Ma Devi – como a de tantas mulheres que viveram uma gravidez que não foi a termo –, em certo sentido, é quase uma vivência mítica.

Para os gregos, a deusa Ártemis era a protetora das mulheres em trabalho de parto e também aquela que matava a mãe e/ou a criança quando qualquer uma delas vivenciava demasiado sofrimento. A analista junguiana Ginette Paris (1994, p. 183) fala sobre a deusa:

A função de Ártemis é preservar a pureza da vida. Ela guarda a vida, de modo a que não seja diminuída, ferida ou degradada; mas ela, que tem o poder de ajudar a mulher no parto, tem também o poder, por intermédio de sua flecha sibilante, de trazer a morte súbita.

Grávida de quatro meses, Ma Devi descobriu que tinha uma gravidez anembrionária: seu corpo tinha reabsorvido o feto porque "percebeu" que ele não sobreviveria – em termos metafóricos, Ártemis tinha agido. O médico disse que não prescreveria um remédio para expulsar o que tinha sobrado do processo da gravidez porque isso poderia ser visto como indução ao aborto, e a mandou para casa para que seu corpo "fizesse isso sozinho".

Ela passou três semanas sofrendo dores e sangrando, até que um dia liberou um grande coágulo, teve hemorragia e foi socorrida por uma ambulância. Ma Devi Conta:

> Havia um enfermeiro que me tratou como lixo porque achou que eu tinha provocado um aborto. No hospital, depois de dores terríveis e muitas contrações, fiz uma força descomunal e senti saindo tudo de mim, um alívio absurdo. Mas então me deu desespero porque não ouvi choro. Foi um vazio do profundo da minha alma. Eu pari o nada! [...] E a única vez em que me senti bem com alguém naquele momento foi com uma médica, que foi carinhosa e falou que ia fazer a curetagem com todo cuidado, que não ia me machucar e que tudo ficaria bem. [...] a única energia de amor, de doçura, que recebi foi [...] de uma mulher.

Infelizmente, para tantas mulheres que passaram por algo parecido, quase não existem lugares que acolham e deem sentido a dores como essas.

Dúnia relatou sua experiência quando precisou ser atendida de emergência por uma gravidez ectópica (quando o embrião se forma fora do útero) num hospital público do Rio de Janeiro:

> [...] fui internada de emergência no Hospital Miguel Couto. E vivi coisas ali dentro... A área da maternidade parecia banheiro de penitenciária. Gente espalhada pelo corredor, as mulheres muito maltratadas. Fui operada por um cara que meia hora antes estava falando assim para uma mulher: "Vai, vai, vai! Para de frescura! Vai ficar aí gemendo? Ou você tem logo esse bebê aí ou então eu vou te cortar toda". [...] Foi um processo aterrorizante! Eu precisei passar por isso para entrar em lugares desconhecidos do feminino, a que não teria acesso de outro modo, para conhecer ainda um pouco mais de feias facetas minhas e para me dar conta de que vivia na bolha "avalônica" do sagrado feminino...[...] Foi mais uma experiência intensa, mas também uma grande transformação.

E, novamente, Bianca:

> No parto acontecem coisas que estão além do racional. Muitas vezes a mulher vai fazer a catarse de muita coisa, não só física como emocional. O parto é um processo extremamente forte!

A já citada Ginette Paris (2000, p. 96) afirma:

> A mulher dando à luz se esquece da própria cultura e é arrastada pela força primitiva que nela habita. As pessoas que têm conhecimento sobre parto sabem que há um momento – quando

CÍRCULOS DE MULHERES

a cabeça do bebê passa pela cérvix – em que a voz da mulher se torna áspera, como a de um animal, e os gritos parecem vir de outro lugar, de um passado animal. [...] a natureza indomada toma posse da mulher.

Jean Shinoda Bolen (*apud* Zweig, 1994, p. 321) considera que a experiência do parto pode ser uma iniciação:

A experiência física do parto evocava e estimulava uma mudança na consciência dentro de mim [...] vejo de fato que a experiência do parto pode servir como metáfora para descrever o nascimento do feminino consciente nos indivíduos e na cultura; aqui, como na sala de parto, existe uma conexão íntima entre o como se aprende e o que se aprende. Quando isso acontece, o conhecimento chega através de uma experiência de iniciação que nos altera profundamente.

Mas a imensa maioria dos partos no Brasil, ou das vivências de gravidez nas quais o parto não aconteceu porque a gestação foi interrompida, está muito longe disso. Eles são vividos não como uma experiência profunda e transformadora, mas apenas como um procedimento médico, técnico, impessoal – quando não violento. E uma violência, deve-se dizer, que atinge particularmente as mulheres pobres, sobretudo se negras.

Jaqueline conta sobre sua primeira gravidez:

Eu tive um aborto muito cedo, aos 15 anos, e depois uma filha aos 18. Tive complicações no parto e ela morreu. Quase morri também. Não fujo nada da história de vida das meninas da Brasilândia... [...] Quando a minha filha morreu, não tive o direito de sentir a dor da perda dela. Para mim, até hoje, 13 anos depois, é uma coisa distante, como se eu tivesse visto e não vivido, porque a maternidade para nós, mulheres negras, é uma dimensão prática.

O problema não são as cesáreas (importantes quando necessárias e que salvam vidas) ou os partos hospitalares; a questão é que a vivência, que essencialmente é da mulher, é tirada dela quando todo o poder passa para os especialistas, homens na maioria. E delas é esperado/desejado/exigido um papel passivo de subordinação e obediência a quem "sabe muito mais"!

E, no Brasil, se a mulher depende da saúde pública tudo fica muito mais difícil. Novamente Bianca conta sobre isso:

Eu acho que a mulher tem que ter o direito de decidir se quer menstruar ou não, se quer parir ou não e de que jeito quer parir. O corpo é dela, ela tem que fazer o que quiser! Mas para isso ela precisa ter informação ampla e séria, e o problema é quando a cultura impõe uma regra.

É bom frisar que a maternidade não é necessária, de forma nenhuma, para que uma mulher se sinta plena e realizada, como "vende" nossa cultura. A filósofa francesa Elisabeth Badinter (1985, p. 367) explica que,

> ao se percorrer a história das atitudes maternas, nasce a convicção de que o instinto materno é um mito. Não encontramos nenhuma conduta universal e necessária da mãe. Ao contrário, constatamos a extrema variabilidade de seus sentimentos, segundo sua cultura, ambições e frustrações. Como, então, não chegar à conclusão [...] de que o amor materno é apenas um sentimento e, como tal, essencialmente contingente? Tudo depende da mãe, da sua história e da História.

Ma Devi aborda essa pressão cultural que, ao parecer enaltecer a mulher como mãe, predetermina a maternidade como condição da plenitude feminina:

> E, toda vez que a gente falava de sagrado feminino, lá vinha a bendita questão da maternidade: a romantização da maternidade, como se mulher fosse só isso. Comecei a questionar por que tudo que se referia ao feminino se referia à mãe e somente à mãe. Mulher não é só mãe! Inclusive já desconstruí isso com meus filhos: sou mãe, mas não quero ser endeusada por isso – sou humana.

Porém, quando a maternidade acontece, costuma ser uma vivência impactante e transformadora, mesmo que venha de filhos não concebidos, como foi o caso de duas das nossas entrevistadas.

Marisa, cujo sonho premonitório sobre a filha de 7 anos recebeu "do destino", como vimos no Capítulo 2, conta que

> de um dia para outro tive que me tornar mãe de uma menina que, também de repente, ficou sem sua mãe e sem seu universo. [...] E se a chegada dela não foi uma experiência fácil, nunca foi sofrida. [...] ... me abriu um outro mundo, o da maternidade. Nunca me senti perdendo nada, pelo contrário. Sinto que essa experiência me proporcionou outra liberdade de sentimento e de pensamento, me ampliou.

Ma Devi também "recebeu" da vida um filho não concebido, quando uma irmã do marido deixou com ela um bebê pedindo que cuidasse dele por umas horas enquanto procurava emprego, foi embora e nunca mais voltou! Ela acabou adotando a criança, porque

> eu já o sentia como filho. E era bem estranho, porque ele é branco, bem branquinho mesmo, bem diferente de mim. Quando eu o levava ao pediatra ouvia que ele não se parecia comigo.

CÍRCULOS DE MULHERES

Era um saco, mas enfrentei de boa. [...] Com 21 anos, na minha maioridade, veio um filho que não era meu, superdiferente de mim, para eu amar.

Para Raquel, que vivia um casamento complicado no qual, como ela disse, tinha se colocado numa gaiola de ouro e se trancado dentro, a maternidade a trouxe de volta para si mesma:

As crianças trouxeram coisas muito boas para mim. O primeiro filho trouxe muito um "eu"... Eu tinha perdido o meu valor, não sabia mais quem era, mas quando ele nasceu voltei a me sentir confiante. E o segundo filho trouxe a questão da sexualidade da mulher. Pensei: "Estou muito negligenciada aqui. Eu quero mais".

No caso da Patrícia Pinna foi o amor pelo filho, pequeno à época, que a ajudou a atravessar momentos muito difíceis:

Meu filho foi uma peça importantíssima nessa história toda, o que existia para mim era meu trabalho e ele. E pensei: a melhor coisa que posso fazer para meu filho é dar um exemplo de vida, é viver uma vida que faça sentido ser vivida.

Mas as experiências da gravidez, do parto e da maternidade não precisam ficar circunscritas a ter filhos; elas podem ser vividas como metáfora para a criação de uma obra, de um projeto, de um trabalho, de uma causa.

Segundo Jean Shinoda Bolen (1996, p. 70-71),

os mistérios do feminino dizem respeito ao corpo e à psique. [...] A mulher pode também dar à luz sua própria obra criativa, que provém do ventre de sua experiência, em que teve que ir ao fundo de seu próprio inconsciente como mulher e se esforçar para colocar a obra para fora. A mulher que realiza isso se entrega a um processo criativo semelhante a uma gravidez. Existe algo que quer se formar através dela.

As experiências boas, difíceis, assustadoras e maravilhosas que nossas entrevistadas tiveram por "habitar" um corpo feminino seguramente fazem parte dos seus trabalhos com os círculos de mulheres. Usando mais uma vez as palavras Bolen (*ibidem*, p. 58), "uma consciência relacionada à condição de estar no corpo de uma mulher e de fazer parte de Gaia, a Terra viva, está se revelando às mulheres".

Essa consciência, de uma forma ou de outra, está presente nos círculos.

É PRECISO MATAR O "ANJO DO LAR"

Em 1931, a escritora Virginia Woolf fez o discurso "Profissões para mulheres" (2012, p. 11-13) para a Sociedade Nacional de Auxílio às Mulheres, em Londres, no qual disse:

> Quando eu estava escrevendo descobri que, se fosse resenhar livros, ia ter que combater certo fantasma. E o fantasma era uma mulher [...] dei a ela o nome de "O Anjo do Lar". Ela era extremamente simpática. Imensamente encantadora. Totalmente altruísta. Excelente nas difíceis artes do convívio familiar. Sacrificava-se todos os dias. Se o almoço era frango, ela ficava com o pé; se havia ar encanado, era ali que ia se sentar – em suma, seu feitio era nunca ter opinião ou vontade própria, e preferia sempre concordar com a opinião e a vontade dos outros. [...] Fui para cima dela e agarrei-a pela garganta. Fiz de tudo para esganá-la. Minha desculpa, se tivesse de comparecer a um tribunal, seria legítima defesa. Se eu não a matasse, ela é que me mataria. Arrancaria o coração da minha escrita.

Apesar do movimento feminista, de toda uma geração de mulheres lutadoras que nos precederam, de um grande número de mulheres que se conscientizam cada vez mais de suas reivindicações e direitos, de um imenso material produzido da ótica feminina e feminista, "O Anjo do Lar" ainda tem de ser morto dentro de cada uma de nós! A doutrinação feita por séculos a nós pelo patriarcado ainda ressoa forte; não é fácil se libertar.

Além disso, os relacionamentos amorosos são o mito – no mau sentido, de ideal romântico e irrealista – de nossos tempos. A busca da relação perfeita adquiriu proporções tão lendárias como a busca do Santo Graal. Reverenciamos os relacionamentos como nossos ancestrais reverenciavam os deuses. E as figuras do príncipe encantado e da "família Doriana", aquela ideal de comerciais da TV, ainda fazem parte do imaginário feminino, embora muitas vezes de forma inconsciente.

Nenhuma mulher está imune a isso, por mais trabalhada e consciente que seja, e lidar com isso faz parte do seu processo de amadurecimento e transformação. Vejamos o que contam algumas entrevistadas:

Ma Devi – Casei porque fui me deixando levar, como se fosse o natural a fazer. [..] Que horror que eu fiz! Já na noite de núpcias, a decepção! Eu era romântica, fantasiava muito e esperava algo maravilhoso. [...] Chorei a primeira, a segunda, a terceira noite, e pensava: "E agora, o que é que vou fazer?" [...] Depois de oito anos de casamento e de dois filhos, comecei a rever meu casamento, a vida que levava e acabei propondo a separação ao meu marido. [...] Meus pais mudaram para praia com meus filhos, e fiquei em Alphaville trabalhando; descia para passar o fim de semana com eles. [...] virava a noite trabalhando, mas não ganhava o suficiente. [...] Cheguei a passar fome e não ter dinheiro para [...] ver meus filhos. Vi meu mundo desmoronar completamente!

Patrícia Fox – Na Hera Mágica eu conduzia meus cursos, mas a maior parte da administração e os bastidores também ficavam na minha mão. O Claudio era o que mais aparecia, tinha livros lançados e fazia a maior parte das palestras. A minha veia de artista, a que gosta do palco, ficou meio abafada. [...] me tornei a "esposa do Claudio" por não estar muito em evidência. [...] O meu casamento, que já não estava bom, começou a ruir. Em maio de 2003 a gente "pôs as coisas às claras". E a separação foi muito dolorosa para mim. Do mundo de Hera, caí no de Perséfone: o meu chão se abriu e eu caí! Eu não tinha caído quando a minha mãe morreu, quando meu pai morreu, quando minha irmã foi embora do país, mas dessa vez não suportei. [...] Olho para isso hoje, 15 anos depois, e falo: "A vida é perfeita, ela faz tudo certo para que a gente aprenda o que é necessário".

Patrícia Pinna – Quando resolvi fazer o mestrado [...] tinha um filhinho de 1 ano, mas meu casamento estava indo para o espaço. E, ao mesmo tempo, minha mãe estava muito doente, morrendo de uma doença incurável. Fazer esse trabalho foi o que me salvou naquele momento. Tudo que eu imaginava – ter uma família, uma casa, filho e ao mesmo tempo ser uma pessoa ativa e ter um caminho meu – não se sustentou. O mestrado foi uma oportunidade de refazer meu mundo.

Soraya, que já havia se separado do primeiro marido, contou de outra relação:

E acabei namorando, meio que de brincadeira [...] engravidei e ele quis que a gente morasse junto. Relutei, porque não era isso que queria de verdade, mas acabei cedendo. Sabe o conto "A pele de foca"? Eu acho que esse foi o único momento da minha vida em que fui perdendo a "minha pele de foca". Vendi meu apartamento e vim morar em São Paulo com ele. Foi uma época meio obscura da minha vida, talvez por essa culpa de ser muito livre, de ser muito ousada. Foi uma tentativa de me encaixar, claro que foi! [...] ele me propôs montarmos uma escola de educação infantil. Foi o que fizemos. [...] E, se a escola foi uma experiência fantástica, o casamento foi um desastre. [...] depois, numa separação muito complicada, ele ficou com a escola. [...] Não sei por que não briguei, pus advogado. Acho que, no fundo, me sentia culpada por me separar novamente.

Conta Jaqueline:

Sou marxista, milito no feminismo há tempos, mas tem ciladas de que a gente não foge! Tem a questão formativa, a maneira como a gente é socializada. E isso é tão entranhado... A experiência com meu último namorado me fez pensar: "Gente, como é que uma mulher de 32 anos, feminista, macumbeira deixa um cara desses passar conversa nela? Tem alguma coisa errada". [...] Talvez estar com um parceiro implique que eu possa cuidar... E cuidar na ilusão de ser cuidada. Talvez essa seja uma ilusão feminina, e aí é nas brancas, pretas, cor de rosa...

Laura mostra que essas questões também afetam as mulheres que vivem relações homoafetivas:

Há grandes preconceitos externos e também internos. [...] o preconceito internalizado é o mais difícil de lidar. [...] a pessoa que não assume a sua sexualidade não tem com quem conversar. E se não ilumina a si mesmo e à sua identidade, em geral tem uma vida emocional podrérrima, muitas vezes atrai as piores parceiras. Fica com uma mulher abusiva, ciumenta, que não deixa isso, aquilo... E fica também sem parâmetro: não sabe o que é abuso e o que não é.

Raquel, que com 21 anos tinha vindo de Santos para morar em São Paulo buscando uma vida livre e autônoma, acabou namorando o dono da empresa onde trabalhava. Era uma relação bem assimétrica: além de ele ser seu patrão e 20 anos mais velho, foram morar na casa dele, onde ela não podia mudar nada:

Em seis meses a gente estava morando junto e depois de um ano eu estava muito deprimida sem saber bem por quê [...] estava ficando igual à minha mãe [...] A coisa mais sábia que deveria ter feito é ter caído fora, mas... E aí começou um jogo meio insidioso na relação, que hoje sei que tem nome: violência psicológica.

Depois de anos de casamento e dois filhos, eles decidem se separar

e o cara veio com uma "voadora". No dia seguinte, tinha oficial de justiça para me tirar de casa. [...] Eu estava sem trabalho, porque o meu trabalho era a nossa empresa, e ele disse: "Vai procurar os seus direitos". [...] Foi uma briga muito grande pela guarda das crianças. [...] acabei achando que era injusto ficar com os meninos porque com o pai eles tinham uma casa [...] onde cresceram, a vida que conheciam. Por outro lado, comigo eles iriam morar numa quitinete sem móveis, com a mãe desestruturada psicológica e financeiramente. [...] Cara, é foda! Você fica em função das crianças durante anos... E acabei ficando sem nada, morando num apartamento vazio e sozinha. [...] Um relacionamento abusivo não se resolve do dia para a noite. Eu fiquei 11 anos em um.

Marisa comenta esse contexto do abuso feminino:

Há muitas formas de abuso, o abuso dos homens da família em relação às mulheres, do autoritarismo, da prepotência, dos abusos patrimoniais. E tem o abuso em relação à falta de repouso das mulheres. As mulheres não descansam [...] a civilização patriarcal joga toda a responsabilidade da estrutura familiar em cima da mulher. [...] São sempre as mulheres, não importa quanto trabalham fora de casa. [...] as horas gastas nesses afazeres típicos da vida: dar banho nos meninos, fazer o lanche, levar ao dentista, fazer as compras para a casa, levar a mãe idosa para tomar vacina... São horas trabalhadas que não aparecem porque pertencem ao mundo privado. [...] para realizar esses trabalhos absolutamente imprescindíveis, mas quase invisíveis, alguém renuncia a seu descanso e/ou a seus projetos – e quem renuncia são as mulheres.

Assassinar o "Anjo do Lar" e resgatar a "Mulher Selvagem" é tarefa pessoal e imprescindível para cada mulher que busca ser a dona da própria vida. Segundo Clarissa Pinkola Estés (1994, p. 26),

Não somos feitas para ser franzinas, de cabelos frágeis, incapazes de saltar, de perseguir, de parir, de criar vida. Uma mulher saudável assemelha-se muito a um lobo: robusta, plena, com grande força vital, que dá vida, que tem consciência do seu território, engenhosa, leal, que gosta de perambular. A mulher selvagem carrega consigo os elementos para a cura; traz tudo que a mulher precisa ser e saber. Ela é tanto o veículo quanto o destino.

NEM TODAS TÊM O MESMO PONTO DE PARTIDA

Todas as mulheres passam por muitos desafios femininos, mas claro que não por todos e nem da mesma forma. Ser mulher e branca e ser mulher e negra, ser mulher e classe média e ser mulher e pobre, ser mulher e heteroafetiva e ser mulher e homoafetiva acarretam profundas diferenças.

O feminismo interseccional estuda como as diferentes identidades – gênero, raça, etnia, classe, orientação sexual, lugar de origem, nacionalidade, entre outros – podem se sobrepor nos diversos sistemas de opressão da nossa sociedade, em especial nas mulheres. Jaqueline fala sobre isso:

O racismo pega a gente em duas dimensões – na dimensão humana porque nos desumaniza e na dimensão de mulher porque faz que a gente se sinta menos mulher porque não estamos no padrão de mulher branca. E aí, por nos sentirmos menos mulher, a gente se sente sozinha, vulnerável... É um mix do peso que a mulher carrega por ser mulher e do peso que a gente carrega por ser negra. Carregamos esses dois pesos nas costas. E se for uma mulher negra e lésbica carrega um peso triplo: ser mulher, negra e lésbica.

E se for acrescida uma condição econômica desfavorecida, a questão é ainda mais difícil, como Jaqueline explica:

Nem sempre a questão racial nos permite ser mulher como se constitui o "ser mulher" em termos sociais. A condição de vida da mulher negra não dá tempo para fragilidades [...] Porque é demanda, demanda, demanda – o tempo todo. É o irmão que está preso, é o filho que morreu, é o filho que está doente, o marido que não trabalha. A nossa vida afetiva é construída num espaço pautado pela questão econômica, porque a questão da sobrevivência é urgente [...] A minha trajetória me fez uma mulher negra privilegiada porque tenho tempo para o romantismo, para ler, assistir a filme, sentar e conversar. A maioria das mulheres negras que conheço, inclusive minha mãe, minha avó, minhas tias, jamais teria tempo para isso.

Laura também fala da especificidade de ser mulher e lésbica:

Tem muito preconceito contra lésbicas mesmo! Tanto que, quando você encontra um lugar que abre as portas, tem de aproveitar. Minoria sexual já está acostumada a ser olhada torto [...] E ter um espaço para falar livremente sobre suas questões é muito difícil. Acontece raríssimas vezes. Eu, uma lésbica dinossáurica, 56 anos, não tive tantos momentos assim na minha vida! Atuei na militância LGBT, sou uma pessoa com recursos, vivo e trabalho num ambiente cultural e mesmo assim não tenho tantos momentos para falar do lesbianismo – imagina quem não tem isso? Tem gente que não tem sequer a possibilidade de ter uma conversa.

Como disse a feminista e escritora americana de origem caribenha Audre Lorde, citada por Djamila Ribeiro (2017, p. 51),

é preciso pensar na necessidade de reconhecermos nossas diferenças e não mais vê-las como algo negativo. O problema seria quando as diferenças significam desigualdades. O não reconhecimento de que partimos de lugares diferentes, posto que experenciamos gênero de modo diferente, leva à legitimação de um discurso excludente, pois não visibiliza outras formas de ser mulher no mundo.

Se queremos pensar e criar uma irmandade feminina que nos ajude a mudar o que precisa ser mudado, precisamos pensar em nossas semelhanças, mas também em nossas diferenças. Conhecer e reconhecer essas diferenças e lutar para que não virem desigualdades. E, para isso, precisamos nos ouvir, ouvir, ouvir... E ouvir mais uma vez, com a mente e o coração abertos!

NOSSAS VIVÊNCIAS SÃO AS NOSSAS GRANDES MESTRAS

Como podemos ver nas histórias completas de nossas entrevistadas, todas essas vivências foram e são parte intrínseca do seu trabalho com outras mulheres e nos círculos. Viver pessoalmente "as dores e as delícias" de ser mulher fez parte da jornada e do aprendizado delas.

Jean Shinoda Bolen (1996, p. 63) conta como voltou seu trabalho para as mulheres e se tornou feminista:

A experiência do trabalho de parto e do próprio parto me recrutou para o movimento feminista. A afinidade com as mulheres, a profunda irmandade começou nessa época. Adquiri com o tempo uma noção mística de unicidade com todas as mulheres. Nessa experiência, fui todas as mulheres, qualquer mulher, Mulher. Essa foi uma revelação profunda.

Também foi assim com muitas das nossas entrevistadas. Patrícia Fox conta:

Meu divórcio levou um ano para sair. [...] mas essa experiência foi mais um ingrediente para saber como lidar com coisas que presencio quando estou conduzindo os círculos, porque essa é uma das dores das mulheres. [...] Todas as experiências da gente são a base da medicina que a gente carrega.

E Raquel:

De alguma maneira a gente se reconhece na violência. É assim: eu sei o que você está passando e te curar me cura, faço por mim. É isso que dá solidez, porque as pessoas vão de coração aberto para a outra mulher que está precisando de ajuda...

Ma Devi conclui de forma visceral:

Tudo que faço hoje faço porque senti na minha pele, na minha alma, no meu espírito, no meu ânus, no meu útero, no meu coração.

5 A condutora de círculos: sombras, luzes, função

"Se você tem uma cicatriz profunda, ela é uma porta", diz Clarissa Pinkola Estés (1994, p. 37). Uma cicatriz é a memória de uma dor e de uma cura, uma marca extremamente pessoal e uma porta de entrada para iluminar cantos escuros, desconhecidos ou esquecidos do próprio mundo interno.

Uma condutora precisa ter vivenciado muitas de suas cicatrizes para lidar com as cicatrizes que aparecem nos círculos; precisa ter adquirido uma boa consciência dos aspectos mais sombrios de sua personalidade a fim de que eles não obscureçam tudo a seu redor.

Isso significa autoconhecimento, um processo contínuo no qual se vai ultrapassando portal após portal. Esse processo, importante para todo mundo, é fundamental para quem lida com outras em círculos de mulheres. Por isso, iluminamos aqui as sombras das condutoras para que elas sejam reconhecidas, evitadas ou reduzidas.

"Conhece a ti mesmo", estava escrito na entrada do templo do deus Apolo em Delfos, na Grécia. E "Homem, conhece a ti mesmo e assim conhecerá os deuses", num templo em Luxor, no Egito.

Para quem quer ser condutora de círculos de mulheres, como nesses antigos portais iniciáticos, podemos dizer: "Mulher, conhece a ti mesma e assim conhecerás as deusas e as outras mulheres".

APRENDIZADO SOBRE SI MESMA, PORTAL PARA A CONDUÇÃO

Comprometer-se integralmente com o processo de autoconhecimento – que implica a busca da própria identidade e da contínua ampliação da consciência – é parte essencial da capacitação para conduzir um bom círculo de mulheres.

Marion Woodman (1999, p. 32) compara o processo de autoconhecimento ao da transformação da lagarta em borboleta:

> Uma vida que esteja sendo verdadeiramente vivida está o tempo todo incinerando os véus da ilusão e gradualmente revelando a essência do indivíduo. [...] Às vezes, as pessoas se

sentem lagartas rastejando pela vida [...] e talvez não estejam preparadas para a agonia da transformação que se processa no interior da crisálida [...] Não obstante, é notável como existem outras lagartas, inspiradas pelas borboletas, que sacrificam suas condições de novatas, constroem a própria crisálida e encontram as próprias asas. É disso que trata entrar em crisálida: submeter-se a uma metamorfose para um dia vir a ser capaz de pôr-se de pé e dizer: "Eu sou".

Claro que o autoconhecimento deve ser um trabalho constante e nunca é verdadeiramente concluído. Porém, assim como a lagarta tem de sair do seu casulo para inspirar outras lagartas a sair dos seus, a condutora precisa já ter feito um bom progresso no conhecimento de si mesma para conseguir evitar as armadilhas da sombra e ajudar outras mulheres na busca da maior consciência. Como afirma Patrícia Widmer,

é por meio do conhecimento da sua profundeza, de até onde você foi, para saber até onde você consegue ir com o outro, até onde consegue segurar.

Estar sempre aprendendo e buscando amadurecer com o que lhes acontece possibilita às condutoras de círculos aperfeiçoar o exercício desse papel. Mas, além disso, há inúmeras maneiras de buscar ativamente ampliar o autoconhecimento. Seguem aqui algumas dentre as várias a que as entrevistadas se referiram:

Ma Devi – Depois de certo tempo, comecei a frequentar um espaço espiritual com o uso da ayahuasca e muito estudo do tantra, de ampliação de consciência [...]. Durante quatro anos frequentei o lugar e fazia cinco retiros por ano. Três ou quatro dias de voto de silêncio, monodieta, ioga, meditação e também ayahuasca.

Dúnia – Comecei a entrar na minha sombra: vi que o que estava querendo era me tornar a Layla ou outras mulheres escritoras e dançarinas que também eram a minha inspiração. Quem eu era? Se quero ser autêntica, preciso viver minhas próprias "viagens", minhas lacunas, minhas inquietações! Parei de procurar formações e comecei a olhar para mim partindo da premissa desse saber feminino: o que está dentro a gente cria fora. [...]

Jaqueline – Hoje sei quem sou; ou, pelo menos, tenho mais condições de saber. O candomblé é um caminho de autoconhecimento cotidiano e constante.

Laura – Aqueles livros me deram as referências de que eu precisava para me sentir melhor, me entender e entender essas questões na história. Foi um processo de me assumir.

E diversas condutoras citaram a psicoterapia como uma das principais ferramentas na busca de autoconhecimento. Soraya, por exemplo, faz terapia há quase 20 anos, sempre com a mesma profissional:

> Tenho por ela uma admiração profunda porque é muito honesta e consegue colocar limite, o que para mim é bom porque eu me misturo muito, sou bastante emocional e por vezes tenho dificuldade de olhar para a vida de forma mais analítica. Não foi tão gostoso no começo, mas foi importantíssimo – então largo tudo, menos a terapia.

Concluindo, Patrícia Pinna afirma:

> Acho, inclusive, que é uma questão ética: se escolhi cuidar do outro, tenho o compromisso de me cuidar, senão projeto meus problemas nos outros e faço deles bodes expiatórios. O trabalho com os outros só acontece verdadeiramente quando a gente trabalha com a gente também.

CONDUTORA: LIDANDO COM AS PRÓPRIAS SOMBRAS

A sombra – conceito da psicologia analítica – é composta por características que a pessoa tem, mas que desconhece, renega ou reprime em função de uma autoimagem idealizada. Mas como um conteúdo psíquico não se destrói por vontade própria ou por negação, essas características permanecem e podem interferir no comportamento e nas reações da pessoa, porém de forma inconsciente. Trazer "luz às nossas sombras", ou seja, procurar tornar consciente o que está no inconsciente, é processo fundamental para que conheçamos verdadeiramente a nós mesmas.

Nas palavras de Dúnia:

> Fui percebendo que todo mundo tem um grande universo sombrio dentro de si que aprende a repudiar, e assim negamos 50% de quem nós somos! O que diferencia a "pessoa normal" de um psicótico é que a "pessoa normal" consegue diferenciar quando um desejo ou um pensamento sombrio que se passa dentro dela não é algo saudável, ou que se realizasse a tal ação isso seria uma psicose. Muita coisa passa pelas emoções e pela cabeça, mas se olho para isso posso entrar nesse lugar em mim com consciência. Se não olho, posso nem realizar a ação de fato, mas sustento um campo para que isso aconteça fora. Então, tenho de ficar íntima dessa sombra para ter capacidade de transmutar!

E um dos perigos nos círculos de mulheres é que a sombra ainda não trabalhada da condutora interfira negativamente no processo do grupo. É necessário, portanto, que toda condutora fique atenta para que suas sombras não determinem o destino do círculo que guia, pois, nas palavras de Jung (*apud* Zweig e Abrams, 1995, p. 5), "aquilo que não fazemos aflorar à consciência aparece em nossas vidas como destino".

Mais: a própria configuração do círculo exige maior atenção a isso porque, quando se está face a face numa roda, uma mulher sentada à nossa frente pode parecer um espelho que mostra algo de nós mesmas. E esse espelhamento pode ser bom ou ruim, dependendo de como é tratado pelas participantes e principalmente pela condutora.

Se a condutora não se trabalhou o bastante e enxerga na outra pessoa algo que é dela, mas que não reconhece como seu porque está inconsciente,

> suas reações não terão relação com as coisas do grupo ou da outra mulher e sim dela mesma. Isso é projeção, e quando acontece as nossas reações não são só em relação a outra pessoa, mas sim em relação a nós próprias. Talvez não possamos apoiar uma mulher por conta de experiências que são nossas; talvez não a suportemos por ela expressar experiências que reprimimos. É possível que a consideremos difícil por reagirmos a ela como à nossa mãe ou a outra figura significativa. Pode ocorrer também de sermos atraídas por ela pelo fato de ela corporificar algum potencial que existe em nós mesmas e de qualidades que admiramos. Talvez a evitemos por temermos nossos próprios vícios, dependência ou carência. Dessa forma, somos umas para as outras, figuras simbólicas que precisamos compreender como compreenderíamos símbolos em um de nossos sonhos. (Bolen, 1996, p. 200-01)

Uma boa condutora deve saber separar o que é dela e o que é das participantes, ou seja, precisa se conhecer suficientemente para não confundir conteúdos psicológicos seus com os de outras mulheres. Isso a capacita melhor também para enxergar com maior precisão as outras mulheres; assim, mesmo que ela sinta profunda empatia e compaixão, não se perde nisso.

É importante evitar a simbiose: as dores podem até ser as mesmas, mas as pessoas não são, e cabe a cada uma lidar com as próprias questões; o apoio das demais deve ser encarado como suporte para isso.

SOMBRAS DE CONDUTORAS DE CÍRCULOS

Até aqui estivemos falando das sombras pessoais das condutoras, originadas em suas histórias de vida e, portanto, variadas e específicas para cada uma. Mas existem alguns tipos de sombra que podem emergir especificamente em consequência de se conduzir círculos de mulheres.

O primeiro problema sombrio é o despreparo (não reconhecido pela condutora) para o exercício da função. Diz Patrícia Fox:

O simplismo e a falta de conhecimento são o que mais me incomoda quando a gente fala sobre certos aspectos do atual cenário dos círculos de mulheres. [...] Há mulheres muito jovens conduzindo círculos de forma bastante ousada, eu diria. Muita medicina misturada – ayahuasca, rapé, tabaco, cacau, por exemplo, por vezes de origem duvidosa e tudo num mesmo dia. Tudo extremamente intenso, sem preparo adequado nem acompanhamento posterior à experiência. Fico pensando: o que elas vão fazer depois com os conteúdos que são despertos com isso?

Patrícia Widmer complementa:

Já vi, em alguns trabalhos de que participei, a pessoa que estava na condução deixar aprofundar demais e depois não ter condição de lidar com o que aflorou. De não conseguir trazer a pessoa que ficou mal de volta a um estado mais tranquilo. Então as pessoas saem bagunçadas, confusas, machucadas. É bem preocupante! Acredito que é preciso ter cautela porque hoje tem muito grupo feminino disso e daquilo, então a gente tem de saber bem aonde vai, quais são os nossos objetivos, quem é a pessoa que está conduzindo, como é sua proposta, como ela trabalha.

Outra questão é que, por estar, de certa forma, no "centro das atenções" de um grupo de mulheres, isso pode despertar vaidade, desejo de brilhar e/ou gosto pelo poder. Segundo Marisa,

[...] a coisa mais importante para uma condutora de círculos de mulheres é saber que ela não é a protagonista. O protagonismo mais uma vez é do propósito, do trabalho, da tarefa do grupo. No centro do círculo não está a condutora, está o propósito. "Qual que é nosso propósito? Entender a sombra? Ou entender a maturidade? Ou trabalhar a viagem pessoal das mulheres?" O tema é o protagonista. O lugar da condutora não é um lugar de poder, mas de entendimento da estrutura coletiva e de conduzir todas para o propósito do grupo.

E recomenda:

Vou dizer uma coisa que pode ser vista como politicamente incorreta: acho que as coordenadoras de círculos têm de estar em terapia ou ao menos em supervisão. Ser condutora de círculos implica receber projeção de um monte de mulheres, e para você se achar a bambambã é muito fácil. Em terapia podem-se trabalhar os narcisismos pessoais. Uma boa supervisora pode também fazer esse trabalho.

Ao ser objeto de muitas projeções, algumas condutoras podem acabar se vendo como um "ser superior, iluminado". Por isso, Patrícia Widmer reforça a importância de estar em um processo contínuo de conhecer e reconhecer os próprios alcances e limites:

Acho que quem trabalha com grupos, seja de que natureza for, tem a obrigação ética de estar constantemente em análise: você precisa estar sentada aqui e sua sombra à sua frente, para você estar sempre olhando para ela. Por exemplo, é muito fácil cair numa inflação de ego; as pessoas acabam projetando algo especial em você e você pode acabar acreditando nessa projeção. Então, é preciso ser capaz de receber essa projeção, acolher o que vem, mas não se identificar com ela. Às vezes você tem a oportunidade de conhecer o trabalho de gente que admirava e acaba percebendo que a pessoa se pôs num patamar tão alto que não dá nem para ser discípulo, pois você não consegue chegar à "altura" em que ela se colocou! Acredito que, da mesma forma que as participantes veem na condutora uma mestra, a condutora também tem de ver as participantes como mestras.

Soraya concorda:

Mas a facilitadora, a guardiã do círculo, tem de estar entregue ao processo e não deixar seu ego tomar conta. Precisa se entregar ao processo, mesmo que tenha de fazer o sacrifício de perder o grupo todo. E buscar ajuda terapêutica para ela mesma, se preciso.

Outra sombra possível de ocorrer com uma condutora é ela não lidar bem com o feminino em termos simbólicos e/ou vivenciais. Estamos tão acostumadas com a supervalorização do masculino que isso pode nem ser notado, até mesmo por mulheres que trabalham em si mesmas e com o feminino. A excessiva justificação das atitudes e o encantamento com a presença e as qualidades dos homens – e constantes críticas ou reprovações a atitudes e características das mulheres – são alguns dos sintomas dessa distorção.

Essa questão não se coloca para nossas entrevistadas: em todas existe admiração e respeito pelo feminino, o que aliás deveria ser requisito básico para alguém lidar com círculos de mulheres. É preciso sentir ao menos um pouco do que declara Ma Devi: "O princípio masculino vai estar presente também, mas meu trabalho e meu caminho são a deusa". Ou Marisa: "Estou plenamente convencida de que precisamos de uma nova ética. [...] E essa nova ética é essencialmente feminina, ligada ao princípio feminino, porque é inclusiva".

Essa sombra em relação ao feminino pode surgir de outras formas, como avisa Cler:

[...] não adianta querer ser uma facilitadora de círculo se você é uma mulher que está mal com seu feminino. Nesse caso, você está fazendo um círculo só para receber das outras mulheres aquilo que não tem. Você não pode estar ali porque precisa receber afeto e amor. As mulheres sairão sugadas em vez de sair bem. [...]

Outra sombra possível é que, como as questões do feminino podem parecer um "mercado em expansão", há quem queira se aproveitar, tratando disso como mais uma carreira nos padrões exclusivamente materialistas e competitivos.

Segundo Dúnia,

> se a gente continuar nessa de esquematizar como carreira tudo que nos chega de saberes, estamos falando do feminino, mas agindo contra ele próprio. Por exemplo, já me pediram que a medicina dos *yoni eggs*[1] vire um curso de formação: em tudo se vê um mercado ou um produto a ser consumido eternamente. Isso é uma incoerência, pois o feminino é cíclico. E temos uma cultura que se baseia tanto no medo que, quando uma coisa dá certo, não se quer largar o osso mesmo que a alma clame por outra coisa. E as mulheres que fazem trabalhos parecidos com o dela são "filhas da mãe, roubaram o meu trabalho". Teve alguém que patenteou os movimentos ondulatórios da dança do ventre! Oi? [...]

Indo para um lado ainda mais sombrio, algumas condutoras podem mostrar falta de ética e ganância. Patrícia Fox fez um alerta nesse sentido:

> Por isso venho falando sobre a necessidade de uma reflexão ética. Não dá para negar, tem um povo mal-intencionado que está vendo o movimento como uma forma de manipulação e enriquecimento. Por isso é preciso verificar se o que consta nos currículos de supostas lideranças é realmente realidade.

Essa falta de ética também pode assumir outra forma, ainda segundo ela:

> Identificar e reverenciar as fontes é algo essencial. Se aprendi algo com alguém ou alguém me inspirou, citar seu nome chancela meu trabalho e mostra de onde vim.

Até aqui iluminamos as sombras das condutoras para que cada uma possa perceber os sintomas em si e nas outras e consiga sair delas de forma mais rápida e com mais integridade, ampliando a capacidade de conduzir outras mulheres em suas jornadas.

Mas, depois de falar tanto de sombras, é hora de jogar luz nesse assunto e no papel da condutora.

O PAPEL DA CONDUTORA

Jean Shinoda Bolen (1996, p. 200) diz que, "para que um círculo de mulheres funcione como um caldeirão de mudança e desenvolvimento, precisamos ver cada mulher do círculo como uma irmã que nos devolve os nossos próprios reflexos".

---

1. Segundo as informações disponíveis, os *yoni eggs* são originários da tradição tântrica taoista e também da tradição do antigo México, constituindo-se de pedras minerais em formato oval que são inseridas no canal vaginal visando contribuir para um processo de cura e vivência de uma sexualidade mais saudável. [N. A.]

Já vimos que esse espelhamento pode constelar sombras, mas também é uma fonte de benefícios e esclarece o papel de cada participante: por definição, um círculo é uma irmandade; nele somos todas irmãs.

Porém, segundo Cler,

se eu vou ao círculo de outra pessoa, estou no lugar da irmã mais nova; se sou facilitadora de círculo, estou no lugar da irmã mais velha e não posso querer ser mãezona para as mais novinhas ou ser a filhinha das mais velhas. [...]

Percepção que Soraya confirma:

Tive de aprender a lidar com um lado forte meu que é muito maternal, porque não posso me deixar ser abusada ou sofrer muito a cada saída de uma participante ou na finalização da jornada com o grupo. Isso aconteceu algumas vezes até eu aprender a agir; na verdade, continuo a aprender.

A condutora precisa buscar "o olhar de não julgar nem criticar, entendendo que cada um é um e que todos têm o direito de ser como puderem e conseguirem", explica Patrícia Pinna.

Ou seja, o papel de condutora não é o de mãe, juíza, chefa, gerente, grande deusa, guru, modelo ideal de mulher, *pop star* – e nem pode ser o motivo do encontro. Seu papel é o de ser a irmã mais velha daquele círculo. No círculo de outra, ela será uma irmã mais nova.

Mas a irmã mais velha tem funções diferentes das mais novas, inclusive simbolicamente. Clarissa Pinkola Estés (1994, p. 64) diz que, assim como as irmãs mais velhas auxiliam a mais nova do conto de fadas Barba Azul, "a mulher iniciada presta atenção às irmãs mais velhas na psique; elas a protegem do perigo com seus avisos".

Usando outra metáfora, Patrícia Fox fala dessas funções:

Diferentemente de outras, sou a favor da liderança nos círculos. Vejo a condutora não como uma grande mestra, mas como a responsável para chamar a atenção para o centro do círculo – o coração do organismo formado pelas mulheres que estão nele. A condutora tem de participar de igual para igual e ao mesmo tempo precisa ter um olhar imparcial para decifrar conflitos, identificar o que está acontecendo e agir para que a comunicação seja harmônica. Eu brinco que o círculo é como uma carruagem: o fogo são os cavalos e a condutora é a cocheira. Uma boa cocheira conhece a natureza selvagem dos cavalos, conhece o caminho e tem a flexibilidade necessária para mudar de rumo se necessário, mas quem move a engrenagem é o fogo, não ela.

Ma Devi vê esse papel de modo poético, substituindo a ideia do fogo pela do sopro: "Como facilitadora, sempre me coloco como um bambuzinho oco por onde vem o sopro".

E o sopro sopra onde quer, dizem os místicos. Assim, embora prepare seus círculos, Cler explica que a condutora tem de estar pronta para administrar o imprevisto:

> Não posso querer algo assim: "Vou fazer isso com o grupo porque quero que o grupo chegue a esse lugar". Não; você oferece, se abre e deixa o grupo chegar aonde ele tem de chegar. Quando você está conduzindo um círculo, precisa ter estrutura emocional e espiritual para dar conta de tudo isso; não é uma brincadeira!

É preciso saber o que se está fazendo, como explica Patrícia Widmer:

> É fundamental que na condução do grupo esteja alguém que saiba muito bem o que está fazendo. Quando você começa um grupo, não sabe direito o que pode emergir, não conhece o tamanho do "buraco" emocional de algumas pessoas, que muitas vezes pode ser imenso. Se você propõe um trabalho que vai mobilizar as pessoas, precisa estar preparada para dar suporte àquilo que aflorar. Então, quem conduz o grupo tem de estar muito atento e manter a coisa no nível de aprofundamento que quer, não deixando ir além. Acho que quem conduz é que tem de dar esse tom de "até onde vamos".

A sabedoria de saber "até onde ir" faz parte das competências da condutora e depende da intenção do círculo. Laura, por exemplo, que formou um círculo visando facilitar a expressão e as manifestações artísticas e literárias de mulheres lésbicas, comenta:

> [...] nos círculos você tem de tomar cuidado porque pode rolar uma energia de muito, muito problema, e, a menos que você esteja conduzindo um círculo terapêutico, não é esse o foco. Se a pessoa tinha uma catarse, tudo bem, mas eu não incentivava. Sempre achei mais interessante levar as coisas não num pique de vitimismo e chororô, e sim num tom mais bem-humorado.

Também é preciso ter respeito aos próprios limites. Na direção de uma ONG que lida com políticas públicas para direitos femininos, Raquel é testemunha de muita violência contra mulheres. Ela conta que em determinado momento

> [...] a minha dor estava tão misturada com a dor das outras mulheres que eu estava adoecendo. [...] Agora tenho conseguido um equilíbrio, dei uns passos atrás. Por exemplo, hoje encaminho as pessoas, mas às vezes digo: "Não posso te escutar, eu me envolvo, me sinto mal, fico doente". Primeiro preciso me salvar para depois ajudar os outros.

Com o que concorda Patrícia Pinna: "Sempre tive consciência de que para cuidar dos outros eu tenho de me cuidar".

CONDUTORA: O LADO LUMINOSO

O próprio exercício de lidar com o feminino e com os círculos também beneficia e "cura" a condutora, como várias de nossas entrevistadas afirmam:

Bianca – Trabalhando com partos passei também por um parto interno! Acho que vivi muitas curas, em primeiro lugar com meu corpo. E quando se começa a trabalhar com parto a gente passa a rever os vínculos com as mulheres. Eu já tinha esses vínculos fortes, então fiz algumas curas com os homens, meu pai, meu avô. [...]

Cler – Até eu começar esse meu caminho – e são quase 30 anos de jornada –, a minha vida foi muito atrapalhada. Eu era uma pessoa nervosa, ansiosa. [...]. Então o caminho com o feminino e com a deusa foi extremamente curativo para mim. Hoje sinto que meu feminino está coladinho. Ele foi estilhaçado, mas agora está todo coladinho.

Patrícia Fox – Acho que o ideal do poder de cura dos círculos de mulheres foi o que me segurou. Para mim, conduzir círculos envolve amor, um amor que precisa ser maior que a gente. E estar a serviço disso é como fazer um acordo com a vida.

Esse poder de cura, do qual falaremos mais em outro capítulo, é tão forte que existe uma ideia de que todos os círculos de mulheres têm intenção terapêutica, mas isso não é verdade. Jean Shinoda Bolen (2005b, p. 76) esclarece que "um círculo com um centro não é terapia, mesmo quando a cura acontece dentro dele".

Ela acontece porque o autoconhecimento é curativo em si. Segundo Jung (2011, p. 43), "só aquilo que somos realmente tem o poder de curar-nos", e os círculos não deixam de ser uma forma de autoconhecimento espelhado, irmanado e compartilhado. Assim, Jaqueline comenta:

acho que nas rodas quem mais ganha sou eu, porque ouvindo cada uma delas consigo me rever. [...]. O tempo todo fico tentando me entender.

A condutora também está ali fazendo sua jornada, como explica Patrícia Fox:

Este é o trabalho da condutora: você não diz o que as mulheres têm de fazer; você está ali junto, você é uma delas. E, baseada na sua experiência e com o apoio do centro/espírito do círculo, você está no papel de acompanhar a jornada que é de cada uma. [...]

Outro requisito essencial a um bom círculo é a coerência e integridade pessoal da condutora. Patrícia Pinna acredita que até mesmo os cursos devem passar por uma legitimação por meio de uma experiência pessoal:

Meus cursos sempre foram vivenciais e teóricos. Sempre achei que tem de ter os dois lados, até por uma questão ética: se você for aplicar, precisa vivenciar.

Para Dúnia, a busca de integridade, de coerência e de autoexperimentação é questão fundamental e também um método:

[...] criei um trabalho chamado "Íntimo e pessoal" recriando práticas dos livros que em mim tinham efeito. Experimentava em mim, laboratoriava em aula e pensava: como é que vou crescer? Me arriscando e colocando no mundo! [...] Passei a fazer isso também com outros processos. [...] Tudo que chega ao grupo olho como ressoa em mim, porque se aquilo está no meu campo está lá para eu trabalhar nele.

Ela está se referindo ao campo, tema abordado no Capítulo 8. Mas adiantamos que talvez o principal papel da condutora seja o de facilitar a criação desse campo – ou, em outras palavras, evocar o que Patrícia Fox chama de espírito do círculo, coração do círculo, centro ou morada da verdade, um elemento sutil que provoca a alquimia de cura.

Resumindo, a condutora dirige o círculo de acordo com seu chamado, assume responsabilidade para com as outras e para com o processo e baseia-se nas qualificações que alcançou pessoal e profissionalmente. Precisa tentar conhecer-se ao máximo para evitar problemas causados por sua sombra, ter clareza quanto às intenções do círculo, saber seus limites e os limites que pode sustentar ali e estar pronta para administrar imprevistos. Seu papel é o de irmã mais velha e sua integridade pessoal tem grande influência no processo, inclusive para facilitar a formação do campo que envolve o grupo.

Tudo isso parece demais, mas a condutora não faz tudo isso sozinha, e sim em conjunto com as irmãs e com o sutil apoio de certo espírito presente nos círculos de mulheres.

Dentro de seus limites humanos, sem se cobrar nem se valorizar demais, uma condutora – assim como qualquer pessoa – pode se motivar pelas belas palavras de Clarissa Pinkola Estés (2007, p. 14):

Quando uma criatura resolve se dedicar a viver do modo mais pleno possível, muitas outras que estiverem por perto "se deixarão contagiar". Apesar das barreiras, do confinamento, até mesmo de lesões, se alguém se determinar a superar tudo para viver plenamente, a partir daí outros também o farão, e esses outros incluem filhos, amigos, colegas de trabalho, desconhecidos, animais e flores. Quando uma pessoa vive de verdade, outros também vivem. Esse é o principal imperativo da mulher sábia. Viver para que os outros também se inspirem.

6 Trabalhos com círculos: suas múltiplas formas

Respondendo a um desejo antigo, *em 2016 começamos a conduzir* round-tables, *os encontros criados por Campbell mencionadas no Capítulo 1. Tínhamos três propósitos: pesquisar mitos e contos de fadas para entender as bases do que se pensa hoje sobre as mulheres; ouvir vozes femininas caladas ao longo da história mitológica e concreta; e refletir sobre os mitos do ponto de vista das mulheres. Batizamos essas* roundtables *de "encontros de mitologias do feminino".*

Ao levar nossas pesquisas sobre o feminino e abrirmos espaço para a fala do grupo, nesses encontros fizemos uma ponte para que as participantes trocassem experiências, inquietações, descobertas – as quais acabaram gerando insights, *confidências, aprendizado coletivo. Os encontros oferecem acolhimento, suporte, espelhamento; histórias, riso, choro, transformação – ou seja, tudo que acontece num bom círculo de mulheres.*

Foi assim que nós e as participantes, mesmo sem essa intenção, transformamos os encontros de mitologias do feminino em círculos de mulheres.

Os encontros têm como constantes apenas nós duas, o foco no feminino, a periodicidade mensal, o local (a linda livraria Millenium, velha parceira) e um pequeno centro simbólico. Mas estranhamente, apesar de ser sempre um grupo diferente a cada mês – tem gente que vem com frequência, mas também tem sempre gente nova –, está ocorrendo neles um processo continuado de ampliação e aprofundamento dos temas e da participação, união e intimidade entre as pessoas. Sentimos como se tivéssemos propiciado a formação de um "campo", uma egrégora que vai além de todas nós. É a tal "magia" dos círculos de mulheres!

Enfim, o que nós conduzimos atualmente tem esse formato. Neste capítulo, veremos os formatos, origens, focos, dinâmicas, métodos e recursos dos diferentes círculos que nossas entrevistadas conduzem – as inúmeras variações da mesma forma.

PRIMEIROS CÍRCULOS

Os primeiros círculos de mulheres que nossas entrevistadas conduziram, assim como o nosso, não nasceram plenamente configurados como círculos. Muitas começaram conduzindo cursos, grupos terapêuticos e *workshops* que aos poucos foram tomando configurações de Círculos; outras já começaram no formato de círculo, mas sem dar esse nome a eles.

Os círculos de mulheres de Patrícia Fox vieram como desenvolvimento dos atendimentos, cursos e trabalhos que ela fazia com temas do feminino:

> Alguns cursos eram mistos, mas outros eram só para mulheres. [...] eu já fazia círculos de mulheres mesmo sem ter esse nome. O nome "círculo de mulheres" só chegou ao Brasil em 2003, quando foi lançado o livro *O milionésimo círculo*. Para mim, foi nesse momento que tudo se estruturou como movimento coletivo [...].

Pouco tempo depois de retomar o consultório de psicoterapia e de passar pela mudança de rumo que a tornou muito mais voltada para questões do feminino, Marisa montou sua primeira oficina para mulheres, denominada "A viagem heroica da mulher": "Usamos recursos expressivos, e cada mulher foi fazendo a pasta da sua 'viagem' pessoal". Em 2005, ela criou outro círculo, "A confraria da agulha" – que existe até hoje –, na qual bordavam inspirada por temas femininos, contos de fada e filmes.

Dúnia chegou aos círculos começando por *workshops* que montou por pedidos de suas alunas de dança do ventre:

> Ainda nas aulas, muitas vezes as alunas vinham falar comigo: "Dúnia, você não faz aula particular? [...] Eu sou bem travada!" Elas viam em mim uma sexualidade natural, mais solta. Então aceitei o desafio de dar aulas para mulheres que queriam entrar em contato com a própria sexualidade e comecei a desenvolver um trabalho com esse foco. [...] e criei o workshop "Laboratório de Quadril".

Patrícia Pinna começou a promover grupos de estudo ao iniciar o mestrado, como espaço de construção conjunta de conhecimento. Escolhia temas reunindo contos, mitos, psicologia junguiana e arteterapia e criava uma programação para um semestre. Bianca seguiu a sequência natural da sua formação trabalhando na Casa Ângela com grupos de gestantes e parturientes.

O início para Patrícia Widmer foi a criação de um *workshop* para lidar com mandalas; ela não tinha intenção de montar círculos de mulheres, mas isso aconteceu naturalmente.

> O grupo era aberto a todos, homens e mulheres, mas só mulheres responderam a esse chamado [...] E todos os inúmeros grupos que fiz depois nunca foram vetados aos homens, mas só vieram mulheres.

Também só vieram mulheres nos primeiros grupos que Soraya conduziu como extensão de seu trabalho de educadora:

No terceiro ano da escola resolvi montar um grupo de estudos semanal com os pais, usando algum livro que falasse de educação como base para as discussões. Mas o que aconteceu? Só vinham mães, os pais não compareciam! [...] Na verdade, já era um círculo de mulheres, mas isso eu ainda não sabia. Comigo as coisas não acontecem de forma planejada, programada.

Ana Cecília recebeu um chamado para fazer seu primeiro grupo só com mulheres em São Tomé das Letras:

Fomos de ônibus, e naquela época não tinha asfalto para São Tomé. Chegar lá foi uma aventura. E a pousada era uma desgraça: não tinha porta nos banheiros, só cortininha de chita, e eu levei senhoras socialites aqui da cidade! Mas pensei: "Seja o que Deus quiser". E aquele final de semana foi uma das coisas mais incríveis que já vivi na vida! [...] Depois disso, sucederam-se muitos outros grupos, sempre só com mulheres. Todos foram experiências fortes, mas esse primeiro foi muito marcante. [...]

Frequentando um círculo de mulheres que trabalhava com a deusa e inspirada por experiências que viveu nele, Cler passou a criar rituais para conseguir engravidar. Sabendo disso, começaram a aparecer mulheres que diziam:

"Eu também quero engravidar. Eu posso vir no seu ritual?" E eu dizia: "Claro, venha!" E o meu ritual da lua cheia virou um círculo na lua cheia com mulheres que queriam engravidar. [...] [Depois de ter o primeiro filho], oficialmente comecei um círculo quinzenal de dois anos de duração, no qual reuni mulheres que já eram minhas alunas de outras modalidades. É a coragem de quem começa. [...]

Com base em sua vivência pessoal e nas experiências em reuniões feministas e LGBT em outros países, Laura criou seus primeiros círculos:

Alguns amigos gays diziam que mulher lésbica não sai de casa, não vai a eventos. Eu dizia que elas não saem de casa porque os eventos são feitos para gays. Então, junto com uma amiga, [...] resolvemos fazer encontros femininos chamados "Umas e Outras". A gente convidava mulheres para falar sobre temas do interesse de lésbicas. [...] E combinei com minha amiga que toda vez que chegasse alguém meio perdida a gente ia conversar, dar acolhimento, não deixar ninguém se sentir excluída como me senti nos eventos americanos ou alemães. Começamos a fazer mensalmente e lotava. As mulheres queriam ouvir outras mulheres. O pessoal adorava!

Raquel começou esse percurso entrando num círculo virtual sobre a questão do parto humanizado:

Eu vi o fortalecimento de vínculos entre pessoas que não se conhecem no pessoal, mas o afeto e o apoio estão lá. Então posso dizer que minha primeira roda de mulheres foi virtual, mas muito potente, muito interessante e de verdade, não *fake*. E as amizades que saíram dos grupos virtuais extrapolaram muito a questão do parto.

Jaqueline desenvolveu seu trabalho no círculo partindo da pergunta que ela se colocou sobre o que é ser negra:

Criei o Coletivo Di Jejê porque queria um espaço em que as mulheres negras pudessem exercer a sua individualidade sem ter de pedir permissão o tempo todo. [...] E de como a gente pode sistematizar, dentro dos parâmetros da racionalidade acadêmica, a experiência do que é ser mulher negra para que isso sirva para outras mulheres.

O primeiro círculo de que Ma Devi participou foi informal, espontâneo e ligado à solidariedade entre mulheres que se unem em situações difíceis. Aos 4 anos detectaram um problema de coração em seu filho e ela passou a acompanhá-lo para cirurgia e tratamentos. No hospital, notou que não havia pais, apenas mães – que comiam, tomavam banho e dormiam no hospital para ficar junto dos filhos o tempo todo.

[...] e aquelas mães desesperadas viram algo em mim: eu conversava com elas, rezava com elas, dizia "Olha, Nossa Senhora há de proteger seu filho. Vai ficar tudo bem". E de repente tinha uma roda de mulheres em volta me ouvindo, pedindo para eu rezar. E eu dizia: "Vamos rezar juntas". A gente conversava e trocava experiências sobre nossos filhos doentes. Ali comecei a sentir um amor diferente. Não senti isso com a minha mãe, não senti isso com o meu pai, não senti isso com os meus irmãos, não senti isso com os meus amigos, não senti. Eu fui sentir esse amor dentro do hospital só com mulheres, mães com os seus filhos doentes! Acho que a minha primeira roda de mulheres foi dentro daquele hospital.

O que existe em comum em todas essas primeiras experiências com os círculos é a percepção do potencial de união e transformação de mulheres em grupo, falando de "assuntos que importam de verdade".

TRABALHOS COM CÍRCULOS

A personalidade, a jornada, o aprendizado, as experiências pessoais vividas por serem mulheres, o processo de autoconhecimento e as descobertas nos primeiros círculos se amalgamam e se expressam na forma como cada entrevistada realiza seu trabalho nos círculos de mulheres (e nem todos são denominados assim por elas).

Portanto, nesse sentido eles são singulares e diferentes entre si – e, ao mesmo tempo, existem várias semelhanças entre eles, pois todos objetivam conscientizar e empoderar as mulheres.

Segundo Patrícia Fox,

As mulheres hoje estão despertando, e não só por conta do movimento feminista ideológico, político. Dentro das inúmeras coisas importantes que estão acontecendo no mundo, o movimento dos círculos de mulheres tem muito poder, porque as mulheres estão cindidas e nos círculos tudo é feito para integrar, para reunir, para dar inteireza a elas.

E Marisa:

Todos os meus trabalhos com mulheres foram no sentido da busca da consciência. [...] Para mim, muitos dos sofrimentos das mulheres têm que ver com a falta de consciência, de não saber quem somos, de não entender o que é uma situação de abuso, uma situação de violência no cotidiano. De abrir mão do nosso tempo para cuidar de outros, de postergar nossos propósitos, de não tomar a vida nas mãos e deixar que outros tomem conta dela.

Na sequência, veremos alguns pontos que os círculos têm em comum.

Só para mulheres?

A maior parte dos círculos é exclusiva para mulheres, como os conduzidos por Ana Cecília, Cler, Dúnia, Patrícia Fox, Ma Devi, Marisa, Raquel, Laura e Soraya. Referindo-se a um grupo de amigas com quem se reunia anos atrás, Soraya conta:

Acho que nós temos esse desejo de estar por um tempo só entre mulheres. Eu não queria que "os meninos" participassem desses encontros, esses momentos eram só nossos.

Ana Cecília explica:

Eu só ia para São Tomé com o grupo de mulheres. [...] Sempre me perguntavam: "Mas por que só mulher"? Por mais que eu fizesse trabalhos mistos de meditação, esse trabalho em São Tomé era só com mulheres porque percebi que, quando estávamos só entre nós, elas conseguiam se soltar mais, eram mais felizes, riam melhor, contavam mais de si mesmas. [...] Comecei a perceber que as mulheres esperavam avidamente por esses grupos. [...]

Alguns círculos de Jaqueline e os da Laura também são ou foram exclusivos para mulheres; porém, apesar de aberto a todas, têm o foco direcionado para as mulheres negras e lésbicas, respectivamente. Elas falam da importância de haver essas iniciativas:

Jaqueline – [...] ter um lugar em que elas (mulheres negras) possam ter voz para dizer as coisas que pensam e sentem, e que possam pensar sobre si mesmas [...] as rodas foram muito ricas para as mulheres contarem suas histórias, para compartilhar experiências, para ouvir outras mulheres na mesma condição.

Laura – Eu teria de fazer um trabalho paralelo: criar um ambiente no qual ser lésbica não fosse um problema – ao contrário, fosse o tema – e chamar as pessoas para lá. Um lugar em que o fato de ser lésbica fosse acolhido, comentado, que fosse o assunto principal. Foi isso que me levou a entrar nessa aventura dos círculos.

No começo, Patrícia Widmer não tinha pensado em grupos exclusivamente femininos, porém

[...] a maioria dos meus temas está ligada às questões do feminino. Não só o feminino no sentido de gênero, mas o feminino como princípio, como forma de estar no mundo. Tenho minhas convicções feministas, e só trabalhei em grupo com mulheres, ainda que não tenha sido por opção. Então, acho que o meu trabalho é um trabalho de círculo de mulheres!

Também Patrícia Pinna não restringe a presença dos homens em seus grupos, mas explica:

Meu trabalho nunca foi voltado somente para mulheres, mas é todo voltado para o feminino – porque a linguagem da arte, dos mitos, do simbólico, da espiritualidade e da natureza é a linguagem do feminino. [...] Tenho vários grupos compostos 100% de mulheres. [...] os homens que chegam são mais femininos, assim como mulheres que têm uma visão mais masculina e um olhar mais patriarcal não aparecem.

Bianca conduz grupos mistos e grupos exclusivos para mulheres, de acordo com a escolha dos temas:

Na Casa Ângela, faço vários grupos com as grávidas e seus/suas parceiros/as ou seus acompanhantes, para discutir gravidez, maternidade, introdução alimentar do bebê. [...] e conduzo muitos grupos de preparação para o parto [...] Na maior parte das vezes tem homens nos grupos, os companheiros das mulheres grávidas. Nesse momento elas querem incluir os homens, querem o companheiro para lhes dar suporte. E eles também têm espaço para falar dos seus medos, dúvidas, angústias.

Já nos grupos do "Fique amiga dela", em que a ideia é conhecer e gostar da própria vagina e ver a beleza do corpo feminino, Bianca trabalha apenas com grupos femininos.

Recuperando nossa voz e resgatando a linguagem do feminino

Por princípio, os círculos de mulheres devem ser um espaço de valorização e propagação da voz feminina. Patrícia Widmer afirma:

> Percebi que nos grupos de mulheres parece existir uma predisposição para a pessoa compartilhar, se abrir, se colocar. Acho que existe uma busca muito grande por esse tipo de encontro pela possibilidade de a gente se olhar como mulher, de sentir pertencimento. Acho que isso é arquetípico.

É como se, ao falar e ao ouvir as outras, nós recuperássemos nossa voz, silenciada por séculos de patriarcado. Isso se conecta com a questão da participação exclusiva feminina nos Círculos, porque estar somente entre mulheres aumenta a liberdade para falar, como apontam duas entrevistadas:

> **Ma Devi** – Homens não podem participar, nunca! A maioria, 99,9% das mulheres, já sofreu violência com relação ao masculino. Se não foi violência física foi relacionamento abusivo, verbal etc. Se tem uma presença masculina, a mulher contrai o esfíncter, impedindo a circulação de energia. Se estamos só entre mulheres há liberação, relaxamento, soltam tudo. Começam a falar e falam mesmo, contam suas histórias, seus segredos, inclusive os abusos.

> **Laura** – Homens não podiam entrar: se você juntar homens e mulheres para falar sobre questões fortes, os homens interrompem as mulheres, não deixam elas falarem.

Porém, talvez ainda mais relevante seja haver um ambiente seguro para que se instale a fala aberta, sem receio – e isso tem que ver com a confiança no grupo. Diz Jean Shinoda Bolen (2005b, p. 73): "A linha que o define precisa estar intacta para que ele seja um círculo e para que seja seguro. Esse limite é a habilidade de preservar o conteúdo, a condição para a confiança existir. O que é dito em confidência em confidência deve ser mantido".

Duas entrevistadas enfatizaram isso:

> **Cler** – Tem de ser um espaço de absoluta confidencialidade: o que se fala dentro do círculo morre ali, o que é falado ali é sagrado.

> **Patrícia Fox** – Quando o círculo é firme você estabelece um ambiente seguro: isso para mim é prioritário. A mulher tem de estar confortável e segura para se despir de seus medos. O círculo se torna então uma espécie de confessionário – sem a parte da penitência.

Várias entrevistadas trabalham em seus círculos buscando ampliar a consciência da mulher por meio do resgate do conhecimento histórico e mítico/espiritual das mulheres e da reflexão sobre o que isso implica na vida das mulheres contemporâneas. E a arte, os símbolos e as metáforas também são constantes nas dinâmicas dos trabalhos de muitas condutoras, fazendo parte da busca da linguagem do feminino.

Para Jean Shinoda Bolen (2005a, p. 233),

o respeito pelo sagrado feminino e sua expressão através das mulheres mais velhas, das sacerdotisas, dos oráculos, pode ter sido excluída da história do patriarcado, pode ter sido proibido e depois esquecido, mas, uma vez que o processo de lembrança comece, é como se uma fonte, que antes era um poço sagrado e que estava soterrada, fosse liberada novamente.

Sobre essas questões, seguem alguns depoimentos:

Patrícia Widmer – O conto ou o mito, o poema ou um trecho literário são recursos que utilizo como um disparador para levantar a temática, para trazer as questões, para a pessoa buscar na sua história como é que está se relacionando com isso. Partimos de uma reflexão, de uma correlação entre mito universal e mito pessoal e usamos tecidos, linhas, agulhas, colagens para dar forma, para criar algo que possa ser reconhecido como um símbolo, impregnado pelo significado pessoal que cada uma das participantes viveu naquele encontro.

Cler – Nos meus grupos procuro sempre trabalhar em quatro direções: primeiro o intelecto, muitas vezes em uma palestra. Vamos dizer que nesse dia vou trabalhar Deméter, então conto quem ela é, seu mito, o arquétipo. Entro pela mente e aí ela se tranquiliza, porque entendeu o que será visto. Depois da mente é importante que algumas coisas sejam sentidas e vividas no corpo, por meio de exercícios diversos. Depois uso a arte para trabalhar no nível simbólico e finalmente procuro trabalhar a espiritualidade por intermédio dos rituais. [...]

Patrícia Fox: [...] "Deusas interiores e a jornada mítica feminina", meu principal trabalho, foca no reconhecimento da heroína que cada uma de nós é [...] Busco então que cada mulher aprenda mais sobre si ao reconhecer as deusas que fazem parte da alma feminina e os desafios e bênçãos que cada uma traz. E que possam descobrir quais fazem parte da sua história ou desse seu momento. Depois a jornada é encerrada com a coroação no templo de Hera e com a conexão com a mulher selvagem – tudo com a intenção de manifestar a integridade da "mulher-heroína". E você sai consciente de que você é tudo isso, mas como uma mulher real.

Ana Cecília – O nosso círculo de mulheres está baseado nas três faces da lua: a donzela, a mãe e a anciã. Tem a alma cigana – a face donzela – [...] em que a gente traz o arquétipo da mulher livre, selvagem [...]. Tem a alma mariana, que é a face mãe, quando a gente trabalha a questão do rosário e eu ensino a benzer. [...] E tem a alma feiticeira [...] em que se traz o arquétipo da feiticeira dentro de cada uma.

Soraya – Iniciei o meu primeiro trabalho solo, que chamei de "Círculo Sagrado para Mulheres Contemporâneas". Ele foi revelador; me trouxe a certeza da presença em nossa memória atávica e em nossa imaginação mítica desse espaço circular em que as mulheres eram honradas e respeitadas. E a lembrança de uma deusa primordial emergindo das profundezas da terra nos fazendo perceber a importância dos círculos como um caminho de expansão da consciência para empoderar as mulheres.

Jaqueline também busca esse resgate mítico/espiritual e histórico das mulheres, mas especificamente nas tradições negras e africanas, como podemos ver em alguns dos cursos que ela oferece no Coletivo Di Jejê: "Feminismo negro", "Intelectuais negras", "Ancestralidade, a mulher no candomblé" e "A importância histórica do candomblé para a questão cultural, histórica e social no Brasil", por exemplo.

Entre outros recursos, Bianca utiliza antigos saberes femininos:

Na faculdade, a gente teve alguns encontros com parteiras tradicionais com as quais aprendi muitas coisas, inclusive no sentido de dinâmicas com grupos de gestantes, danças, cantos – coisas que uso nos grupos na Casa Ângela.

Dúnia trabalha resgatando a relação estreita entre mulheres e seu corpo e a natureza:

[...] fui morar num sítio e isso me fez aprofundar a conexão entre corpo e natureza como minhas alquimias pessoais. A cachoeira que frequentava diariamente me modificou, me mostrou novas possibilidades, e eu ansiava por partilhar isso com as mulheres. Falar de feminino? Que nada! A gente tem de experimentar o feminino no berço da natureza. [...]

Ma Devi enxerga nos círculos a energia do feminino como algo que flui:

Acredito que o círculo é aberto antes de começar; já tem uma força criativa se manifestando. A partir do momento em que cada mulher começa a falar: "Eu sou fulana de tal, eu vim para o círculo por isso, por isso e por isso", a magia acontece. Tudo é extremamente simbólico.

Já Patrícia Pinna amplia o alcance do resgate do feminino dizendo que,

Como meu trabalho é todo voltado para o resgate dessa dimensão do feminino, da dignidade da mulher e do sagrado na vida, ele serve como instrumento de ganho de poder. É um poder legitimado por algo que vem de uma dimensão maior. [...] E mais: a questão é resgatar a dignidade desse olhar feminino para a vida, para a alma poder estar no mundo. É poder criar um mundo "almado", que significa um mundo animado, reencantado, com mais sentido e significado.

A riqueza da diversidade: um olhar feminino

Para além dessas convergências, existe uma ampla variedade nas formas como nossas entrevistadas trabalham nos círculos, uma miríade de opções que torna esse trabalho cheio de possibilidades. E a aceitação e valorização da diversidade fazem parte do que se entende como um olhar feminino para o mundo, que vê na singularidade e não no padrão aquilo que torna a vida rica, ampla e interessante.

Em relação à estrutura, há um leque que vai de círculos muito estruturados e de duração longa até os radicalmente espontâneos e pontuais. Dentro desse espectro, Soraya está no primeiro grupo:

> Sou educadora, então todos os meus círculos sempre tiveram um tempo determinado de duração, um tema, conteúdo programático, tópico por tópico, e no máximo 21 participantes.

Marisa também trabalha de forma estruturada:

> Eu me formei em Grupos Operativos no Uruguai. E nos grupos operativos o foco é o trabalho. Trabalho não como o mundo patriarcal o entende, mas como o propósito do grupo. Então, meus grupos sempre têm uma proposta, nunca deixo ao "deus-dará". Tenho um roteiro, e nós temos de ir segundo esse roteiro porque ele tem um sentido, não é aleatório. E engancho nesse propósito tudo que acontece em volta.

Patrícia Widmer conduz com temas e grupos fechados:

> Meus grupos têm sempre uma proposta fechada de um número determinado de encontros [...] para trabalhar determinado tema. [...] Quando você tem um tema, atrai as pessoas que se interessam em trabalhar com ele; essa já é uma forma de selecionar quem vai participar do grupo.

Cler afirma:

> [...] Sempre gostei de programas continuados porque é o mesmo grupo que inicia e termina, e se você se encontra todo mês ou bimensalmente a confiança, a segurança e as conexões vão aumentando, o que permite que coisas mais profundas emirjam. [...] Acho que, quando estamos começando como facilitadoras, precisamos de estrutura. [...] há um bom tempo estou mais solta. Hoje procuro sentir um pouco o grupo que se forma e faço um desenho, um roteiro. E é claro que esse roteiro pode mudar se eu perceber que o grupo precisa de algo diferente, porque existe uma inteligência que é do grupo: quando se está junto, um outro campo se forma.

Alguns círculos têm formatações bem específicas, como os de Ana Cecília:

tem a alma cigana, que é uma vivência de um dia em que a gente traz o arquétipo da mulher livre, selvagem, que é a cigana. [...] tem a alma mariana [...] E tem a alma feiticeira, que é o encontro que a gente faz em São Tomé das Letras num final de semana e no qual se traz o arquétipo da feiticeira. [...] É uma formação. Quando a mulher faz as três almas ela tem o título de mulher triluna.

Patrícia Fox também tem trabalhos formatados, como o de "As Deusas Interiores e a Jornada Mítica Feminina", e outros:

Desenvolvi também um método que chamei de DSF (sigla de dança sagrada feminina). É um círculo de "reza" com o corpo. Os movimentos são espontâneos, mas, diferentemente de técnicas que envolvem a dança espontânea, na prática da DSF se cria uma reza coletiva com cada um dos movimentos individuais. Conceber esse trabalho veio de um baita *insight*. É lindo e mágico. O foco é trabalharmos com a inspiração e o poder do arquétipo da "bailarina interior" de cada uma para a cura do corpo, da mente e do espírito.

Na outra ponta desse espectro temos Ma Devi, cujos círculos que conduz com Silvia de Oliveira são sempre sem temas predefinidos e pontuais. Ela relata:

comecei, de forma espontânea, a me reunir com mulheres [...] A priori, nossos círculos nunca têm tema. O assunto, o tema, é o que brota. E você não sabe o que vai brotar. Tudo *Sahaja*, espontaneidade, naturalidade. [...] Os círculos também não têm horário marcado para terminar. Se é *Sahaja*, é espontâneo, é natural. Temos o horário inicial e, de forma muito tranquila, ele se encaminha e tem meio e fim.

Algumas enfocam facetas específicas das mulheres, como Bianca: a gravidez, o parto e o conhecimento do corpo feminino. O trabalho de Dúnia prioriza a relação com o corpo, a terra e a sexualidade feminina:

Na vida de todas as grandes mulheres da história, o papel da sexualidade foi fundamental; percebi que a sexualidade era fator pontual no processo do feminino. [...] estou interessada em expandir a consciência e o conhecimento a partir dessa linhagem feminina, que envolve a terra e o corpo, percebendo a conexão vital entre eles.

Laura foca seu trabalho na mulher lésbica:

[...] não temos visibilidade nenhuma. Por isso é preciso criar essa categoria, estabelecer um lugar onde só lésbicas vão falar [...] tinha feito muita diferença na minha vida ficar sabendo, pelos livros, que o lesbianismo existe desde sempre, que ninguém sabe o porquê de algumas pessoas serem hétero e outras serem homo – e por aí afora.

O tema de Jaqueline é a mulher negra e suas questões:

Às vezes a gente passava oito horas conversando; 30 mulheres conversando durante oito horas. Ali a gente comia, fumava, conversava, ouvia música... Elas achavam que não estavam produzindo conhecimento, mas na verdade estavam produzindo conhecimento sobre si mesmas, sobre suas experiências. Isso é muito significativo.

E ela expande o trabalho que faz de forma presencial para os círculos virtuais:

As primeiras rodas de conversa sobre feminismo negro me deram a ideia de criar os cursos on-line. As experiências daquelas mulheres fomentaram material para elaborar cursos para que outras mulheres, de outros lugares, pudessem acessar esses pensamentos sobre ser uma mulher negra.

Os círculos de Raquel são mais virtuais:

Aqui não existem muitos momentos de roda presencial, o que existe é essa irmandade que vai e vem. Eu faço parte de um grupo e as pessoas me acessam de manhã, à tarde e à noite, sábado, domingo, feriado, Natal, de qualquer jeito. "A minha irmã está apanhando. Eu estou com esse problema." "Alguém não está conseguindo um parto em tal lugar, não deixa entrar acompanhante." E aí a gente vai tanto no pessoal, um a um, quanto acessando a rede. É muito mais uma questão de rede do que de círculo ou de presença.

Os diferentes recursos para trabalhar nos círculos

Muitas condutoras utilizam variados recursos e técnicas em seus círculos:

Soraya – Trabalho com dinâmicas de grupo: faço duplas, trios de troca, trabalhos de massagem, constelações, reiki. Tudo que aprendi na minha jornada de alguma forma uso nos círculos; minha metodologia é eclética, compartilho toda a minha experiência.

Cler – Eu gosto de criar a cada círculo novo que faço. Uso um pouco de tudo que já vivi, aprendi, li e dos *insights* que tive para criar novos exercícios, experiências, até oráculos.

Patrícia Widmer – [...] existe o material confeccionado, o que torna as histórias palpáveis. Por exemplo, fiz um trabalho de costura da própria história. Então, quando a mulher vai costurar no tecido elementos ou cenas de alguma parte da sua história, de certa maneira acontece uma "materialização". Especialmente a costura tem isso de tornar visível, de colocar a mão na massa, e esta ideia: "Está na sua mão". E esse material confeccionado por cada uma é visto no grupo, existe essa troca também.

Marisa – Trago materiais – lápis de cor, cola, tesoura, tecidos coloridos (gosto muito de trabalhar com tecidos) – e vou fazendo algumas perguntas relativas ao tema e pedindo para elas "responderem" usando os materiais disponíveis. Misturo coisas teóricas porque, claro, não posso negar minha formação acadêmica, mas junto com o fazer: desenhar, costurar, bordar.

Patrícia Pinna – Nessa dinâmica do trabalho arteterapêutico você olha para o trabalho como um espelho para ver a sua alma. A alma fala por meio das tintas, das cores, dos símbolos; a linguagem da arte é a sua linguagem.

Bianca usa algumas dinâmicas para deixar à vontade pessoas de níveis socioeconômicos diferentes que se unem em seus grupos de gestantes na Casa Ângela:

Para ajudar a criar esses elos, faço algumas dinâmicas, algumas brincadeiras. Por exemplo, no curso de preparação para o parto, costumo usar uma dinâmica que chamei de túnel de bênçãos; a gente monta um túnel com cada gestante e sua/seu acompanhante fazendo um par, se dando as mãos, levantando os braços como um arco, como se faz nas quadrilhas de festa junina. E todos os pares têm de passar dentro desse túnel, imaginando que aquele é o canal do parto e desejando coisas boas para o momento do nascimento. A ideia é: o parto é o que nos une. [...]

Dúnia faz muito trabalhos com o corpo, como os de dança e outros:

A dança nunca saiu do meu coração, sempre dou pequenas oficinas que chamo de itinerantes. O "Laboratório de Quadril" se transformou em "O poder das Ancas" – mais amplo e mais terapêutico; o "Medicinas Lunares" é um círculo de saberes em que aprendemos a usar o sangue menstrual como remédio e a cuidar da nossa energia sexual feminina; no "Banho Rito Medicina", recebo mulheres em casa para passar o dia na natureza.

Ma Devi, sempre fiel à sua visão de espontaneidade, explica que na condução com Silvia de Oliveira não tem ritualística, não tem dança circular – pode até acontecer, se for espontâneo –, mas o principal é sabermos quem é você e ouvir a sua fala.[...] O mais bonito é perceber a expressão criativa de cada mulher, dar voz a elas, valorizar e integrar as contribuições de cada uma em prol da própria cura, da cura do lar e da comunidade de forma geral.

Laura usa a literatura como recurso para reunir e incentivar a conversa:

Muitos desses eventos foram saraus em que se ouvia uma autora lésbica falando do seu livro e da sua história, ou alguém lendo um poema ou uma crônica que tinha escrito – e depois sessão de perguntas e troca de experiências.

Várias mulheres usam livros inspiradores como fios condutores de seus trabalhos em círculos. Entre eles o mais frequente é *Mulheres que correm com os lobos*, de Clarissa Pinkola Estés, uma referência no incentivo da força e da potência femininas.

O centro de muitos círculos recebe atenção especial. Diversas condutoras colocam flores, velas, cristais ou símbolos que marcam o centro como um importante local de referência e dão uma forma visível que remete àquilo que nos une de forma invisível.

Patrícia Fox vê o centro como o local do fogo sagrado:

Para mim, conduzir um círculo é uma espécie de sacerdócio, pois envolve a mediação entre os mundos. [...] Se no centro de uma roda houver fogo, mesmo que simbólico, para mim tem sentido. Se não houver um centro por onde tudo passe – o coração do círculo –, aí já acho esquisito. Como uma relação interdependente pode acontecer sem um coração comum?

Portanto, há muitas formas de trabalhar em círculos. Mas seja estruturado, espontâneo, longo, pontual, com tema, sem tema, presencial ou virtual, o importante é que o círculo seja um espaço-tempo em que cada participante se sinta acolhida e respeitada em sua individualidade, que possa exercer sua voz com confiança e se sinta estimulada a ampliar sua consciência como mulher, tornando-se cada vez mais protagonista da própria vida.

Como diz Jean Shinoda Bolen (2005b, p. 29),

as mulheres conversam em círculos de inúmeras formas e maneiras; a conversa toma uma forma espiral na exploração subjetiva de cada tema. Ouvir, testemunhar, representar, reagir, aprofundar, espelhar, rir, chorar, lamentar, aprender com as experiências e compartilhar a sabedoria da experiência: mulheres em círculos apoiam-se umas às outras e se descobrem através da conversa.

7 Jornadas sombrias nos círculos

Peter Pan era um garoto *sem sombra porque a sua havia se descolado dele. Wendy costurou a sombra em seu pé e assim começou a amizade entre os dois. Mais tarde, talvez essa sombra tenha se descolado de novo e, como Wendy não estava mais por ali, Peter ficou sem ela e assim jamais cresceu. Ninguém escapa de ter de lidar com sua sombra se quiser crescer.*

Porém, a coisa é diferente quando costuram imensas sombras nos pés da gente: as sombras coletivas. Sombras coletivas são, por exemplo, aquelas ideias e definições que nos incutem desde criancinhas a respeito do que é o feminino e o masculino. Ideias do patriarcado, antinaturais, mas muito antigas. Tanto que, apesar de serem absurdas, estamos tão acostumadas com elas que parecem "naturais". Puxamos essa escuridão atrás da gente até o dia em que olhamos para trás e pensamos: por que essa sombra é tão grande?

Nos círculos de mulheres, as sombras coletivas femininas aparecem de várias formas. Elas atrapalham, mas ao mesmo tempo ali é um lugar de cura para elas. Se as projetarmos todas para o centro do círculo, podemos fazer o oposto do que Wendy fez e "recortar" as sombras que não são nossas de verdade. E assim crescemos, coletivamente e em irmandade.

A SOMBRA COLETIVA DO FEMININO

Como vimos no Capítulo 5, sombra é um conceito da psicologia analítica que denomina as partes da personalidade que são reprimidas para que só apareçam as porções "aceitáveis"; é aquilo que a pessoa não quer ou não consegue ver em si mesma. Nesse sentido, a sombra é uma parte pessoal da psique que não é reconhecida, mas continua ativa nas ações e reações do indivíduo.

É claro que num círculo de mulheres as sombras pessoais das participantes podem aflorar; porém, um círculo não é terapia de grupo. Cabe à condutora delimitar seu trabalho para que a emergência de uma questão psicológica mais profunda e problemática de alguém não aconteça ali – ou, caso aconteça, que ela seja encaminhada ao local adequado para ser tratada.

No entanto, além da sombra pessoal podemos falar de uma sombra coletiva. Ela acontece quando uma ampla parcela da população sofre repressão severa de partes de si em função de uma visão estereotipada e restrita que a sociedade tem sobre essas pessoas. E, ao mesmo tempo que lhes nega determinadas características, impõe-lhes outras – dizendo a esse grupo o que ele é, forjando sua identidade cultural e deixando tudo que não se ajusta a essa identidade ir para o inconsciente coletivo como sombra.

Esse é o caso das mulheres: no patriarcado, nós fomos subjugadas física, econômica, social, psicológica, simbólica e espiritualmente pelos homens, de forma mais violenta ou um pouco mais amena conforme a época.

E como essa subjugação é feita de forma sistemática e "vendida" como natural, muitas vezes não tomamos consciência disso. Como diz a filósofa Marcia Tiburi (2018, p. 26), o próprio patriarcado é "um sistema dogmático de crenças [...] mas [...] é tomado como o que é mais natural".

Fomos aculturadas para enxergar a nós mesmas como um gênero de segunda classe, definido a partir do primeiro, o masculino, e para vermos tudo que é feminino como menos importante e menos valioso. Diz Simone de Beauvoir (*apud* Barcella e Lopes, 2018, p. 54) que "ela [a mulher] é o inessencial diante do essencial. Ele [o homem] é o Sujeito, ele é o absoluto. Ela é o outro".

Só recentemente estamos buscando ativamente entender o que é o feminino fora das definições de "mulher" do patriarcado! Segundo Polly Young-Eisendrath (*apud* Zweig, 1994, p. 241), "apenas agora estamos entrando em um período no qual as mulheres estão começando a tomar o controle de seus próprios sistemas de crenças".

Embora os círculos de mulheres tenham potencial para ampliar nossa consciência e busquem a mais vasta expansão possível de nossa identidade como mulheres, isso não impede que neles essas crenças apareçam e interfiram em seus processos como sombras. Para Soraya,

mulheres juntas têm uma coisa muito forte, boa, e ao mesmo tempo pode acontecer uma coisa terrível e cruel: constelar a sombra. Em todos os círculos que eu tive aconteceram situações desafiadoras. Todos!

A INFANTILIZAÇÃO

Uma das visões mais limitantes das mulheres feitas pela cultura patriarcal – e vale dizer que isso se refere principalmente a mulheres brancas, heterossexuais, de classe média, jovens, magras e bonitas segundo o padrão da moda – é a da "bela, recatada e do lar". Essa mulher é vista como princesa ou musa que deve ser admirada pela beleza, cuidada e protegida, pois é sensível, delicada: uma criatura frágil. E é preciso que um ser mais maduro, racional e vivido, ou seja, um homem, a conduza e oriente na vida.

"Minha cabecinha de vento, minha menininha, meu esquilinho" – é assim que o marido chama Nora na famosa peça teatral de Ibsen, "Casa de bonecas", um marco na explicitação da infantilização e inferiorização da mulher, nunca vista como um ser adulto, capaz e autônomo.

Ao mesmo tempo, de forma meio paradoxal, é dito da mulher que ela é um ser que acolhe, que é só amor, ternura, meiguice, o "anjo do lar", que ama incondicionalmente os filhos e se sacrifica de bom grado por seu marido e por sua família sem pensar em si mesma. Qualquer coisa diferente disso e a mulher é vista como egoísta, insensível, não feminina; uma megera, enfim!

Essas duas visões romantizadas das mulheres difundidas pelo patriarcado – um ser que precisa ser cuidado porque é frágil diante da vida e um ser que é só amor abnegado – estão mais ou menos arraigadas dentro de cada uma de nós, muitas vezes de forma inconsciente.

E, mesmo que não sejamos nem princesas nem musas, esses modelos femininos idealizados são fonte de ambivalência, confusão, raiva e culpa. "Brigar" internamente com essa definição fantasiosa, limitante e absurda é uma luta pessoal e cotidiana. E, claro, aparece como sombra nos círculos.

Para Patrícia Fox,

em primeiro lugar, a sombra é a incompreensão do que é o feminino e do que é ser mulher. O comum é partir de estereótipos, e isso acaba se manifestando nos círculos. Tem uma "espiritualidade de prateleira" que vende a ideia de que o feminino é sempre acolhedor, o que é uma inverdade. A coisa fica simplista. É limitar muito dizer que uma mulher curada é aquela que é boa, acolhedora e sedutora. Repete-se o modelo patriarcal, pois o foco é ainda o outro, só que com uma roupagem diferente.

Com essa infantilização internalizada, algumas mulheres vão buscar nos círculos o arquétipo da mãe perfeita, a que ama incondicionalmente e cuida para sempre, ou seja, alguém que não existe. De acordo com Patrícia Fox,

existem outros tipos de sombra, como a expectativa de encontrar no círculo de mulheres a mãe boa que vai resolver todas as suas questões.

Ana Cecília também comenta esse tipo de sombra:

Tem gente que pensa que nos círculos de mulheres tudo são luzes, tudo são flores. Não é assim. Quando a chaga do feminino vem, é destruidora.

Ou então ocorre a projeção, especialmente na condutora, não da mãe perfeita, mas da mulher perfeita ou da musa. Isso, além de criar mistificações indesejáveis, pode gerar relacionamentos de codependência.

De acordo com Patrícia Fox,

[as mulheres] chegam querendo ser uma coisa que não são. Isso também gera sombra e projeção. Uma coisa é a pessoa olhar a outra e dizer: "Sua história me inspira, te admiro". Outra coisa é querer se apropriar da história da outra pessoa como se esse fosse o caminho para a própria felicidade. Não se encontra a *bliss* assim, a cura está em viver sua própria história [...] só reconhecendo quem é você conseguirá se relacionar com outras mulheres de forma harmônica, indo além da dependência.

Nos círculos também pode emergir o melindre, uma sombra típica de quem é infantil. A pessoa tem sempre a sensação de que a estão julgando e/ou perseguindo, que tudo que acontece com ela é proposital e pessoal: ela é uma vítima! Então, em vez de enfrentar como uma mulher adulta um problema que pode surgir por um mal-entendido ou uma desavença qualquer, ela guarda para si a questão e fica magoada e/ou emburrada, e isso vai corroendo as relações.

Ana Cecília comenta:

acho que o grande perigo nos círculos é o melindre. Melindrou, você tem um problema. Porque se existe algum conflito ou desavença e se conversa sobre isso, aí se resolve, se esclarece, explicita, não tem problema nenhum. Agora, quando tem aquele "mimimi" guardado: "Ah, eu fiquei tão sentida com a fulana. Eu sei que ela não fez por mal, mas..." Pronto! [...] a pessoa fica toda melindrada, toda magoada com que a outra fez (ou ela acha que fez) para ela. Mas não fala! Ela nem admite! [...] E se você está conduzindo o círculo tem de dar um jeito de trazer aquilo o mais rápido possível à tona para dissolver o nó. Tem de dissolver, porque senão rompe, racha, a pessoa não vem mais, não participa mais.

A BUSCA DO CÍRCULO ENCANTADO

Outro aspecto sombrio que pode acontecer nos círculos decorre de querer trabalhar o feminino de forma superficial, visto mais como fantasia romantizada do que como a realidade densa, complexa, profunda e nem sempre fácil de lidar.

Muitas vezes é difícil e doloroso quando um círculo se propõe de fato a aumentar o autoconhecimento e ampliar a consciência. Então, pode haver mulheres que queiram círculos "cheios de purpurina", como nos disse uma amiga, em que tudo seja muito "lindo, perfeito, só amor" ... E raso.

Citando Patrícia Fox:

Eu brinco que parece que estão trocando o príncipe encantado pelo círculo encantado. [...] houve coisas que vi nas redes sociais, pois muitas das vezes é tudo fotografado e publicado, que pensei: "Isso é um círculo ou é uma *rave*? É uma festa a fantasia? É um *cosplay*? O que é isso?"

Dúnia também fala sobre essa busca fantasiosa:

O tempo todo a gente se desconecta, se sabota, sai da via potente da vida. Uma desconexão recorrente no "universo dos círculos" é que, ao tomar conhecimento do feminino de Avalon, vem um ímpeto de querer reconstruir isso no mundo atual. Não vai rolar, agora a gente tem outra consciência, está em outra realidade. Precisamos perceber o que nos coloca em conexão com o feminino no cotidiano do mundo atual.

Patrícia Fox continua:

Essa é uma das primeiras reflexões que faço: o que é o feminino? E as falas iniciais costumam ser: "Ah, o feminino acolhe, o feminino gera, o feminino é doce, blá-blá-blá". Então falo de Morrigan, a deusa celta que rege a morte, a guerra e a sexualidade, ou de Brighid, Kali, Perséfone... Pronto, a limitação sobre o que é o feminino começa a ser desconstruída.

É importante ressaltar que a busca dessa fantasia romântica nos círculos é muito diferente de vê-los como uma utopia. Quando os vemos como um ideal a ser perseguido, estamos admitindo que a visão utópica é o norte, mas reconhecemos e aceitamos toda a imperfeição e os problemas que qualquer agrupamento humano congrega. Jean Shinoda Bolen (2005, p. 94) lembra: "O arquétipo do Círculo pode ser perfeito. Um círculo de mulheres nunca é".

A DESTRUIÇÃO DA IRMANDADE

A visão patriarcal da menos-valia de tudo que é feminino ainda permeia fortemente nossa cultura, sendo passada de geração para geração. Em consequência direta da visão das mulheres como inferiores, vem a supervalorização e quase um encantamento com tudo que é do masculino.

E de fato, em muitas sociedades ao longo da história, a própria sobrevivência feminina e de sua prole dependia do homem com quem se estava, e isso deixa marcas! Assim, ainda hoje, apesar do avanço de nossas conquistas, muitas vezes o valor das mulheres é medido pelo valor do homem que "conseguem conquistar".

E se, de forma consciente ou não, nós mesmas enxergarmos nosso valor diretamente ligado ao homem com quem estamos, tenderemos a ver as outras mulheres como ameaças a essa "conquista". Com isso encaramos as outras como rivais, quando não inimigas.

Essa competição, que começa em relação aos homens, pode se estender para outras esferas; as mulheres competem para ver qual é a mais bela ou magra ou com aparência mais jovem, a que tem a melhor carreira, a melhor família, os filhos mais bonitos, mais bem-educados, mais bem-sucedidos, o melhor carro, a melhor casa etc.

Ana Cecília comenta que

> o feminino tem uma chaga feia que dói: essa é a grande doença do mundo, na minha visão. [...] É a disputa, a competição entre as mulheres, é uma se sentir melhor que a outra, uma se distanciar da outra. [...] Isso vem de longe, é pré-histórico. É disputa de poder. Não é a busca da igualdade, é a disputa até pelo homem que vai te dar poder. A gente pega o modelo patriarcal e quer ser o pior do masculino. E assim a gente está se estrepando!

Entre todas as feridas sistêmicas que o patriarcado causou nas mulheres, essa rivalidade – e a consequente desunião entre nós – é a mais nociva.

Isso porque, em primeiro lugar, essa questão se fundamenta na admissão, pela própria mulher, de ser "menos" que os homens, chegando ao ponto de projetar neles as próprias qualidades. Marion Woodman (2006, p. 144) alerta: "[...] somos todas filhas do patriarcado e, embora estejamos nos tornando mais conscientes da opressão, precisamos abrir nossos olhos para a projeção de nossa inteligência, força e sentimentos nos homens".

Para Ma Devi,

> o feminino é muito dolorido. A gente tem de lamber bastante essa ferida, unidas como numa alcateia. Sair da energia separatista do patriarcado. Patriarcado é guerra, é competição; pouco se olha, pouco se conhece de si mesmo. [...] Nos círculos temos oportunidade de perceber quanto reproduzimos daquilo que odiamos, contra o que lutamos.

E mulheres se unindo aos homens para diminuir e/ou menosprezar outras mulheres é como dar um tiro no próprio pé: é o machismo absorvido e, pior, disseminado por nós mesmas.

A escritora Audre Lorde (*apud* Barcella e Lopes, 2108, p. 99) diz de forma contundente: "A linguagem com que fomos ensinadas a nos diminuir e a diminuir nossos sentimentos, considerando-os suspeitos, é a mesma linguagem que usamos para diminuir nossas irmãs e suspeitar uma das outras".

Outra consequência desastrosa da nossa desunião é não percebermos que muitos de nossos problemas não são pessoais, mas originados pela forma como a cultura patriarcal nos vê e trata – sendo a melhor forma de enxergar isso estarmos juntas, conversando de forma aberta e honesta.

Marisa diz que

cada uma encontra na outra uma reverberação muito importante para a própria subjetividade, para a alma. Isso fortalece a todas. Tenho plena convicção da importância da amizade entre as mulheres, para as mulheres. Acho que nós demoramos a descobrir isso e nessa trajetória nos machucamos muito, mais do que precisaríamos.

E com a rivalidade e a desunião acabamos não percebendo o poder que temos quando nos unimos. Diz Marisa:

Quando adquiro a consciência e assumo que a outra mulher pode ser não minha rival, mas minha parceira, quando me reconheço e me identifico com ela, eu me amplio. Há uma alegria enorme... E aí, quando uma mulher faz uma conquista, há uma expansão coletiva que reverbera para todas.

E Cler:

[...] O maior sucesso do patriarcado foi destruir a irmandade feminina. Quando eles quebraram as tendas da lua, destruíram os rituais, fizeram a mulher se casar, ganhar o nome do marido e perder a independência, eles quebraram essa irmandade; se não quebrassem, jamais conseguiriam se estabelecer. [...]

PARA ALGUMAS, É MUITO MAIS DIFÍCIL

Na visão patriarcal, toda mulher é inferior ao homem; essa visão não isenta nenhuma de nós; estamos no mesmo barco. Mas, a partir daí, começam as diferenças: muitas mulheres sofrem discriminações mais intensas que outras, seja por sua cor de pele, situação socioeconômica, seu local de nascimento e/ou de moradia, seu tipo de corpo, sua idade, sua orientação sexual, sua religião etc.

A mulher romantizada e idealizada pelo patriarcado se refere basicamente às brancas, heterossexuais e bem situadas econômica e socialmente. Para as negras, pobres, indígenas, moradoras das periferias, lésbicas, camponesas e outras categorias a visão é diferente – e ainda mais preconceituosa e limitante. A verdade é que não existe uma visão universal do que é ou deva ser uma mulher que inclua todos os sentidos e todos as maneiras como podemos ser.

De acordo com Ma Devi,

para algumas mulheres a ferida é bem pior. Não podemos esquecer que existe muita dor sobretudo para a mulher negra e para a mulher pobre. Na sociedade, a discriminação pode ser tripla: por ser mulher, pobre e negra.

Laura, falando sobre as lésbicas, diz que

elas vêm com um histórico de ter sofrido muita discriminação; algumas sofreram violência mesmo, outras estão numa situação econômica terrível porque foram postas para fora de casa.

Jaqueline fala da dor da mulher negra e de como é difícil encará-la:

Às vezes é tão dolorido... São esses processos que a gente vai passando e trazem a constatação de que você tem muita dor! Acho que muitos negros não querem fazer essa discussão porque não querem sentir essa dor; no fundo sabem que têm, mas não querem deixar isso explícito, até porque isso implica tomar partido, assumir uma postura, e nem todo mundo tem condições emocionais para essa luta.

No livro *Você é feminista e não sabe* (Kalil, 2017, p. 107-108), a entrevistada Giselle Christina, integrante do coletivo "Acampamento de Feminismo Interseccional", expõe essa questão de forma jocosa, mas que carrega muita verdade:

Tem uma frase que eu costumava dizer muito – hoje eu uso menos, porque eu operei o estômago, então emagreci bastante –, que eu era neguinha, baixinha, gordinha, de trancinha, pobrezinha e macumbeira. Você pensa, uma mulher preta, pobre, lésbica, macumbeira, operadora de telemarketing, da periferia, só aí a gente já tem seis, por cima, camadas de opressão. Você está no fim do ônibus quebrado, todo mundo vai descer primeiro.

Para nós nos "sabermos", primeiro temos de nos ouvir como mulheres, reconhecendo a imensa camada de aculturação que todas sofremos. Porém, também precisamos ouvir cada uma com base na realidade em que ela vive e da qual fala, pois só assim poderemos nos conhecer de forma íntegra e plena.

Temos de conhecer e reconhecer as tremendas diferenças na vivência de ser mulher e lutar contra as desigualdades, inclusive dentro de nós e nas nossas ações: só então poderemos falar do "todas juntas" verdadeiramente! Como disse a filósofa panamenha radicada nos Estados Unidos Linda Martín Alcoff (*apud* Ribeiro, 2017, p. 48), "se o feminismo deve liberar as mulheres, deve enfrentar virtualmente todas as formas de opressão".

TRABALHANDO A SOMBRA

Sombras, sombrio, escuro...tudo é só negativo? NÃO, com letras maiúsculas: tudo isso pode ser um portal para a mudança e a transformação! Na verdade, os círculos de mulheres, as redes e os coletivos feministas são um dos melhores lugares para tomar consciência, trabalhar e transmutar nossa sombra feminina coletiva, mudando assim nosso sistema de crenças.

Algumas de nossas entrevistadas contam como costumam trabalhar quando a sombra acontece em seus círculos. Marisa se vale do foco no protagonismo:

Acredito, porém, que se nos grupos nós não podemos ignorá-la [a sombra], não temos de dar a ela um protagonismo especial. Se nós dermos o protagonismo ao propósito do grupo, toda sombra que emergir será linkada, analisada e interpretada segundo esse propósito. [...] Senão eu acabo mudando o objetivo do grupo, que pode ser por exemplo lidar com a questão da maturidade, para um trabalho com a sombra. Vamos refletir sobre o que está acontecendo de sombrio, mas dentro do objetivo. Se dou protagonismo à sombra, ela vem para o centro do círculo e o propósito do grupo se perde.

Soraya usa o recurso das danças circulares

porque ela quebra aquilo que a gente não compreende. Feito isso, posso entrar com outro recurso para lidar com a situação.

Patrícia Pinna fala da importância de usar os recursos artísticos para encarar a sombra:

Quando você trabalha trazendo a sombra para você, sem projetar, pode vê-la como parte da vida e que ela não precisa ser uma coisa necessariamente ruim, que vai atrapalhá-lo. Pode reconhecer que, para ter a luz, você precisa trazer o escuro para destacar a luz! Se você tem essa visão do conjunto, dá um lugar e uma dignidade à sombra; ela não precisa ser vivida como se você fosse vítima ou vilão. [...] Quando você trabalha com recursos artísticos, sai do caminho de se sentir vítima, para de projetar no outro e vê que o melhor ou pior está em você mesma. Reconhecemos que deuses e demônios estão no mundo e estão na gente.

Dúnia acentua a importância de trabalhar com o que de fato nos conecta com o feminino hoje:

Antes o motivo comum de quem buscava dança do ventre era para aprender a ser sensual, e o que se obtinha era muito mais que isso, era um compartilhar com outras mulheres. Hoje a busca vem de uma "fome" de saber mais sobre o feminino. Essa fome é de conexão com a vida, e de alguma maneira obtemos essa conexão por compartir verdadeiramente com outras mulheres!

E Jaqueline, que lida com a sombra do machismo e do racismo, busca a raiz, a origem histórica do problema:

A gente precisa entender que ser mulher é uma construção, ser negra é uma construção. Isso eu sempre falo nas rodas de feminismo negro em que faço mediação ou nas de adolescentes negros de um projeto da prefeitura: a gente precisa discutir não o que está posto, mas o que originou o que está posto. Discutir o que está por trás, porque de algum lugar isso surgiu – e só vamos mudar o que está posto quando entendermos isso, quando formos à raiz.

Concluindo a questão das sombras nos Círculos, Soraya diz que

as mulheres vão esperando que os círculos sejam um lugar só de afeto, mas isso é uma ilusão. O afeto existe, transborda, mas as mulheres têm de entender que o círculo é o melhor lugar para trazer a sombra à tona para ser curada.

E Cler, que inclusive escreveu um livro sobre o tema e chama a sombra de mestra, diz: "A ferida profunda é uma ferida de gênero. E ela só vai ser curada num ambiente feminino". Os círculos são esse ambiente feminino por excelência.
Segundo Patrícia Fox,

os círculos nos trazem a possibilidade de transcender todos esses estereótipos, esses mal-entendidos, essas projeções, porque há ali uma energia que não é só cultural; vai além, muito além.

E é sobre essa energia, essa força e o poder de transformação que os círculos produzem que falaremos no próximo capítulo.

8 Jornadas de cura nos círculos

Enfim, a mágica dos círculos é desvendada neste capítulo... Só que não, mas foi uma delícia bancarmos as aprendizes de feiticeiras, ou melhor, de mágicas!

Como aprendizes, descobrimos que a verdadeira mágica não é a que tira o coelho da cartola, mas a que faz emergir o melhor do ser humano mesmo num meio hostil. E, em um mundo cada vez mais endurecido, os círculos de mulheres são uma prática comunitária propícia para fazer emergir esse melhor. Eles valorizam a escuta, o acolhimento, a irmandade, além de facilitar o surgimento de certo elemento sutil – e tudo isso cura, regenera, transforma.

Nós também descobrimos que para ser aprendiz de mágica é preciso fazer quatro coisas. Acreditar que a mágica existe e pode ser feita é a primeira. Praticá-la é a segunda. Retomá-la quando você ou a companheira erra e dá medo de voltar ao palco é a terceira. Sustentá-la mesmo quando a plateia vaia ou é indiferente é a quarta.

O melhor é que a recompensa é grande, e não chega apenas no final, quando você se torna uma mestra mágica: cada bom círculo traz algum tipo de descoberta, de cura e de transformação.

DE QUE CURA ESTAMOS FALANDO?

Ao falar de jornadas de cura nos círculos, não usamos a palavra "cura" no sentido em que o dicionário e a medicina a utilizam, que é "restabelecimento da saúde". Estamo-nos referindo a algo sutil, subjetivo e mais amplo: às curas que decorrem dos processos pessoais e coletivos de desconstrução de crenças tóxicas.

Acontece que muitas das crenças debilitantes que nós, mulheres, temos a respeito de nós mesmas devido à cultura em que fomos criadas nos machucam psicologicamente (e tantas vezes fisicamente!), formando feridas que precisam ser limpas e tratadas com delicadeza e paciência.

São essas crenças que os círculos de mulheres questionam, mesmo que às vezes nem toquem intencionalmente nisso. Seja enquanto bordamos, dançamos, estudamos mitologia, comemos um bolo, lutamos por direitos, fazemos rituais ou o que mais quisermos fazer, se estamos juntas de modo igualitário e aberto, vamos tomando consciência delas e tratando uma a uma.

É como se fôssemos nos descobrindo juntas, "tirando os véus" que toldavam nossa visão, desvendando nossa verdadeira face e ao mesmo tempo revelando as opressões que nos machucam. Quando uma mulher se mostra dessa forma, ela ajuda e estimula as outras a fazer o mesmo.

Os círculos de mulheres de hoje vêm fazendo um trabalho parecido com aquele realizado pelos grupos de expansão da consciência dos anos 1960 – a que nos referimos no Capítulo 1 –, mas acrescido da força de propagação possibilitada pela internet e da ampliação de consciência e de conquistas femininas que já alcançamos.

Transformando o jeito de nos enxergar como mulheres, vamo-nos tornando mais seguras de nós e de nossas escolhas, mais "inteiras" emocionalmente falando, mais livres, com maior autoestima, assumindo de forma mais ampla e livre o comando da vida.

Ana Cecília fala sobre o impacto que uma experiência dessas pode suscitar:

> A primeira vez em que me senti uma mulher bonita foi dentro de um círculo de mulheres – não foi nos braços de nenhum homem, de nenhum amor. Foi quando me senti uma mulher linda, poderosa, porque eu me senti bem comigo e com todas sem a necessidade da aprovação de um homem. Isso é curativo e libertador!

E, ao ver outras mulheres como companheiras que vivem dificuldades semelhantes às nossas, percebemos que elas verdadeiramente podem nos entender e apoiar. E ainda descobrimos que estar juntas de forma aberta e íntima é prazeroso, aconchegante, divertido e estimulante. Rimos e choramos juntas de forma irmanada, sem pudores, e isso, mesmo que às vezes possa ser doloroso, é uma delícia!

Esses são efeitos de um profundo processo curativo da ferida milenar feminina que os bons círculos de mulheres propiciam. Segundo Soraya, o círculo de mulheres é um "têmeno [santuário], um espaço sagrado onde podemos curar nossas feridas mais profundas". Ou, se quisermos, um caldeirão alquímico no qual "cozinhamos" as mudanças que queremos ver em nós e no mundo.

Raquel explica seu espanto ao viver isso no primeiro círculo presencial que conduziu, junto com duas companheiras:

> Não ensinamos nada a ninguém, não teve nada prescritivo do que se devia fazer. Foi uma coisa muito íntima, porque o que a gente propunha era uma reflexão interna. Elas falaram o que queriam, e se não queriam não falavam. Então, foi uma coisa que aconteceu muito dentro, e a gente, de verdade, nem sabe bem o que aconteceu. E foi incrível como existia no grupo uma

simetria de pessoas, para cada uma tinha outra com a questão semelhante ou oposta que esclarecia. É mágico.

Essa mágica transformadora é (em parte) baseada em quatro pilares ou dinâmicas que desvendamos a seguir.

OS QUATRO PILARES DO PROCESSO DE CURA

1. Fala, escuta e partilha

No Capítulo 6, dissemos que os círculos de mulheres são lugares de recuperação da nossa voz; aqui vamos aprofundar esse ponto porque a fala, a escuta e a partilha são parte essencial do aspecto curativo que os círculos podem ter.

Embora comumente se diga que as mulheres falam demais, na verdade fomos silenciadas pelo patriarcado. Nossas falas são consideradas pouco importantes e muitas vezes nem sequer levadas em conta, mesmo quando falamos de nós mesmas e de nossas questões. É como se fôssemos "café com leite", expressão infantil para menor, mais fraco, aquele que não participa efetivamente das atividades.

Esse silenciamento é milenar! Telêmaco, na *Odisseia*, ordena que a mãe, Penélope, se recolha e pare de criticar um bardo que vem à sua casa. "Mãe, volta para seus aposentos e retome seu trabalho, o tear e a roca... Discursos são coisas de homem, de todos os homens, e meu, mais do que qualquer outro, pois meu é o poder nesta casa", diz o filho de Ulisses, autoproclamado "chefe" da família (*apud* Beard, 2018, p. 16).

A jornalista e escritora americana Rebecca Solnit (2017, p. 27-62) diz que

> há uma cultura que esvazia o lugar de fala das mulheres, deixando claro que as vozes dos homens contam mais do que as delas [...] O silêncio é o oceano do não dito, do indizível, do reprimido, do apagado, do não ouvido. O silêncio é o que permite que as pessoas sofram sem remédio, o que permite que as mentiras e as hipocrisias cresçam e floresçam, que os crimes passem impunes. A história do silêncio é central na história das mulheres.

Patrícia Pinna corrobora:

> Minha mãe e minhas avós foram amordaçadas, não puderam dizer a que vieram, não puderam contribuir para um processo maior do que na própria casa – e mesmo nelas seu poder era limitado...

O fato de nos círculos a mulher poder falar de si e do que quiser sem ser interrompida a cada instante e sem receio de ser olhada com desdém, superioridade, desprezo ou indiferença faz que ela sinta que tem o que dizer, que merece ser ouvida. E ser vista como alguém cuja fala é considerada relevante reverbera na autoestima de modo libertador.

Ma Devi trata disso de um jeito bem claro:

Nos círculos, o que as mulheres mais precisam é ser ouvidas. Elas estão tão engasgadas, tão sufocadas, tão necessitadas de falar para quem verdadeiramente as escute! Num círculo, quando a primeira fala, ainda está retraída, meio tímida; a segunda, que já ouviu a primeira, se solta mais; na terceira muitas vezes já vem o choro, a catarse. É mágico!

Jaqueline continua:

Mulher não pode falar; nós somos silenciadas o tempo todo. E nós, mulheres negras – justamente por esse estereótipo de que o negro é burro –, podemos falar muito menos, e muito menos das nossas dores. E a gente precisa falar, precisa tanto!

Laura acentua a importância, para as lésbicas, de falar sobre suas vivências:

A ideia era chamar o pessoal para ouvir uma autora falando da sua experiência de ser lésbica, e depois permitir às pessoas que falassem da experiência delas. [...] Para muitas delas era a primeira vez que pegavam um microfone para falar um poema de amor para outra mulher. Tenho certeza de que em vários momentos a gente criou experiências únicas, que rolavam só ali.

Ser verdadeiramente ouvida permite a expansão da consciência; é o que acontece num processo psicoterapêutico, e também é o que pode acontecer num círculo. Para Jung (2014, p. 12-14),

enquanto supomos que ninguém sabe a respeito de algo, somos pouco capazes de avaliar o que o assunto representa para nós. Por isso sempre aconselho as pessoas a falarem sobre suas questões. [...] É preciso que a dividamos com alguém, assim teremos a possibilidade de tomar consciência de forma plena.

Além disso, ao ouvir as outras com atenção, aceitação e apreciação, as mulheres podem se curar mutuamente. Jean Shinoda Bolen (1996, p. 105) diz que, "ao ouvir com compaixão, validamos a vida uma da outra, tornamos significativo o sofrimento e ajudamos a fazer com que ele dê lugar ao processo de perdão e cura".

Soraya acentua o poder das trocas de falas e escutas:

A partilha é a cura, é o momento do espelho e da aceitação. É um momento em que você pode ser você mesma numa sociedade que lhe pede para ser tantas coisas que não são você. Quando a gente fala qualquer coisa, mesmo que seja pequena, mas que é real, muda alguma coisa aqui dentro de nós.

Marisa conta que nos círculos

cada uma fala da própria identidade e da própria subjetividade partindo do conhecimento, da experiência do outro. A experiência do outro traz uma experiência para mim e aí eu me identifico. Esses grupos estruturam as subjetividades.

A outra me espelha, eu espelho a outra: juntas vamos aumentando o autoconhecimento e a autoaceitação, ampliando nossa compreensão sobre a história das mulheres, nos legitimando e nos fortalecendo.

É o que Bianca diz perceber nos grupos que conduz:

O que é muito bacana nessas rodas [...] é que as histórias se cruzam, que as mulheres se identificam muito com a história das outras. [...] Sinto que, na verdade, é a identificação com as histórias que permite que o grupo flua. [...] É como se você estivesse em um espaço em que sabe que ali ninguém está te julgando, ninguém está te criticando. Na verdade, está te ouvindo e te acolhendo. E isso faz muito bem. Por isso eu gosto tanto desses grupos: fazem muito bem para mim também. Fazem muito bem!

Patrícia Pinna vai além:

E é a questão da ética, da valorização do humano, da comunicação não violenta, desse olhar "eu sou o outro de você e você é outro de mim". E esse ver o outro como meu espelho é feminino, o espelho é o feminino! Todas as mulheres têm esse espelhamento mútuo. É você poder olhar a natureza e se ver nela, e se ver como parte dela. Sem esse olhar feminino, a humanidade e nosso planeta correm um sério risco de se autodestruir.

2. Acolhimento

Bianca menciona outro aspecto fundamental dos círculos de mulheres como espaço de cura e transformação: o acolhimento.

Vivemos tempos áridos, nos quais atitudes como agressividade, competição sem limites, intolerância, dureza e até violência são mais valorizados que gentileza, solidariedade, apreço pelas diferenças e compassividade. Os primeiros tendem a ser vistos como força e como características do princípio masculino; os segundos, como fraqueza e características do princípio feminino.

Nesse ambiente, a não ser que a pessoa seja um "macho alfa" – e mesmo assim há controvérsias –, todo mundo sofre. Todo mundo está ferido, especialmente as mulheres.

O verdadeiro acolhimento pode ser um remédio milagroso para transformar essa dor: aliás, é uma das melhores coisas que um bom círculo de mulheres pode oferecer. Um lugar, como disse Ma Devi, em que "possamos lamber nossas feridas", receber atenção respeitosa e afetiva. Um espaço de aceitação verdadeira, de gentileza e cuidado mútuo e apoio, mas sem infantilização nem vitimização, em que todas sejam tratadas como iguais: mulheres adultas e capazes, mesmo que feridas.

E no qual também podemos arriscar, ousar mostrar lados que escondemos por vergonha ou medo, experimentando ampliar nossa identidade.

Sonia Farah, participante de um círculo de mulheres, diz (*apud* Freitas, Sanabria e Tolentino, 2010, p. 22): "O círculo é um espaço seguro para viver partes de nós que não cabem em lugar nenhum. Depois, elas podem caber dentro de nós e se integrar".

A atmosfera receptiva e amorosa que pode ser criada quando estamos juntas nos encarando como parceiras nessa jornada misteriosa que é a vida pode operar verdadeiros milagres.

Vejamos o que dizem algumas das nossas entrevistadas sobre isso:

Ana Cecília – [...] o que cura essa chaga é deixar que as diferentes pétalas caiam sobre ela, porque isso vai fazer bálsamo, vai curar de forma que nem fica marca, porque a chaga feminina não vai deixar cicatriz quando for curada. [...] Nos círculos, o que mais cura são o olhar e o acolher.

Ma Devi – Quando acontece algum conflito e as pessoas esperam que haja confusão, retaliação, briga, não é assim, isso é tratado com muito amor. As palavras saem suaves, mas com firmeza e amor. E isso transmuta, amor cura. Quando nós ancoramos o acolhimento, é mágico! Criamos intimidade, uma coisa linda que vai acontecendo, se manifestando. [...] O que precisamos é trabalhar afeto, amor, fazer uma revolução no mundo!

Patrícia Widmer – Essa possibilidade de identificação, essa sensação de pertencimento e de acolhimento só o grupo proporciona. Na terapia individual você tem isso por parte do terapeuta, mas quando você está num grupo existe a partilha com aquela que é seu "outro", aquela que pode ser sua irmã, sua amiga, sua filha, sua mãe.

Marisa – Uma coisa muito importante nos grupos de mulheres é o acolhimento. É como uma concavidade, como um útero, uma taça. Tem até uma quentura, um calor. Há um acalento no grupo de mulheres.

3. Irmandade

Ao escutar a própria voz e a das outras sem julgamento nem crítica, ao acolher e ser acolhida, cada mulher se sente à vontade para ser ela mesma, ao mesmo tempo que percebe que também guarda algum aspecto de cada uma das mulheres que compõem o círculo.

Percebe que já viveu ou pode viver algo parecido com as histórias contadas, e isso traz a sensação de pertencimento, de uma identidade coletiva que remete à ideia de irmandade.

A irmandade feminina aparece nas lendas das amazonas da mitologia grega e das icamiabás da nossa mitologia indígena. Essas lendas falam de um reino mítico exclusivamente feminino e do poder imbatível desses grupos de mulheres guerreiras, que se tratavam como aliadas/irmãs e lutavam juntas para combater os invasores e inimigos. Esses relatos míticos expressam de forma metafórica a força que podem ter mulheres quando se unem, e essa força vem sendo experimentada em vários círculos.

Nas redes e coletivos virtuais femininos e nos diversos movimentos/campanhas/mobilizações deflagrados por grupos feministas – como #MexeuComUmaMexeuComTodas, #MeToo, #EleNao, #ChegadeFiuFiu e muitos outros –, essa noção de irmandade e de sua força também é desenvolvida, sendo essencial para a mudança da visão das mulheres delas mesmas e para a união na luta contra o machismo, tão presente ainda hoje.

O diferencial dos círculos é que neles a experiência da irmandade é pessoal. Aquela mulher de quem escuto a história, as dificuldades, as dores e as conquistas que me impactam, com quem me identifico ou por quem tenho empatia e me comove está sentada ao meu lado: posso até tocá-la!

A emoção que essa experiência desperta nas participantes, muitas vezes silenciosa, mas com muita potência, pode ser um dos aspectos do "pulo do gato" que explicam a magia misteriosa dos círculos de mulheres. Sentirmo-nos verdadeiramente irmãs é algo revolucionário! E perceber o poder que podemos ter juntas pode constelar a força mítica desses reinos de mulheres guerreiras.

Ma Devi fala sobre isso:

> Os círculos podem dar acolhimento, fazer nascer e crescer a irmandade e a força da reunião de mulheres. Na verdade, a mulher que sofre algum tipo de abuso sofre porque se vê sozinha, sem nenhum acolhimento. [...] Se olho para trás e não tem ninguém para me amparar, eu permaneço na violência. Se você não tem suporte, você suporta. Enquanto a gente não trouxer essa irmandade entre as mulheres, enquanto a gente não perceber que somos comadres, irmãs, namoradas, amantes, amigas, mães e filhas umas das outras, nós vamos passar por muito sofrimento. Acolhimento é reunião, é saber que se você apanhar de um cara vai ter um montão de mulher para te defender. [...]

E Ana Cecília:

> [...] traz muita cura perceber que eu sou irmã de todas as mulheres, sou uma mulher igual a outra mulher e ao mesmo tempo diferente. E também perceber que a minha história tem que ver com a sua, a sua tem que ver com a dela. [...] Acho que o que cura mesmo, e dá esse amálgama

gostosinho entre nós, é a percepção de experiências semelhantes vistas em espelho. Ela está se lendo ali, está se vendo. [...]

Cler conclui:

O círculo de mulheres talvez seja o lugar de que mais gosto de estar no mundo. [...] Geralmente a gente começa se dando as mãos e meu coração faz um quentinho, porque acho que essa irmandade é uma memória ancestral que a gente tem. Nós, mulheres, precisamos primeiro nos curar entre nós, precisamos curar nossa relação com as outras mulheres. Nós temos essa ânsia pelo reencontro, tanto com a deusa como com essa irmandade [...] Para mim, a principal função dos círculos de mulheres é ajudar as mulheres a relembrar essa irmandade perdida. [...]

O analista junguiano Allan B. Chinen (2001) sugere que ao aspecto triplo da deusa – donzela, mãe e anciã – que reflete aspectos do feminino arquetípico se junte um quarto: a irmandade entre as mulheres. É esse quarto aspecto que une os três anteriores.

Talvez seja esse aspecto do arquétipo, a irmandade feminina, que esteja emergindo hoje de forma mais relevante – e os círculos e as redes femininos são sua expressão mais concreta e visível. Como diz Marisa, "nós precisamos de sororidade: o feminino é coletivo. Juntas é que somos fortes".

4. Campo energético

Por fim, existe um aspecto ainda mais sutil no processo curativo dos Círculos. Muitas vezes só quem já participou de um Círculo pode compreende-lo, pois esse é aquele tipo de experiência fácil de ser sentida e difícil de ser colocada em palavras. Mas vamos tentar...

As autoras Sherry Anderson e Patricia Hopkins (1993, p. 280) dizem que "o que muitas mulheres descobrem atualmente, à medida que 'abrem trilhas de uma maneira nova', não é uma professora, uma guru, uma guia e sim uma 'reverberadora', ou seja, uma amiga, irmã ou companheira tão fiel à sua realidade interior que as inspira a ser fiel à delas".

No círculo, a "reverberadora" são todas as participantes – e aí tudo parece vibrar, tornando o círculo um "campo de energia" que vai além da soma das participantes; o grupo se torna uma egrégora. Além disso, como vimos no Capítulo 1, os círculos de mulheres têm um centro não manifesto, ocupado pela "Mulher" no sentido arquetípico, que como diz Jean Shinoda Bolen (1996, p. 63) inspira "uma noção mística de unicidade com todas as mulheres".

No entanto, não podemos dizer que esse "centro não manifesto" se resume apenas a isso (apesar de já ser forte o bastante). Não podemos definir de forma conclusiva aquilo que é impalpável e faz parte da tal "mágica" dos círculos. O que podemos dizer é que neles o arquétipo feminino se constela e que a mágica é perceptível – enfim, que algo ressoa em todas as participantes e seus efeitos são sentidos de formas indiretas.

CÍRCULOS DE MULHERES

A existência de uma transmissão interpessoal sutil e invisível é conhecida por todas as antigas tradições e muitas vezes ligada ao feminino. Dúnia fala sobre isso:

A gente criou uma cultura que deslegitima o invisível, em todos os sentidos, e o feminino está nas entrelinhas, no invisível, na imagética. Se você não entra nesse invisível e não dá crédito a ele, você não está em conexão. Podemos dar cursos maravilhosos sobre o feminino, mas se fica no intelecto não se experimenta o feminino. [...]

Podemos pensar nisso em termos de campos mórficos, moderno conceito cunhado pelo biólogo Rupert Sheldrake para denominar estruturas ou redes invisíveis carregadas de informações que organizam, comunicam, conectam e dão forma aos seres e aos comportamentos. "Um grupo de mulheres pode constelar um campo mórfico da Mãe (Mãe como Deusa Mãe) quando se reúne num círculo sagrado", diz Jean Shinoda Bolen (1996, p. 200). Há inclusive afinidades entre os campos mórficos e os conceitos de arquétipo e inconsciente coletivo de C. G. Jung.

Bolen (2005b, p. 53) também afirma que, quando o círculo está centrado, forma uma mandala invisível "ao redor de um fogo sagrado no centro de uma lareira redonda". Assim, Patrícia Fox diz que quando as participantes de seu círculo entram

o fogo já está aceso, já foi rezado e honrado. A intenção foi decretada e fortalecida, e quando todo mundo está reunido ao redor do centro a motivação é compartilhada [...].

Ela pede sempre para

olharem para o centro, pois o olhar é muito poderoso. Eu falo para as minhas alunas sempre observarem o espírito do círculo, irem para o coração do círculo, morada da verdade individual e coletiva. É no centro que a coisa se transforma, tudo vem e tudo parte dali. [...] Acho que a responsabilidade da condutora é esta: voltar para o centro, para que a alquimia da cura se faça.

E conclui:

E no final do círculo apagamos o fogo neste mundo físico, mas um fogo compartilhado num círculo nunca deixa de existir.

E o fogo sempre esteve ligado às mulheres. No livro *As máscaras de Deus – Mitologia primitiva* (2003, p. 319), Joseph Campbell diz que desde a pré-história o fogo é frequentemente uma dádiva ou o próprio corpo de uma deusa. E isso continuou ao longo dos tempos; por exemplo, nos templos gregos as responsáveis por manter o fogo sagrado aceso eram as sacerdotisas de Héstia, a deusa da lareira. Em Roma, Héstia se tornou Vesta e suas sacerdotisas, as vestais, continuaram cumprindo essa função.

Ma Devi também menciona a corrente de energia sutil gerada por um círculo:

> Um círculo já tem terra, água, fogo e ar, e o espírito está se manifestando. Nossa reunião é o caldeirão alquímico onde acontece a transformação. A roda é um caldeirão mágico, a roda é o útero.

E Cler:

> Quando uma mulher se conecta com outra mulher como irmã, de alma para alma, uma mágica acontece ali! Em cada círculo em que isso acontece, mesmo que seja só entre três ou quatro mulheres, quando elas voltam a sentir essa sororidade, uma parte sistêmica é curada e essa cura reverbera para o mundo inteiro.

Concluindo, de alguma forma a "mágica do círculo" tem relação com campos mórficos, arquétipos do inconsciente coletivo (como o da "Mulher") e mandalas. Essa mágica pode ser chamada de espírito ou morada do círculo, centro, fogo e sopro. E as "transmissões interpessoais sutis e invisíveis" que acontecem nos círculos têm que ver com alquimias, inspirações, contágios, emanações.

Seja como for que se defina, a força transformadora do campo energético de um bom círculo de mulheres não é racionalmente explicável, mas tem evidente potência. Raquel coloca em palavras sua surpresa ao experimentar essa energia:

> Sou meio cética, racional, cientista, mas quando penso nessa atividade [círculo de mulheres], sinto como se tivesse saindo uma coisa do meio da minha mão.... Uma árvore nascendo da mão.

CURANDO A CULTURA

Os círculos de mulheres têm potencial para estimular a cura das feridas e dores coletivas femininas, sendo ao mesmo tempo uma proposta de ação para tornar nossa sociedade mais igualitária, inclusiva e humana para todas, todes e todos.

Isso porque, além dos assuntos femininos, crenças e preconceitos contra outros segmentos sociais também são questionados no ambiente de liberdade dos círculos, que assim "age[m] contra a ordem social, a compartimentação superior/inferior [...]" (Bolen, 2005b, p. 61).

E esse questionamento vai ainda mais longe: por exemplo, outra crença de nossa sociedade, que além de patriarcal é altamente materialista e competitiva, é que comportamentos predatórios, interesseiros e agressivos são "normais" – "o ser humano é assim mesmo" e "nunca vai mudar".

Porém, as próprias experiências de convivência e cooperação bem-sucedidas em círculos de mulheres mostram que essas são verdades parciais que foram transformadas em *crenças* de que são verdades absolutas. Inclusive, hoje cresce o entendimento de que a própria evolução humana aconteceu mais graças à cooperação do que à competição.

Talvez estejamos prontos para novos saltos evolutivos em nossas relações, e os círculos fazem parte desse processo de transformação – não apenas para as mulheres, mas para todas as pessoas. Jean Shinoda Bolen explica como isso pode acontecer em uma palestra realizada em 2013 (disponível em: http://5wcw.org/activism.html):

> Cada círculo é também um arquétipo que contribui para a consciência coletiva e o campo mórfico. Quando um número crítico de pessoas muda uma atitude ou percepção, o que antes encontrava resistência se torna normal. Foi assim que os grupos de conscientização se tornaram o movimento das mulheres e trouxeram mudanças pessoais, políticas e econômicas para as mulheres americanas na década de 1970. O ponto de inflexão é o "milionésimo círculo" metafórico, o que, adicionado a todo o resto, equilibra masculino e feminino, círculo e hierarquia.

E, em seu livro *O milionésimo círculo* (2005b, p. 35-36), ela completa:

> Os círculos de mulheres são formados um a um. Cada círculo expande, para mais mulheres, a experiência de pertencer a um deles. Cada mulher, em cada círculo, que se transforma através de sua experiência nele, leva estas mudanças para outras relações. Até que, em um determinado dia, um novo círculo se formará e ele será o milionésimo círculo – aquele que faz a diferença e nos levará a uma era pós-patriarcal.

E como seria essa era pós-patriarcal? Numa hipótese que vale considerar, a ganhadora do Nobel da Paz Aung San Sun Kyi declarou na IV Conferência Mundial sobre a Mulher da ONU, ocorrida em 1995 (disponível em: http://www.onumulheres.org.br/planeta5050-2030/conferencias/):

> Durante milênios, as mulheres dedicaram-se quase exclusivamente à tarefa de proteger e cuidar dos jovens e dos velhos, buscando as condições de paz que favoreçam a vida como um todo [...] [agora] A educação e o empoderamento de mulheres ao redor do mundo não pode deixar de resultar em uma vida mais solidária, tolerante, justa e pacífica para todos.

9 Formação, questões financeiras e ampliação dos círculos

"Esse caminho tem um coração? *Se tiver, o caminho é bom; se não tiver, não presta". Essa frase de Carlos Castaneda (1968, p. 154) é perfeita para avaliar três temas complementares e importantes ligados aos círculos de mulheres: os cursos de formação de condutora, as questões financeiras e a ampliação das atividades das condutoras.*

Das três, a questão financeira é a que tem maior diversidade de abordagens. Por exemplo, nossos círculos não são cobrados: primeiro, por serem também roundtables, *que por definição não o são; segundo, porque nessa altura da vida podemos oferecer esse trabalho em que acreditamos e que assim pode beneficiar mais pessoas; terceiro, porque conseguimos fazê-lo com uma infraestrutura que não demanda custos. Mas isso não significa que fazer assim seja "o certo"; este capítulo mostra que em alguns casos isso inviabiliza o processo. De novo, não existem regras nesse caminho... Desde que ele conserve o coração!*

Como tudo que está sendo construído de modo autêntico e experimental, você verá que há diversas soluções criativas para os três temas, e que nem sempre as opiniões coincidem. Mas em uma coisa nossas entrevistadas estão juntas: na sabedoria que adquiriram ao longo de sua caminhada com o feminino e com os círculos.

A FORMAÇÃO DE CONDUTORAS DE CÍRCULOS

Os capítulos 3 e 5 trataram das formações das entrevistadas e de suas ideias sobre a condutora de círculo. Contêm, ainda, indicações para quem deseja realizar esse trabalho. Este capítulo completa o assunto trazendo as opiniões delas a respeito de cursos de formação de condutoras e a estrutura básica de alguns deles.

Como as entrevistadas foram de certa maneira pioneiras nesse tipo de trabalho, não existia esse tipo de curso quando começaram. Vimos que o processo que as levou a conduzir círculos está relacionado com a formação profissional delas e/ou decorreu de cursos e práticas de grupo que faziam e/ou de seu confronto com um tema pessoal que quiseram expandir para outras mulheres, e que sempre estão ligados aos seus chamados.

Elas têm opiniões e posturas divergentes sobre os cursos de formação de condutoras: algumas acham que são importantes e inclusive oferecem esses cursos; outras os consideram desnecessários; outras ainda, até mesmo discutíveis. Vejamos a seguir os argumentos das entrevistadas a favor e contra a validade dessa formação.

Patrícia Fox afirma que

> há um romantismo que prega que todo mundo sabe fazer círculos de mulheres, que todo mundo pode. Sim, todo mundo "pode", mas a potência (ou o poder) não significa que todo mundo vai ter o comprometimento necessário. Na minha visão, é necessária uma estrutura interna para que o trabalho seja feito com responsabilidade e segurança. Lidar com a energia feminina e com as chagas das mulheres é algo complexo e, por vezes, bastante denso. Há também a questão da vocação, que considero essencial. [...]

Isso não quer dizer que a vocação da pessoa precisa ser "condutora de círculo", mas que pode envolver a condução de círculos. Patrícia Fox dirige um curso de formação de condutoras cuja proposta é fazer as participantes encontrarem a própria vocação. Quando é encontrada, essa vocação vai ditar o caráter de seu futuro círculo.

> O diferencial do curso é a vivência: ela é empírica, profunda e demanda tempo. O conteúdo envolve a história das deusas primitivas, o que é a mulher na cultura, o que é o feminino; trago a filosofia e a necessidade da postura ética. Desconstruo a (falsa) imagem submissa de Maria propagada pelo patriarcalismo. Tem as deusas madrinhas, que são baseadas nas nove deusas do meu trabalho com os arquétipos e mitos. E nunca deixo de falar sobre o masculino e os deuses; Shiva e Dionísio estão sempre presentes. O curso inclui também a construção e a apresentação de um trabalho de conclusão de ciclo. É uma jornada em que você tem de ralar, estar nela de verdade e com a sua verdade. Ouvi de uma aluna que, mais que um curso de formação, é uma reforma interna.

O curso que Marisa criou com Fatima Tolentino é realizado já há alguns anos em Minas e começa a ser feito também na Bahia. Composta de parte teórica e parte vivencial, é uma pós-graduação com vinculação acadêmica denominada "Antropologia da mulher – Despertando guardiãs de círculo das mulheres". Como Marisa explica em seu site, "uma formação não é somente um acontecimento teórico, é um propósito e uma vivência de mudança, uma ressonância interna e um campo para o cultivo de sonhos e projetos".

Soraya traz tudo que aprendeu na jornada de anos como condutora e a experiência pedagógica de educadora para seu curso de formação de guardiãs de círculo de mulheres:

as alunas também têm de apresentar um trabalho de conclusão de curso. Esse curso é uma formação e também uma iniciação. Eu já sou madrinha de muitos círculos por aí! Até de mulheres que não foram minhas alunas.

Cler também faz formação de condutoras:

De tanto dar círculos e programas, acabei fazendo uma síntese própria e criando meu método de ensino: vou dar a primeira formação em abril de 2018 em Florianópolis [curso já realizado]. Lancei o Método Cler Barbiero de Círculos e Grupos de Mulheres depois de quatro anos estudando, testando formatos, escrevendo e canalizando. [...]

Diferentemente, Ma Devi acredita que as coisas acontecem onde se permite estar presente a *Sahaja*, a espontaneidade inerente ao processo de vida, sem a necessidade de uma formação. Ela explica como isso funciona numa roda feminina:

O assunto, o tema é o que brota. E você não sabe o que vai brotar. Tudo *Sahaja*, espontaneidade, naturalidade. [...] Quando você vem com coisas muito libertárias, pode assustar [as outras]. Então tenho de ter proteção, mas a minha proteção não é incenso nem sal grosso. É eu firmar na minha criança interior, firmar na minha alegria, no meu coração compassivo. Essa é a minha maior proteção, e está dentro de mim e de cada uma também!

Ou seja, se surgir problemas em seu círculo a condutora poderá lidar com eles com naturalidade, firmando-se em seu chamado.

A perspectiva de Dúnia, que contesta a validade desses cursos, segue sua concepção do princípio feminino:

Na minha visão, dar curso de formação de condutoras de círculos do feminino não faz sentido. A formação tem um modelo igual para todas e no mesmo tempo a ser percorrido, mas os caminhos da natureza não são assim... Ao caminhar no fluxo da vida, cada mulher é colocada diante de sua própria criação de realidades incoerentes, e cada uma precisa nadar nelas até que se sinta preparada para desconstruí-las. Quanto tempo vai durar esse processo? Vai durar o tempo que tiver a matéria do curso de formação? Claro que não! Pode durar uma semana, sete anos ou pode ser que nunca aconteça. Acontece quando, dentro do seu fluxo de vida, cada ser vai se descobrindo com suas aptidões e desígnios e os partilhando com o mundo, sem intenção de títulos nem de ser uma reprodutora de técnicas. Visto que "formação" é uma invenção da cultura patriarcal para a reprodução do trabalho em massa, a formação de qualquer coisa no feminino subentende exatamente isso! Em vez de seguirmos no fluxo instável de criação de quem somos a cada época da vida, oferecemos "fôrmas" para o que

CÍRCULOS DE MULHERES

naturalmente não tem e que nos convida a sair delas: o feminino! Quando a mulher sentir que esse é o trabalho dela, ela está pronta, porque isso não é uma profissão para a qual você se prepara – nem isso, nem nada.

INVESTIMENTO, REMUNERAÇÃO E OUTRAS FORMAS DE ENERGIAS DE TROCA

Se você é uma condutora de círculos de mulheres, deve encarar isso como uma profissão como qualquer outra? Se você vai frequentar um círculo, como avaliar se o que é cobrado, seja quanto for, é justo?

Não há resposta simples a essas questões, por dois motivos: primeiro, pelo fato de que os círculos de mulheres abarcam um amplo leque de atividades; segundo, porque o caráter idealista dos círculos torna mais complexas as questões financeiras envolvidas no assunto.

Sobre o primeiro motivo, já vimos que o que o que chamamos de círculos de mulheres tem formatos, propósitos e propostas extremamente variados. Abrangem de círculos mais terapêuticos ou com jeito de curso aos mais livres e soltos encontros de mulheres e redes de solidariedade feminina. Alguns dos problemas relativos à cobrança decorrem de que nem sempre é fácil determinar exatamente a fronteira entre esses tipos de círculo, a natureza do trabalho e o tempo que exige da condutora, as condições de viabilização do espaço a ser ocupado etc.

Para falar do segundo motivo, o caráter idealista, precisamos lembrar um pouco da história que contamos no Capítulo 1: os círculos sempre existiram como manifestação espontânea de apoio mútuo feminino, e no século XX eles se "reinventaram" na forma de grupos de mulheres reunidas especificamente para discutir sua condição. Esses grupos foram fundamentais para o desenvolvimento do movimento feminista, que também tem a aspiração idealista de construir um mundo melhor em vários sentidos: "O feminismo é, há muito tempo, uma utopia" (Tiburi, 2018, p. 32).

Faz parte dessa utopia a ênfase a valores mais solidários e menos predadores em relação ao dinheiro. Jean Shinoda Bolen inclusive associa o movimento feminista aos "criadores de cultura", segmento da população adulta dos Estados Unidos que, segundo ela, tem como valores a empatia e solidariedade. Ela (2005a, p. 249) diz que esses indivíduos "são mais altruístas e menos cínicos que os outros americanos. Preocupam-se com a autenticidade pessoal, com a ecologia global e com o bem-estar de todos os povos do mundo".

Assim, o caráter utópico dos círculos, sua histórica função de apoio mútuo de mulheres e sua ligação com valores idealistas do movimento feminino fazem que muitas condutoras não tenham uma postura materialista e financista em relação à vida – ou talvez elas tenham entrado nesse caminho justamente por não ter essa postura.

Aqui há entrevistadas que participam ou dirigem redes femininas solidárias, que conduzem círculos gratuitos, que doam atividades ou recursos para a comunidade, que trabalham ganhando menos do que poderiam porque acreditam que estão fazendo algo com mais significado.

Vamos começar falando sobre as redes de solidariedade. A difícil condição feminina no patriarcado propicia o surgimento de ajudas recíprocas espontâneas. Por exemplo, Jaqueline narra como isso acontece entre mulheres negras:

> [...] existe entre nós uma rede de solidariedade muito grande. Por exemplo, arrumei um trabalho extra, estou precisando de grana, e minha prima de 17 anos vai se deslocar da Brasilândia para cá para ficar com os meus filhos. Essa rede solidária é muito maior entre as mulheres negras do que entre as brancas de classe média. É a dialética da vida.

A ONG Ártemis aciona uma rede solidária em grande escala, congregando trabalhos voluntários para ajudar qualquer mulher em situação de risco em todo o Brasil. Sua dirigente, Raquel, conta um caso para explicar como isso funciona:

> Uma vez me ligaram: "Olha, tem uma garota que está apanhando muito do pai e precisa de ajuda". Era uma estudante de um colégio tradicional de São Paulo, de 17 anos, cursando o terceiro colegial. Um histórico familiar bem complicado. O pai tinha batido nela dentro do boxe do banheiro, o vidro espatifou, cortou a menina. Ela chamou a polícia, e a polícia deu um sermão nela: "Você tem que obedecer ao seu pai". E foi embora. Fui atrás de alguém que a acompanhasse à delegacia. Uma pessoa se dispôs, foi à delegacia, ao IML, fez todo o processo com ela, das 6 da tarde às 3 da manhã. Mas, depois, para onde iria a garota? Ela não podia voltar para casa. Falei para trazer para a minha casa. Aí me chega uma menina de chinelo, 17 anos, suja, ensanguentada, fodida. Ela dormiu lá e no outro dia perguntei: "Do que você precisa?" "Eu preciso ter onde ficar e ver o que vou fazer da vida", ela respondeu. Então uma amiga minha, a Marina, disse que poderia hospedá-la em casa pelo tempo que precisasse. A menina estava abaladíssima, precisava de uma psicóloga. Aí a Érica se prontificou: "Traz ela aqui que eu atendo de graça". Ela precisava de um advogado para pedir pensão para o pai, que tinha de sustentá-la até a maioridade. Aí a Julia disse: "Eu faço o processo dela". Depois outra falou: "Consigo um emprego para ela onde eu trabalho". E assim foi. A rede funciona! Hoje essa menina está viajando o mundo, virou mochileira, estava no Peru pela última notícia que tive dela. Como é que a gente consegue tanto apoio e solidariedade? Porque de alguma maneira a gente se reconhece na violência.

Porém, o serviço voluntário tem seus problemas, como ela mesma adverte:

Uma coisa é o trabalho pontual: eu preciso, peço, alguma mulher ajuda. Mas não dá para contar com a constância no trabalho; a tendência do voluntariado é de pouco tempo de permanência. Assim, uma função importante da Ártemis é cutucar o governo a fazer o que é papel dele, cumprir as obrigações e implementar política pública de verdade; isso vai melhorar a vida de muitas mulheres.

As redes de solidariedade feminina conduzidas por Raquel preenchem as condições de que falamos no Capítulo 1, sendo assim consideradas grandes círculos de mulheres não remunerados. Algumas de nossas entrevistadas criaram círculos presenciais menores, também não remunerados.

Ma Devi e Silvia de Oliveira conduzem círculos desse tipo, feitos em locais que não demandam despesas. Diz Ma Devi:

Então comecei, de forma espontânea, a me reunir com mulheres, a abrir rodas em lugares públicos como parques e ocupações, em algumas delas convidando mulheres pelo Facebook, em outras de forma fechada, somente entre amigas. Essas rodas passaram a acontecer com certa frequência e sempre de forma gratuita.

Já os de Laura demandavam despesas e não tiveram suficiente apoio financeiro espontâneo das participantes:

[...] os círculos eram gratuitos. A gente pedia para as pessoas contribuírem, mas se não ficasse em cima elas não contribuíam; nunca conseguimos dinheiro. Não era só o trabalho que tomava tempo, às vezes a gente tinha de entrar com dinheiro nosso para pagar o aluguel. Foram quatro anos assim, dois pagando aluguel... Chega uma hora que cansa. Nós duas achamos que estava de bom tamanho e falamos: "Olha, quem quiser pega o bonde e leva. A gente não está mais aguentando".

Mais tarde, ela montou outro tipo de círculo, que atraía bastante gente em eventos pontuais, mas também não se sustentou:

Tinha um pessoal que nos queria em outros lugares, queria que a gente passasse a vida fazendo evento. Se tivesse dinheiro para continuar, seguiria fazendo isso, porque há uma carência imensa. Todas as minorias são assim: lésbicas, gays, trans... Mas tínhamos de ganhar a vida. Contas existem, infelizmente.

Soraya relata sua experiência no assunto:

> Outro aprendizado meu com os círculos foi sobre a questão da cobrança. Quando tentei fazer um trabalho sem remuneração com círculo de mulheres, não vingou: as pessoas gostavam, mas não se comprometiam, faltavam, atrasavam. O círculo não conseguiu se firmar. Eu insisti durante dois anos, mas nunca tive uma turma que se mantivesse por mais de três meses. Elas iam, começavam, desanimavam, mesmo o círculo sendo maravilhoso. E com os círculos pagos isso nunca aconteceu. Nunca cheguei à conclusão do porquê disso, é só a minha experiência.

Talvez um dos problemas dos círculos gratuitos seja a concepção generalizada de que o que é barato ou grátis não tem valor, pois em nossa cultura as coisas são julgadas principalmente por seu valor monetário.

Essa questão também reflete algumas posturas que nós, mulheres, podemos ter em relação a ganhos, pagamentos e energias de troca em geral que afetam o tema de que estamos tratando. Aqui vamos ver três posições: a autodesvalorização, a reprodução sem crítica das posturas do sistema e a experimentação de formas alternativas de lidar com essas coisas.

Quanto à primeira, a autodesvalorização: a posição social desvalorizada das mulheres pode induzir algumas à insegurança e levá-las a cobrar por seus trabalhos menos do que de fato valem, ou a nem mesmo achar que mereçam ser cobrados – o que é bem diferente de oferecer trabalhos sem remuneração por idealismo!

Quanto à segunda questão, a reprodução sem crítica dos valores convencionais: aquela "bem-sucedida condutora profissional que se valoriza e por isso cobra caro" pode estar caindo numa armadilha do sistema ao desconsiderar o idealismo intrínseco aos círculos e fazer desse trabalho apenas mais um produto comercial como qualquer outro. Marcia Tiburi (2018, p. 27) adverte que "[...] conservadores constantemente se apropriam do feminismo, tentam capturá-lo e transformá-lo em mercadoria".

Quanto à terceira questão, a experimentação de formas alternativas de lidar com o assunto, Dúnia mostra que é possível trabalhar com outras energias de troca:

> O feminino me levou a entrar em contato com desconstruções da relação com o tempo e com o dinheiro. Se uma pessoa fala que não tem dinheiro para pagar o curso, digo: "Tudo bem. É aberto para troca, para o que você tem a oferecer de melhor". E, às vezes, a pessoa sente que não tem nada a oferecer, ou que o que ela tem a oferecer é muito mais valioso do que aquilo que ela acha que o curso vai ofertar. Quando vemos situações assim, estamos diante dos nossos medos, porque o primeiro caso denuncia insegurança sobre o que se tem de melhor e o outro denuncia medo de ficar em desvantagem. Então se prefere pagar ou não fazer a desconstruir essa relação de ganho e perda. E o valor das trocas não pode ser medido em moedas, mas sim pelo interesse que temos naquilo que queremos trocar.

CÍRCULOS DE MULHERES

Algumas entrevistadas fazem outros tipos de troca, oferecendo trabalhos gratuitos para a espiritualidade ou para a comunidade. Soraya sempre doa algum trabalho seu:

Quando comecei o trabalho da Cirandda, pensei: "Para a Cirandda dar certo, vou oferecer gratuitamente dança circular no Parque da Aclimação uma vez por mês". E fiz isso por mais de dez anos. E eu adorava, conheci muita gente lá, acabei ganhando bem mais do que dei.

Ana Cecília conduz círculos pagos e também oferece uma atividade para a comunidade:

A roda de benzimento acontece aqui, gratuitamente, toda segunda-feira, das 19h30 às 21h, e é aberta ao público. A gente atende uma média de 60 pessoas a cada semana. [...] Onde a gente dá o curso nasce uma roda. Na verdade, o ofício do Instituto Triluna é a roda de benzer.

Conhecemos condutoras que cobram valores módicos para que mulheres com menor poder aquisitivo possam participar de seu círculo, outras que doam o montante ou parte do que recebem para iniciativas ecológicas e feministas, outras que o usam para sustentar a manutenção do próprio círculo, e as que fazem combinações dessas soluções.

Há também uma postura que se agrega a essas e que hoje ganha força principalmente entre as mais jovens: fazer aquilo em que se acredita, mesmo recebendo menos. É o caso de Bianca, que trabalha na Casa Ângela, centro voltado para partos naturais em que cada mulher paga de acordo com sua renda. Ela diz:

Eu poderia estar ganhando muito mais trabalhando com parto hospitalar em um hospital privado, mas me sinto coerente fazendo uma coisa em que acredito. É o modelo de serviço que acho que deveria haver em todos os lugares.

Enfim, muitas condutoras estão experimentando diversas soluções para viabilizar o trabalho com os círculos e com o feminino mantendo seu caráter transformador e idealista, a fim de não ficarem nem fora do sistema de mercado nem de ser meras replicantes dele.

Como diz Marisa em seu livro *A segunda vida – Um guia para a mulher madura* (Sanabria, 2015, p. 75), "temos que prestar atenção e saber com qual medida iremos julgar nossa caminhada, pois existem critérios sociais e institucionais que dizem o que está certo ou errado, o que é produtivo, importante e dá lucro".

Esses critérios são rediscutidos e essas medidas, reelaboradas sempre que uma condutora pensa em como vai lidar com a questão financeira em seu círculo – e que cada participante reflete sobre como isso está sendo tratado no círculo que frequenta.

AMPLIAÇÃO DOS CÍRCULOS

A ampliação dos círculos funciona como as ondas de uma pedrinha lançada na lagoa: vão longe e tomam dimensões maiores.

Encerramos o trecho anterior com uma citação de um livro de Marisa que já é uma ampliação de círculo; ela tem vários livros publicados sobre o tema dos círculos, das guardiãs e do feminino. Além disso, durante dois anos ela fez uma ampliação de círculo bem diferente: uma vez por semana, subia a favela e lá fazia um programa de rádio que durava três horas. Marisa conta que

> essa foi uma forma muito importante de trabalhar com as mulheres, sobretudo as de baixa renda, que não têm acesso à terapia ou a grupos de mulheres. E sinto que foi um trabalho terapêutico, sim, escutar essas mulheres nas suas angústias, nas suas dificuldades... Era um grande círculo, um círculo ampliado, porque as pessoas iam acompanhando o que eu falava na rádio, ligando e participando.

Cler escreveu *O livro de orações à deusa* e *A sombra nos grupos e círculos de mulheres* (Vargas, 2016), nos quais detalha vários processos ligados ao tema. Ela conta que

> tem vindo a vontade de fazer círculos mistos, que incluam homens. Acho, porém, que seria mais orgânico se tivesse um facilitador homem e uma facilitadora mulher; a energia fica mais bem representada.

Esse formato, até onde sabemos, ninguém faz aqui no Brasil por enquanto.

Ana Cecília também está com uma nova ideia para ampliar os círculos:

> Tenho um sonhozinho que quero materializar, que é fazer o círculo [...] para meninas entre 5 e 14 anos. Eu quero fazer esse círculo de meninas – com a permissão das mães e dos pais, lógico – para a gente começar a falar do sangue menstrual, dos sentimentos e do sagrado de quando elas juntam as mãozinhas e fazem as suas orações. Eu atendo algumas meninas, e essa vontade tem nascido delas. Poder contar uma com a outra: "Ah, na escola aquele menino... Tão chato aquele menino!" Para elas poderem entender essa questão dos meninos na vida delas...

Além do psicodrama transgeracional específico para trabalhar a ancestralidade das mulheres e da ecoespiritualidade feminina, Patrícia Fox está

> dando mentoria e supervisão individual para terapeutas que trabalham com o feminino, incluindo as condutoras de círculos que já exercem o ofício, sejam ou não formadas por mim.

Com a percepção de que, depois que se tornam mães, muitas mulheres não têm mais tempo para si, Raquel e duas amigas estão fazendo círculos de imersão de fim de semana na natureza,

> para elas simplesmente pirarem, beberem, acordarem tarde... Mas uma coisa muito leve. O primeiro encontro foi com 15 mulheres num sítio bem legal. [...] Conversamos, trocamos ideias e pegamos uma série de ganchos para multifacetar... Depois desse encontro, muitas foram mobilizadas a mudar de alguma forma, a buscar algo para si na vida. Uma participante entrou na aula de canto, outra está fazendo não sei o quê... Isso tudo foi transformador e catártico para muitas pessoas.

Soraya organiza os Encontros Mundiais de Círculo de Mulheres, evento que uma vez por ano congrega condutoras e participantes de círculos em jornadas de palestras, atividades e *workshops* dos mais variados. Diz ela:

> Minha intenção nesses encontros, em primeiro lugar, é juntar e divulgar o trabalho das mulheres; esse caldeirão legal em que se valoriza o potencial de cada uma. Eu tenho o meu trabalho, mas tantas outras mulheres também têm trabalhos tão lindos com o feminino! Eu adoro ajudar a divulgar isso! É um orgulho bom saber que você é parte desse feminino sagrado.

Todas as entrevistadas têm várias outras atividades que estão mencionadas nas entrevistas, mas aqui nos limitamos a colocar aquelas relacionadas com os círculos de mulheres.

E agora é hora de nós ampliarmos essa roda para ouvir diretamente as vozes de outras mulheres, numa conclusão que não é de fato conclusão.

Conclusão do que não se conclui

Há muitos anos, a Cristina teve um sonho: "Sonhei que entrava num amplo jardim circular, rodeado por um alto muro coberto de hera. No centro do jardim havia uma grande pedra, parecida com um minarete. Ao longo do muro, em volta do centro, existiam pequenas grutas, também cobertas de hera. Em cada uma dessas grutas ficava uma mulher, cercada por símbolos sagrados, diferentes de uma gruta para outra. Então, fui me aproximando de cada uma delas e perguntando: "Quem é você? Como você chegou aqui? Me conta sua história?"

Este livro trata de mulheres em círculo como as do sonho da Cristina, que antecipou e expressou também nossos dois livros anteriores. Portanto, é um sonho cujo significado – descobrimos agora – continua se ampliando e certamente ainda não se encerrou.

Há alguns anos, a Beatriz teve um sonho: "Sonhei que cada uma de nós era um retalhozinho de uma grande obra, uma única e imensa paisagem. Cada pessoa era uma paisagem completa em si mesma e, ao mesmo tempo, parte da maior. Estendida na parede infinita, a obra formava uma espécie de mapa vivo, alegre de ver, um tanto confuso, nada discreto: uma colcha de retalhos".

Este livro todo é uma grande colcha de retalhos como a do sonho da Beatriz. Nele nós costuramos os diversos aprendizados e experiências de muitas mulheres em círculo: nossos, das nossas entrevistadas e das pessoas que citamos aqui.

E, como amostra dessa colcha, juntamos pequenas falas das entrevistadas que convergem a respeito de três temas: a vida como jornada e significado; o sagrado muito humano do feminino; e o feminino como vida e morte.

A VIDA COMO JORNADA, PROPÓSITO E SIGNIFICADO

Patrícia Pinna – Posso trazer meu fado, esse destino, para minha mão e transformá-lo em meu e em uma coisa a meu favor, e para o bem de todos. Foi o que fiz na época do meu mestrado: me recusei a ser vítima. Assim você transforma seus problemas na sua força, e aí você se empodera. E de um poder que não é egoico, é o poder conferido por essa entrega à vida, o poder maior do qual você é canalizador e representante. É você ser rei e rainha do seu reino e transformar a sua história no seu mito pessoal. E, quanto mais maestria você tiver em viver sua história, mais vai poder iluminar e inspirar as histórias das outras pessoas.

Soraya – Então fiz a associação: essas avós com que eu sonhava eram as 13 anciãs. Sonhava também com seus símbolos: tartaruga, escudos circulares, pedras, cores etc. Achei que isso tinha um propósito, que elas deviam estar se manifestando nos meus sonhos por algum motivo. E descobri que o propósito da mãe cósmica ao mandar as anciãs para cá era retornar à irmandade de todas as mulheres na Terra. Aí pensei: "Então é isso. Eu devo ter alguma missão com isso. A busca e o fortalecimento da *sisterhood* – a irmandade, a sororidade".

Raquel – [...] A gente tem de ver esse círculo acontecendo várias vezes para confiar que é verdade, e só o tempo traz isso. É preciso passar por umas 50 coincidências para começar a desconfiar que no fundo está tudo certo. [...] Quando olho para trás, consigo construir uma narrativa e dar sentido a ela: tudo, desde a profissão e a faculdade que escolhi, era uma preparação para o dia de hoje. Embora meu ex continue me espezinhando, nem consigo ter tanta raiva, porque na minha narrativa ele foi só um personagem, um coadjuvante para que eu brilhasse.

Laura – O xamanismo trabalha saindo dessa realidade que a gente toma como a realidade absoluta: é como se você fizesse uma viagem para uma realidade paralela, alternativa. E acredito que essa realidade alternativa, que é bem maior do que essa nossa de três dimensões, faz mais sentido e é mais significativa que essa que parece a realidade total. Eu acho que a gente está aqui para acessar essas coisas maiores e realmente mais importantes. [...] O caminho da ampliação da consciência chega à maestria num estado ampliado. Com isso, você começa a ver as coisas de um jeito diferente.

Ma Devi – Talvez essa lucidez seja a meta, a razão de onde a gente tem de chegar com todas essas experiências. É perceber que a felicidade é esse pacote de dor e prazer, alegria e tristeza, tudo dentro e fora. Se você percebe que tudo é oceano, que aquela mina d'água, que aquela nascente d'água vai se transformar em riacho, em correnteza, em cachoeira, em oceano, em nuvem... Você vê que tudo é!

Jaqueline – Eu sou vaidosa, a gente quer viver bem, quer comer bem, quer viajar, óbvio. Mas a existência e o significado da vida estão ligados a manter essa memória e energia vivas, o *Inquice*. Trabalho e dinheiro são coisas que a gente perde e ganha ao longo da vida. Tudo é transitório. Então, enquanto eu tiver o meu orixá, enquanto Xangô estiver para mim, sempre vou estar por ele. Para mim, é isso que importa.

O SAGRADO MUITO HUMANO DO FEMININO

Ana Cecília – As pessoas acham que você é imune aos problemas humanos porque você tem suas entidades. O sagrado não está ali para fazer sua vida ser só flores; isso não existe! Somos só seres humanos. Quando fazemos a roda das benzedeiras, às vezes fica a maior chacrinha, é só gargalhada. As pessoas que vão ser benzidas veem então que somos todos iguais, ninguém tem poder, ninguém é diferente. E são essas pessoas que estão aqui, na maior farofa, que entram e benzem as outras. Eu acho que essa proximidade tem ajudado muito no caminho do sagrado. Muito! Porque desmistifica, aplaina e humaniza.

Patrícia Widmer – Minha relação com a espiritualidade é muito mais no sentido do exercício de ser o melhor que posso ser como pessoa neste mundo para as pessoas que encontro. É um exercício de me dedicar diariamente ao processo de me conhecer e de poder estar na minha melhor forma na relação com o outro e com o mundo. Percebo que esse posicionamento tem muito que ver com uma atitude religiosa em relação à vida.

Patrícia Fox – A minha espiritualidade é vira-lata, mestiça, híbrida. E é bem xamânica, no sentido de que o sagrado é o aqui e o aqui é o sagrado. E, com toda a certeza, minha visão do sagrado é muito mais feminina do que neutra. Eu vejo e honro o divino no masculino, mas vejo a fonte como a grande senhora cíclica. Sou ecofeminista. O ecofeminismo basicamente faz um paralelo claro entre a mulher e o planeta: o planeta é tratado do jeito como a mulher é tratada; o planeta é visto como a mulher é vista.

Cler – A gente tem esse vaso da vida que é o nosso corpo. E a deusa é uma manifestação da matéria; ela é imanente, não é uma ideia abstrata. E a gente vive no nosso corpo as quatro faces dela: a menina; a donzela, quando menstrua; a mãe, quando entra em idade fértil; e a anciã, quando entra na menopausa. [...]

Dúnia – Quando busco ou acesso algum saber ligado à sexualidade, sempre me volto para o sacerdócio feminino antigo e para a natureza como base. Vejo a sexualidade como um portal de criação, o mais forte, material mesmo. Toda a emoção na hora da máxima eletricidade magnética corporal cria um campo que "amanhã" vai se manifestar na matéria, é alquímico. Sabe esses filmes de fantasia em que se abre um portal e você entra em outra realidade? O útero é isso. E tudo isso é muito antigo – mas é novo, não é?

Bianca – Quando o parto acaba, depois que as mulheres saem do quarto e eu entro novamente nele, sinto que alguma coisa aconteceu ali... Há outra dimensão, ele está preenchido de um tempo diferente, de um sentir diferente, de uma coisa intensa que tem conexão com a vida e com a morte. É nesse momento que sinto que existe algo muito além, que eu nunca vou conseguir explicar, nem a ciência. Mas que está lá: eu o sinto, respiro, quase toco!

O FEMININO COMO VIDA E MORTE

Ma Devi – [...] a morte já não me assusta, mesmo porque sou devota de Kali, a Negra. É nela que se diluem todas as distinções, ela a que lança fora o véu da ilusão. Sou devota dessa mãe que devora, que come o próprio filho, que faz parte de todos os ciclos, de nascimento, criação e morte. Dentro desse útero cósmico tudo é criado, mantido e destruído para que algo novo possa nascer. É Prakriti, a natureza, é dessa deusa que sou devota – e por isso, por perceber o amor por trás de todas as coisas e além da ilusão separatista, gosto de chamar nossos círculos de mulheres de roda do sagrado profano feminino.

Soraya – Todo círculo de mulheres tem um pouco de caos. Um caos que traz Shiva, mas ao mesmo tempo Brahma e Vishnu. Que traz o destruidor, traz o mantenedor e traz aquele que constrói de novo. Em todo círculo existe a presença arquetípica da grande deusa mãe, celeste, cósmica, telúrica e ctônica, que dá e tira a vida, eterna criadora, mas também ceifadora e regeneradora, a tecelã divina.

Marisa – Tem um livro do Jean Yves Leloup que fala de Maria Madalena aos pés de Jesus quando ele está morrendo. Diz o autor: "Esse momento final só as mulheres são capazes de suportar. Os homens não suportam". Acho que somos nós que vamos cuidar de forma digna dessa passagem da vida para a morte. [...] Pretendo ir trabalhando menos na medida do possível, e ir gerenciando minha retirada. Não acho que a retirada deva ser assim: "Fui! Fechei a porta". Acho que é um processo: você vai se retirando, vai ficando de pano de fundo e deixando que os outros ocupem o lugar da frente. E vai se dando momentos de sossego, e procurando outras coisas para você.

Dúnia – [...] É a pegadinha da vida, e isto é o que o feminino está ensinando: deixe morrer o que precisa morrer e restruture a vida de acordo com a natureza e não contra ela. Para mim, a maior lição do feminino é a gente aprender a lidar com a morte – com a morte do nosso corpo jovem, com a morte da nossa maternidade (porque a filha vai crescer), com a morte dos nossos ofícios... Ao trabalhar com o feminino ou com qualquer coisa que proponha a transformação do ser humano, você se torna passagem... Apenas isso, passagem...

CONCLUSÃO QUE NÃO SE CONCLUI

Separadas, essas falas são belíssimas, porém pequenos retalhos ou paisagens. Unidas, formam uma única, coesa, magnífica e infinita paisagem.

Paisagem que é um lugar melhor para todas estarmos, um lugar mental ou estado de espírito que a Raquel resume:

> A Raquel muito jovem estava querendo se atender: "Eu quero para mim um carro, uma casa, me provar, ser independente". E hoje sei que eu existo no outro. Enquanto o outro está bem, também estou. Sei que se investir em todos os meus amigos e todos eles ficarem bem, de alguma maneira estou junto e bem também. Se eles estão fortes, nada de mal vai me acontecer. Mas isso não é no individual, é no grupo. Um amigo ou outro pode falhar, mas no grupo eu sinto que existe essa força.

Parece que, afinal, o tempo todo nós estivemos falando dessa força do grupo, da nossa irmandade. Da nova-antiga irmandade que se redescobre nos círculos de mulheres que abordamos nesta obra.

E sobre a mágica dos círculos? Como já dissemos, não é possível desvendá-la totalmente... Mas sabemos como convocá-la! Quem explica é Ma Devi:

> A partir do momento em que cada mulher começa a falar: "Eu sou fulana de tal, eu vim para o círculo por isso, por isso e por isso", a magia acontece.

Então, agora nós duas silenciamos nossa voz e passamos adiante o bastão da fala, símbolo tradicional que é usado para dar a vez a outra pessoa. Vamos ouvir diretamente as 13 condutoras nas entrevistas completas. Em seguida vêm as referências que usamos nesta obra: a voz das escritoras e dos escritores que ressoa em seus livros.

E depois o bastão da fala estará com você.

Esperamos a sua fala. Se você ainda não faz parte dessa roda, venha! Tome seu lugar nesse jardim, nessa colcha de retalhos, nessa paisagem, nesse lugar mental, nessa irmandade: no círculo de mulheres. É sua vez de fazer ouvir sua voz, de convidar uma amiga, de formar ou encontrar um círculo que será parte desse também. Por isso essa conclusão não encerra nada.

O círculo de mulheres está sempre aberto. Sempre há lugar para acolher e ouvidos para ouvir você, irmã.

As entrevistas completas

Ana Cecília Nasi

Ana Cecília é a idealizadora e responsável pelo Instituto Triluna – Desenvolvimento Humano, Cultura e Educação, que oferece cursos, vivências, meditações, medicina alternativa, leituras de oráculos, círculos de mulheres e roda de benzimento na cidade de Guarulhos. Coordena também círculos de mulheres em outras cidades. Mantém no Facebook a página https://www.facebook.com/institutotriluna/.

Ana Cecília, 50 anos, é uma mulher de sorriso amplo e fácil e conta as coisas de um jeito que, apesar de sério e consistente, é muito divertido. A entrevista foi realizada na tarde quente do dia 4 de fevereiro de 2017, em Guarulhos, na sede do Instituto Triluna: espaçosa casa com uma pequena loja e diversas salas para atendimentos e rituais. Conversamos sentadas no quintal, embaixo de uma jabuticabeira, cercadas por plantas e pela horta medicinal.

MÃES, AVÓS, INFÂNCIA
Uma menina esquisita

Quando eu tinha uns 7, 8 anos, fazia umas coisas (e achava que todo mundo também fazia) meio estranhas. Pegava um baralho normal e falava umas coisas... Eu "lia" as cartas. As mães das minhas amiguinhas ficavam muito curiosas de como eu falava aquilo. Eu não tinha como saber isso, mas elas pediam para que eu lesse para elas. Além disso, via gente que outros não viam. Eu chegava em casa e perguntava: "De quem que é a festa?" E minha mãe falava assim: "Que festa, menina?" "Ué, tem esse monte de gente na sala!" E não tinha ninguém! Ou ia à casa dos outros e a pessoa dizia: "Senta aqui". E eu respondia: "Mas a cadeira está ocupada!"

Nossa família é católica, católica, católica, mas minha mãe sempre gostou desse lado mais esotérico e eventualmente nos levava a cartomantes ou outras coisas. Mas manifestação de fenômenos paranormais, e ver e escutar, ninguém na família tinha.

Então comecei a perceber que não era todo mundo que via as coisas que eu via! E quando fui entrando na adolescência isso começou a ser um problema, porque eu queria ser normal e já não me via como normal. Eu era "aquela" esquisita, a menina esquisita. Não era convidada para muitos eventos porque era esquisita. Então comecei a reprimir o processo metafísico de percepção. E fiquei ainda mais esquisita, porque toda vez que ia entrar em contato com o fenômeno eu criava uma dor psíquica (o meu cérebro criava) e caía onde estivesse. Eu desacordava! Se você me enfiasse uma agulha eu sentia a dor, mas não tinha reação, não conseguia ter nenhuma reação.

E aí começou a peregrinação, primeiro com um psiquiatra, porque diziam: "A menina não está bem!" O psiquiatra não achou nada, nunca deu nada nos exames, mas me receitou Gardenal! Minha mãe me deu esse remédio uma única vez, e lembro de ela me dar o remédio chorando! Ela botou aquilo na minha boca, mas logo jogou a cartela no lixo, nunca mais me deu um comprimido. Graças à boa luz: onde eu estaria se tivesse tomado Gardenal?

Minha mãe entendeu que o meu problema era espiritual. Na verdade, o problema é que eu tinha uma percepção fora do comum. E foi aí que começou a nossa peregrinação. Ela me levou para tudo quanto é religião! Onde falavam que tinha alguém que podia explicar ou lidar com essa questão ela me levava. Minha mãe foi a minha grande escudeira nisso, no sentido de me salvar de mim mesma. A gente foi a todas as igrejas evangélicas, a todas as tradições orientais e a todas as tradições espíritas. Nós fomos em tudo que se possa imaginar! Foi uma escola fantástica para mim! Mas o fenômeno não parava.

Isso até meus 16 anos. Aí fomos para Itu ver um senhor chamado Luiz, que já está num outro plano. Nós entramos, ele olhou para mim, olhou para minha mãe e falou sem nem dizer bom dia: "Eu seguro o que ela tem por dois anos. Ela vai ter de aprender. Depois de dois anos ela vai voltar e escolher o que vai fazer". E assim foi. Aos 17 anos eu não tinha mais nada, eu era "normal"!

JORNADA PESSOAL
Aprendendo a lidar com seu dom

Quando fiz 18 anos, pensei: "Agora é melhor eu começar a ir atrás desse negócio". E fui estudar, porque não queria aceitar que aquilo que eu tinha era uma imposição ou que tivesse de viver isso em alguma religião. Eu tinha de me entender com aquilo de outro ponto de vista. Cursava Pedagogia na PUC enquanto ia me entendendo com os meus processos. Estudei um pouco de parapsicologia e aprendi como é essa coisa de percepção, de glândula pineal, coisas assim. E vi que acima de tudo eu queria era ser aceita, queria ser considerada igual a todo mundo, não queria ser vista como esquisita. Na verdade, nunca tive problemas espirituais, minhas questões eram psicológicas. Hoje brinco com minha mãe: "Para a terapia você não me levou, né?"

Comecei a trabalhar dando aulas, mas sempre voltava essa coisa com o outro lado, com esse dom. E sempre dei aula, desde para a pré-escola até para a universidade. Gosto do mundo acadêmico, gosto de ensinar e minhas aulas são bacanas. Então eu me sustentava com as aulas, mas também continuava com as leituras dos oráculos. Quando o meu filho mais velho era pequeno, essas leituras inclusive ajudaram a nos sustentar. Eu abria qualquer oráculo e lia qualquer um sem nunca ter aprendido. Fiz um jogo de runas para mim, porque na biblioteca da PUC tem uns manuscritos originais e eu encontrei um poema rúnico – isso numa época em que no Brasil ninguém jogava runas. Depois disso uma professora trouxe um curso de runas pela primeira vez ao Brasil. Me inscrevi, mas ela disse para eu não fazer seu curso porque sabia ler da forma mais legítima e difícil, que é através do poema. Embora seja uma língua morta, eu consigo traduzir qualquer coisa escrita com símbolos rúnicos sem nunca ter aprendido formalmente.

Então, por mais que eu estivesse inserida no mercado formal de trabalho, sempre alguém vinha me procurar para fazer leitura de oráculos. Mas esse era um trabalho paralelo, nunca quis assumir isso de uma forma mais profissional. Não queria ser vista como uma vidente. Era preconceito meu, não queria trabalhar com a espiritualidade como ofício. Queria estar no mercado de trabalho, numa carreira. Então fiz pós em Psicopedagogia para poder dar aula na universidade. Eu dava aulas de Sociologia Geral para cerca de 250 alunos de cursos diversos. Botava as 250 pessoas para meditar dentro da universidade, e eu estando sem sapato nenhum! Acabava indo para esse outro campo, sempre acabava indo...

PRIMEIROS CÍRCULOS
Vivência em São Tomé

Eu vou a São Tomé das Letras desde menina. Sempre gostei de lá, tenho uma relação muito visceral com aquela terra. Certa época, uns 25 anos atrás – meu filho mais velho tinha 1 ano –, organizei um grupo de meditação. Numa madrugada, acordei e falei: "Eu vou para São Tomé, e vou só com mulheres". Foi assim que isso começou. Eu nem sabia que aquilo era um círculo de mulheres, não se falava disso naquela época.

Chamei de "Vivência em São Tomé das Letras". Nunca tinha ido para canto nenhum com um grupo. Achei que eu era muito louca! Mas há quatro pessoas do plano espiritual que me acompanham desde que me reconheço como ser humano e têm uma paciência franciscana comigo, me ofertam essas coisas de forma muito generosa. Então eu tinha toda a vivência dentro da minha cabeça, sabia tudo que eu ia fazer com essas mulheres, mas experiência nenhuma!

CÍRCULOS DE MULHERES

Eram 43 mulheres. Fomos de ônibus, e naquela época não tinha asfalto para São Tomé. Chegar lá foi uma aventura. E a pousada era uma desgraça: não tinha porta nos banheiros, só cortininha de chita, e eu levei senhoras *socialites* aqui da cidade! Mas pensei: "Seja o que Deus quiser". E aquele final de semana foi uma das coisas mais incríveis que já vivi na vida! Lembro que fiquei sem dormir de sexta até domingo à noite. A gente fez meditações com o nascer do sol e com o pôr do sol; andamos de madrugada pela cidade e arredores. Passamos o sábado fazendo vivências nas cachoeiras e à noite fizemos nossa fogueira, uma tenda de lenços com o povo cigano.

Eu tinha claro que faria parte da vivência dentro da Gruta do Sobradinho. Hoje isso já não é mais possível, infelizmente. Tinha decidido fazer renascimento dentro da gruta, usando a respiração holotrópica! E assim foi; essa foi a primeira experiência com renascimento lá. Fui sendo instruída por meus amigos do plano espiritual. Eu tinha uma prévia do que ia acontecer, mas nunca tinha orquestrado isso.

Depois disso sucederam-se muitos outros grupos, sempre só com mulheres. Todos foram experiências fortes, mas esse primeiro foi muito marcante. Tem mulheres no meu círculo que estão comigo desde esse tempo e hoje trabalham na roda de benzimento.

O TRABALHO COM CÍRCULOS
O círculo de mulheres triluna

Eu só ia para São Tomé com o grupo de mulheres. Fui uma das primeiras pessoas a fazer isso naquela região. Sempre me perguntavam: "Mas por que só mulher?" Por mais que eu fizesse trabalhos de meditação mistos, esse trabalho em São Tomé era só com mulheres porque percebi que, quando estávamos só entre nós, elas conseguiam se soltar mais, eram mais felizes, riam melhor, contavam mais de si mesmas. A gente menstruava que nem umas loucas, todas juntas! Descobrimos isso na prática, só depois fui ler sobre essa sintonia uterina que a gente tem.

Comecei a perceber que as mulheres esperavam avidamente por esses grupos. Ali todas riam muito; à noite, depois das fogueiras, a gente fazia baile, a gente tomava vinho, a gente ria muito na praça. Imagina às 2 horas da manhã a mulherada em São Tomé das Letras, no meio do Obelisco, rindo do nada! Tive experiências com senhorinhas que nunca tinham vivido isso; senhorinhas que, pela idade, a gente tinha até de ir ajudando a subir, pois São Tomé é morro em cima de morro, pedra em cima de pedra. E apesar da dificuldade física elas iam.

Além desses a gente fazia círculos em Águas de Santa Bárbara, com fogueiras maravilhosas. Foi quando começou a despertar a questão do xamã e das bruxas. Eu já tinha isso muito forte, mas sempre recusando: "Eu não vou mexer com isso, não". Meu trabalho sempre veio como inspiração, sempre. Depois eu ia estudar, buscar saber mais sobre as coisas que estava fazendo. Desde menininha, quando contavam as histórias com bruxas, ficava incomodada porque eu achava que a bruxa tinha os motivos dela para fazer o que fazia, não era malvada! Comecei a formatar nas fogueiras o surgimento do trabalho com as feiticeiras.

Já tinha também muito forte essa coisa com as ciganas, porque em São Tomé sempre trabalhei isso e a questão das runas era ligada às ciganas. Virava e mexia a gente propunha que nas fogueiras as mulheres se vestissem como ciganas e elas amavam vestir as saias: como era um rito, podiam vestir saias e se encher de brincos e pulseiras! Elas não viam a hora de liberar uma parte que geralmente é colocada de escanteio por muitas mulheres.

Eu estava numa convenção de bruxas quando conheci a Soraya Mariani. Olhei aquela mulher fazendo dança circular e lembrei que para mim a dança era uma coisa muito antiga, tinha aprendido anos atrás. Aquilo me chamava – e ela fazendo aquela coisa linda com o lugar lotado, lotado, lotado. Aí fiquei pensando: "Será que isso aqui é um chamado?" Mas eu tinha de fazer um teste, porque gosto de testar o sagrado, a pessoa gosta! Depois toma bronca e não sabe por que toma bronca.... Então, fiz meu teste: pensei que se a próxima música fosse a grega "Enas Mythos" e se a coreografia fosse a mesma que eu sabia, entenderia aquilo como um sinal. E não deu outra! Não deu outra!

Comecei a acompanhar o trabalho da Soraya; fui da primeira turma do curso dela de guardiã de círculo de mulheres. Comecei a entender que o que eu fazia tinha nome: era círculo de mulheres, era o sagrado feminino! E o trabalho com os círculos voltou para mim com força total porque aí ele veio com nome, endereço e CPF. Isso me deu um norte, porque sou muito espontânea no que faço.

O trabalho que faço hoje com o feminino é a formação das mulheres triluna. O nosso círculo de mulheres está baseado nas três faces da lua: a donzela, a mãe e a anciã. Tem a alma cigana – a face donzela –, vivência de um dia em que a gente traz o arquétipo da mulher livre, selvagem, que é a cigana. Tanto que quando termina todo mundo está paramentado com seus pandeiros e suas saias. A gente ensina até leitura de mão. A mentora espiritual dessa alma é a cigana Sarita.

Tem a alma mariana, que é a face mãe, quando a gente trabalha a questão do rosário e eu ensino a benzer. Isso aconteceu com uma inspiração que tive quando veio a história do terço do amor. A mentora espiritual dessa alma é a Vó Jandira. Ela disse: "Então, você vai ensinar a benzer". E eu dizia: "Mas não sei benzer". E ela: "Você sabe, porque eu já te dei a tradição de benzedeira de quilombo".

E tem a alma feiticeira, que é o encontro que a gente faz em São Tomé das Letras num final de semana em que se traz o arquétipo da feiticeira dentro de cada uma. Trabalho os principais símbolos mágicos das direções (norte, sul, leste, oeste), a questão do pentagrama. A gente passa o final de semana todinho confeccionando vassoura, varinha, entendendo o que é isso, fazendo a ligação com a lua que estiver no céu. A mentora espiritual dessa alma é a bruxa Cervana. É uma formação. Quando a mulher faz as três almas ela tem o título de mulher triluna.

JORNADA PESSOAL
Trabalhando com os amigos espirituais

Teve uma época em que rompi com tudo que fosse trabalho espiritual, uma época de muitos questionamentos. Percebi que o oráculo era muleta para as pessoas, e eu não queria mais aquilo. Vi que o que as pessoas buscavam na espiritualidade eram respostas rápidas, fáceis e prontas. Elas queriam ouvir aquilo que elas queriam ouvir. Então fui me sentindo um pouco usada, exercendo um dom que era meu, mas que se eu deixasse seria usado de forma totalmente manipulada pelo outro. Eu não estava feliz, estava muito descontente com isso.

Um pouco antes desse rompimento, já não estava usando os oráculos. Eu olhava para a pessoa e falava a mesma coisa que falaria se estivesse vendo o oráculo. Chamei isso de leitura energética. Nesse momento, veio ao Brasil uma senhora dar um curso de transformação de ressonância. Fui fazer o curso e fiquei impactada, pensei até que tinha achado o que vim fazer nesta vida. Atendi pessoas com essa técnica e tive experiências de cura física impressionantes. Só que essa pessoa que deu o curso foi embora, nos abandonou, nos deixou sem eira nem beira. Eu não tinha com quem tirar as dúvidas que foram surgindo. Ninguém que fez o curso comigo estava praticando. Fui me sentindo órfã, fiquei revoltada e isso reforçou minha decisão de parar com tudo.

Então me distanciei de tudo isso, parei de dar aula e fui trabalhar na área de recursos humanos em um hospital. Foi uma experiência de vida muito profunda. Já tinha tido uma experiência anterior forte com uma instituição quando trabalhei durante alguns anos na antiga Febem. Fiquei um bom tempo no hospital, trabalhando e só estudando as questões desse outro lado. Naquela época, tudo se desarticulou, menos o círculo de mulheres. Ele se desformatou, mas não se rompeu.

Em paralelo a isso, minha vida pessoal era aquela doideira. Eu tenho dois filhos de pais diferentes, um com 16 e outro com 27 anos. Nunca me casei, mas sempre acreditei nessa coisa do amor. Criei os moleques sozinha, com a minha mãe sempre por perto – ela sempre me ajudou –, mas sem uma figura masculina próxima.

Pouco a pouco fui retomando meus trabalhos. Fui rever minhas anotações sobre a transformação de ressonância e comecei a me aprofundar nisso. Foi quando aprendi um pouquinho de física quântica e fui criando uma técnica minha. Comecei então a dar cursos sobre essa técnica que desenvolvi. Hoje todo mundo que trabalha com transformação de ressonância fez o curso comigo e está praticando em consultório.

Nesse meio de caminho, minha sócia espiritual, que é uma cigana chamada Sarita Rosa, fundou o Círculo de Mulheres Triluna. Eu estava fugindo dela porque não queria assumir como uma coisa que tivesse nome. Mas em São Tomé das Letras, no meio de uma pedreira, ela me disse: "Eu estou fundando o círculo de mulheres triluna e o Instituto de Transformação de Ressonância". Por isso o nome do Instituto é Triluna.

São quatro os amigos espirituais que sempre me acompanham e inspiram meu trabalho: a cigana Sarita, a Vó Jandira, a bruxa Cervana e uma entidade masculina, um menininho. Ele é um erezinho[2] chamado João. Quando a Vó Jandira vem, esse garotinho dá uma passadinha para fazer a última limpeza; por incrível que pareça, é uma criança que faz a faxina. Ele tem uma relação muito grande com crianças que sofrem violência de qualquer origem. E as três mulheres do plano espiritual são muito próximas a mim. Cada uma é uma mentora de uma das almas da mulher triluna, cada alma tem uma mentora espiritual. Elas trazem essa coisa da energia feminina, de estar com as mulheres, de estar acolhendo as mulheres.

Minha percepção melhor é a auditiva. Eu escuto os mentores espirituais como escuto qualquer conversa com qualquer pessoa. E sempre que um deles vem eu fico consciente o tempo todo; não acredito em mediunidade inconsciente, a arbitragem é sempre da gente. Estou sempre ali, escuto, e se não concordo com o que está sendo dito eu já questiono! E eles não vêm quando eu quero, nunca! É quando eles querem. Para fazer algum serviço, para me inspirar ou passar algum serviço para mim. A inspiração do meu trabalho sempre vem deles.

JORNADAS SOMBRIAS NOS CÍRCULOS
A ferida do feminino

O feminino tem uma chaga feia que dói: essa é a grande doença do mundo, na minha visão. Não é a depressão, não é a ansiedade, não é corrupção, é a chaga aberta no feminino. Ela é o oposto da fluidez que o feminino tem. É a disputa, a competição entre as mulheres, é uma se sentir melhor que a outra, uma se distanciar da outra. É acentuar as diferenças: "A minha forma de amar é melhor que a sua, eu amo melhor que você. Não vou te falar isso para não te magoar, mas eu amo melhor que você. Como eu amo melhor, eu posso querer o teu companheiro, eu posso querer o teu emprego, eu posso querer a tua jornada, porque eu amo melhor". Acaba parecendo

---

2. Erês são guias ou entidades que na umbanda se apresentam como crianças. A palavra erê vem do iorubá e significa brincar.

que sempre há essa competição entre nós. Homens conseguem ser cúmplices. Com a gente, não: quantas de nós não traem a melhor amiga ou a nós mesmas?

Isso vem de longe, é pré-histórico. É disputa de poder. Não é a busca da igualdade, é a disputa até pelo homem que vai te dar poder. A gente pega o modelo patriarcal e quer ser o pior do masculino. E assim a gente está se estrepando! A gente se perde nesse contexto e os homens também se perdem. Começa a disputa de poder, o jogo de poder, até dentro dos próprios movimentos femininos e feministas. E assim o feminino sagrado ficou preso nas deusas lá no céu ou lá no inferno – em Maria ou nas bruxas –, mas muito longe do caminho da mulher, do humano.

Tem gente que pensa que nos círculos de mulheres tudo são luzes, tudo são flores. Não é assim. Quando a chaga do feminino vem, é destruidora. E essa ferida vem de diversas maneiras, mas acho que o grande perigo nos círculos é o melindre. Melindrou, você tem um problema. Porque se existe algum conflito ou desavença e se conversa sobre isso, aí se resolve, se esclarece, explicita, não tem problema nenhum. Agora, quando tem aquele "mimimi" guardado: "Ah, eu fiquei tão sentida com a fulana. Eu sei que ela não fez por mal, mas..." Pronto! Aí você tem um problema porque aquilo vai evoluir. Às vezes a outra mulher nem está sabendo que causou isso, mas qualquer coisa que faça já vai bater torto, a outra vai se ater àquele bendito momento e aquilo vai crescer, crescer, crescer.

O melindre vem da mesma velha história: "Eu amo tão melhor que ela, sou tão mais legal que ela!" E a pessoa fica toda melindrada, toda magoada com o que a outra fez (ou ela acha que fez) para ela. Mas não fala! Ela nem admite! Embora se coloque como inferior e completamente vítima, na verdade a pessoa melindrada está se colocando num plano superior ao de quem a melindrou. O melindrado é sempre a vítima: "Ah, mas eu não sabia. Mas eu não entendi. Mas eu não estava lá. Ah, mas do jeito que você falou, como é que eu ia..." E se você está conduzindo o círculo, tem de dar um jeito de trazer aquilo o mais rápido possível à tona para dissolver o nó. Tem de dissolver, porque senão rompe, racha, a pessoa não vem mais, não participa mais.

JORNADAS DE CURA NOS CÍRCULOS
A vivência da irmandade

Mas, quando a gente permite que não surja essa diferença e sim a cumplicidade, acontece uma coisa muito linda dentro dos círculos. Aí a frequência do todo amoroso está lá e todas nós temos essa forma linda de verter em pétalas diferentes o amor que é único. Então ninguém ama melhor, a gente verte o mesmo amor de formas diferentes. Quando a gente descobre isso no círculo, é muito curador. Acaba a ferida! Aí eu consigo entender as ranhetices da minha mãe, consigo perdoar minhas irmãs, minhas amigas, aceitar nossas diferenças, a diferença de nossas histórias. E isso vai libertando, libertando, libertando. Então, o que cura essa chaga é deixar que as diferentes pétalas caiam sobre ela porque isso vai fazer bálsamo, vai curar de forma que nem fica marca, porque a chaga feminina não vai deixar cicatriz quando for curada. Só ficará como memória histórica, para que a gente saiba de onde viemos e como as coisas aconteceram.

Eu acho que, nos círculos, o que mais cura são o olhar e o acolher. Você coloca todas deitadinhas, uma na barriga da outra... não tem coisa melhor, tem até um acolhimento físico. E traz muita cura poder perceber que eu sou irmã de todas as mulheres, sou uma mulher igual a outra mulher e ao mesmo tempo diferente. E também perceber que a minha história tem que ver com a sua, a sua tem que ver com a dela. As mulheres têm aquela coisa de se identificar com o que a outra sentiu, ainda que seja um sentimento ruim. Acho que o que cura mesmo, que dá esse amálgama gostosinho entre nós, é a percepção de experiências semelhantes vistas em espelho. Ela está se lendo ali, está se vendo. Eu acho isso lindo! A primeira vez que me senti uma mulher bonita foi dentro de um círculo de mulheres – não foi nos braços de nenhum homem, de nenhum amor. Foi quando me senti uma mulher linda, poderosa, porque eu me senti bem comigo e com todas sem a necessidade da aprovação de um homem. Isso é curativo e libertador!

E curando o feminino você cura o masculino. Com o movimento dos círculos se fortalecendo e fortalecendo o feminino, o masculino começou a ceder. Ele começou não a recuar, mas a ceder. A gente tem hoje homens que estão integrados e confortáveis no movimento. Ninguém se sente ameaçado, ninguém vai perder nada, ninguém vai se sobrepor a ninguém. Mas isso só é possível porque o movimento do feminino fez a roda girar. Enquanto a gente estava ali estatelada, parada dentro dos arquétipos da boa mãe, da boa filha, da boa empresária, da boa funcionária, nada acontecia.

As pessoas me perguntam, principalmente as que trabalham com círculos, como eu consigo ter um círculo com mulheres que estão juntas há tantos anos. Eu sempre respondo: "Não institui o círculo, não dá regra para ele". A questão de "não regra" é meio assustadora. Mas é porque o feminino flui de uma forma mais orgânica. A gente tem outro senso de se completar, de solidariedade. Por exemplo, estamos começando um trabalho, uma pega a vassoura, outra faz o café, outra arruma a sala etc. – e ninguém fala nada, a coisa flui! O feminino funciona muito melhor assim do que com regras. E no círculo isso flui. Porque, por natureza, a gente é organizada na nossa desorganização. Nós somos mais viscerais que os homens. Outra coisa: se vier algum melindre, resolve na hora! Chega uma hora em que se pode falar sobre as diferenças. É muito comum ouvir assim: "Ai, quando eu te conheci eu te achei tão antipática!" E depois elas ficaram "unha e carne".

CÍRCULOS DE MULHERES

Tem círculos que chegam, se reúnem, fazem aquela vivência e se vão – e está tudo bem, tudo harmônico. Nunca me preocupei muito com a permanência das pessoas. Acho que a gente gosta da união, da reunião, mas nunca me preocupei com como eu faço para tê-las. E o que também é muito legal do feminino é que juntamos tudo, botamos tudo na panela. É um caldeirão em que cabe tudo!

FORMAÇÃO, QUESTÕES FINANCEIRAS E AMPLIAÇÃO DOS CÍRCULOS
A roda de benzimento

A roda de benzimento acontece aqui, gratuitamente, toda segunda-feira, das 19h30 às 21h, e é aberta ao público. A gente atende uma média de 60 pessoas a cada semana. É uma roda, tem esse movimento de círculo mesmo. No movimento de benzer você usa as mãos, ou as ervas, ou o terço, ou qualquer outro objeto simbólico que estiver usando, e isso gera uma pulsação. Aí a pulsação de uma se une com a pulsação da outra, e com a da outra – e quando você vê há uma pulsação gigante acontecendo. A gente percebe que a energia faz o giro; a energia gira, sempre gira.

Tenho ouvido de mulheres que fazem a oficina de benzimento e vêm benzer com a gente a gratidão de poder servir, de acolher o outro, de ajudar. De vez em quando, a Vó Jandira aparece para ajudar. E tem a roda de benzer com *deeksha*[3]. Quatro de nós têm iniciações, e duas ficam colocando *deeksha*. Então, a pessoa recebe o benzimento e quem quiser recebe um *deeksha*. As oficinas de benzer cresceram tanto que agora estamos dando curso para os homens também; eles estão aprendendo a benzer. Mas, de certa forma, mesmo com a presença masculina, não deixa de ser um círculo de mulheres, porque eu preciso da sustentação feminina para fazer a roda girar. Elas estão nascendo em vários lugares no Brasil. Onde a gente dá o curso nasce uma roda. Na verdade, o ofício do Instituto Triluna é a roda de benzer.

Uns anos atrás ganhei numa rifa uma imagem pequenininha de Santo Antônio. A Sarita já tinha soprado no meu ouvido que eu ia ganhar e que, a partir dali, todo dia 13 eu ia fazer um ofício para ele. Que ia colocar o nome das pessoas que querem curar o corpo emocional num papel e queimar para Santo Antônio. Fiz isso e, dois anos depois, fazendo a alma mariana, a Vó Jandira pediu que rezasse um terço para ela na semana seguinte, a do 13 de junho, dia de Santo Antônio. Reuni as sete mulheres que já tinham feito a alma mariana e rezamos o terço às 18h. Naquela tarde tinha uma coisa dentro de mim louca, desesperada, dizendo que eu tinha de escrever. Era uma voz masculina que eu não conhecia.

---

3. A *deeksha* ou bênção da unidade é uma energia voltada para o despertar ou o desenvolvimento da consciência, sendo transmitida por um *deeksha giver* com uma breve imposição de mãos sobre a cabeça.

Peguei o raio do papel, comecei a escrever, e chorava copiosamente. A emoção foi gigante, gigante! É um sentimento de amor, de sentir sinestesicamente, que eu nunca tinha experimentado, nem quando pari os filhos. E aí me veio o terço do amor, que é toda uma sequência do rosário de Nossa Senhora e, em vez de falar dez ave-marias, você fala dez vezes "amar eu sou". E nessa canalização ele foi falando que rezar esse terço é evocar a cura do seu corpo emocional com todas as suas forças. E dali em diante também tem sido minha missão divulgar o terço. Ele também ficou incorporado no trabalho da alma mariana.

Um círculo de meninas

Tenho um sonhozinho que quero materializar, que é fazer o círculo de meninas. Um círculo para meninas entre 5 e 14 anos. Eu quero fazer esse círculo de meninas – com a permissão das mães e dos pais, lógico – para a gente começar a falar do sangue menstrual, dos sentimentos e do sagrado de quando elas juntam as mãozinhas e fazem as suas orações. Eu atendo algumas meninas e essa vontade tem nascido delas. Poder contar uma com a outra: "Ah, na escola aquele menino... Tão chato aquele menino!" Para elas poderem entender essa questão dos meninos na vida delas...

Vejo que no benzimento acontecem umas coisas sensacionais com as crianças! Eu já vi crianças benzendo que me fizeram pensar: "Meu Deus! Ninguém pode dizer que não existe poder ali. Ninguém!" A menina está olhando a gente girar a roda; ela está com seu colarzinho da Barbie – e pega o colarzinho, vai atrás das pessoas na roda e fica fazendo movimentos de benzer. Ela está copiando? Não, ela está benzendo! Então, não podemos deixar de olhar para esse movimento que já está nas crianças. Então que venha, que nasça, que ressurja, que fique forte e que elas cresçam com isso!

OLHARES PARA A VIDA...
O sagrado

O que é o sagrado? É uma coisa que eu uso para conseguir coisas? Não. O sagrado é um "eu sou". O sagrado é uma pulsação que eu tenho. Outro dia, Sarita me disse uma coisa muito interessante: "O que é a fé que move montanhas?" Eu respondi: "Ah, é aquela que se você acredita tanto, tem tanta fé que é possível tirar a montanha do lugar". E ela: "Se você tirasse uma montanha do lugar, onde você ia colocar ela? Ou você só ia levantar e colocar ela no mesmo lugar? Se tirar a montanha do lugar você vai destruir o sistema ecológico. Se você colocar ela em outro lugar, vai destruir o outro lugar. Fé é uma coisa que você tem, independentemente do resultado! Se você atribui que tem fé porque conseguiu o que queria, isso não é fé, é conveniência. A fé está ali e independe do resultado".

Usar o sagrado como fórmula mágica de resolver nossos problemas cotidianos, humanos, é coisificá-lo. Então eu procuro descoisificar. Digo para as pessoas que atendo para deixarem o sagrado fazer a função maravilhosa e curativa dele, que é existir em cada um de nós. Eu dou bronca, muita bronca! Outro dia falei para uma pessoa que estava atendendo: "Olha, eu vou te falar uma coisa, não sei se vai gostar, mas o que você tem não tem nada de problema espiritual. Nada! Primeiro, espiritualidade não vira problema na vida de ninguém. Não existe aquela coisa: 'Ah, eu tenho problema por causa da entidade...' É mentira! A entidade não pula para dentro de você, isso não é real! O seu problema não é espiritual, o seu problema é você! Então, vamos olhar para você!"

As pessoas acham que você é imune aos problemas humanos porque você tem suas entidades. O Sagrado não está ali para fazer sua vida ser só flores; isso não existe! Somos só seres humanos. Quando fazemos a roda das benzedeiras, às vezes fica a maior chacrinha, é só gargalhada. As pessoas que vão ser benzidas veem então que somos todos iguais, ninguém tem poder, ninguém é diferente. E são essas pessoas que estão aqui, na maior farofa, que entram e benzem as outras. Eu acho que essa proximidade tem ajudado muito no caminho do sagrado. Muito! Porque desmistifica, aplaina e humaniza.

Bianca Zorzam

Bianca é obstetriz formada pela USP, tem mestrado em Saúde Pública e está fazendo doutorado na mesma área. Trabalha como parteira na Casa Ângela – Centro de Parto Humanizado, além de atender no Coletivo Feminista Sexualidade e Saúde e acompanhar partos domiciliares. Mantém no Facebook a seguinte página: https://www.facebook.com/grupolamare/.

Bianca, 31 anos, é feminista, objetiva; uma profissional alinhada com a ciência contemporânea. Porém, no fundo dos seus grandes olhos escuros podemos perceber também a luz de sabedorias antigas, ancestrais, que ela respeita e valoriza. Fizemos a entrevista na sede do Coletivo Feminista Sexualidade e Saúde, casa de linda arquitetura antiga bem adaptada ao uso contemporâneo que acontece ali, na tarde do dia 1º de dezembro de 2017.

MÃES, AVÓS, INFÂNCIA
Uma criança sensível ao sofrimento feminino

Sempre tive uma relação muito forte com minha avó materna, apesar de ela ter sido diagnosticada com esquizofrenia após seu último parto. Ela se separou do meu avô numa época em que se separar do marido era um negócio muito malvisto. Criou os filhos sozinha uma parte da vida, trabalhando como servente em uma escola pública, mas passou tempos internada. E, naquela época (anos 1970), as internações eram terríveis; ela ia com camisa de força, dentro do carro de polícia. Os remédios psiquiátricos ainda eram precários, o tratamento eram os eletrochoques. Quando ela era internada, minha mãe, minha tia mais nova e meu tio ainda bebê ficavam sob os cuidados de uma cunhada e da minha bisavó. Ela voltava, mas depois de um tempo precisava ser internada de novo... E quando minha mãe tinha 14, 15 anos, ficou meio que tomando conta da família. Minha avó só melhorou mesmo e parou de ter essas crises quando começou a frequentar um terreiro de umbanda, aí nunca mais foi internada. Isso aconteceu quando eu era criança, então não tenho lembrança de suas internações. Lembro de alguns problemas, mas a medicação resolvia. Ela morreu dizendo para mim que nunca foi louca: que a culpa de tudo que passou era do meu avô.

Eu era muito próxima e adorava ficar com ela nos finais de semana, porque acordávamos bem cedo, tomávamos café e íamos bater perna. Ela estudou só até a terceira série, mas era uma mulher superculta, que gostava de ler e tinha um monte de livros em casa. Ela me levava para conhecer bibliotecas e outros lugares no centro da cidade; tenho essa lembrança bem presente, tanto que tenho muito afeto pelo centro de São Paulo por causa dela. Ela me contava muitas histórias da sua infância... Embora tivesse essas questões de saúde, ela sempre foi uma inspiração para mim, sempre vi muita coragem nela. Enfrentou coisas difíceis, intensas, podia ter enlouquecido de vez, mas lutou e conseguiu sobreviver. Descobriu um câncer perto dos 50 anos e morreu cedo, com 64 ou 65 anos. E de certa forma minha mãe repetiu essa vida difícil. Ela foi casada com o meu pai durante 16 anos. O meu pai era alcoólatra, então ela praticamente criou a mim e a meu irmão sozinha, trabalhando como professora de escola pública.

Eu era uma criança muito sensível ao meu entorno. Acho que isso trouxe algo bastante positivo para meu ofício, porque a obstetrícia, embora trabalhe com práticas baseadas em evidências científicas, tem uma ligação muito forte com o lado intuitivo. E desenvolvi isso bem pequena: tinha percepção de quando minha avó não estava bem, percebia o que minha mãe estava sentindo. Desenvolvi essa intuição desde a infância por estar sempre prestando atenção ao que as mulheres da minha família sentiam e tentando dar um jeito de acolhê-las. Observava como elas viviam essas questões sofridas de relação com homens alcoólatras e relacionamentos abusivos, e tinha vontade de ajudar. Queria muito que minha mãe, minha avó, minha tia (também uma figura feminina importante) não sofressem daquele jeito. Queria fazer alguma coisa, como ficar com a minha avó, pois sentia que ela ficava feliz quando eu estava com ela. Acho que tudo isso influenciou bastante minha escolha de cuidar de mulheres.

JORNADA PESSOAL
Uma formação para ter mais autonomia, para brigar com médico, para defender a mulher

Desde a adolescência eu pensava em trabalhar cuidando de famílias, não ainda em cuidar de mulheres. Lembro que fiquei encantada com a medicina de Cuba, que era focada na formação de médicos de família. Sabia, porém, que entrar em Medicina seria bem difícil. Quando estava fazendo cursinho, saiu o curso de Obstetrícia da USP, um curso novo de graduação. Li que a função da obstetriz era cuidar da gravidez fisiológica e no contexto da família, e resolvi prestar. Mas não tinha entendido muito bem o que era o curso, até que no primeiro ano da faculdade assisti ao filme *O mundo nasce ao ritmo do coração*, que me marcou muito; tive uma longa crise de choro enquanto assistia. O filme foi feito por uma parteira mexicana, Naolí Vinaver. É um documentário que fala sobre a experiência dela com partos fisiológicos e domiciliares no México, e a trilha sonora de fundo é o batimento cardíaco do bebê – tum, tum, tum. Ali eu soube: "É isso mesmo que quero fazer. Agora tenho certeza!"

Na faculdade, a gente teve alguns encontros com parteiras tradicionais, com as quais aprendi muitas coisas, inclusive no sentido de dinâmicas com grupos de gestantes, danças, cantos, coisas que uso nos grupos na Casa Ângela. E fiz também oficinas e *workshops* fora da faculdade – de massagem, de cuidados com a gravidez – com parteiras como a Naolí Vinaver.

Mas foram muitas as dificuldades porque, como era uma profissão nova (nova agora, mas superantiga...), teve toda uma luta pelo registro profissional e ação no Ministério Público para conseguir fazer parte do Conselho de Enfermagem. A enfermagem não aceitava, os médicos não gostavam da gente, ninguém nos queria. Historicamente, as parteiras sempre foram rechaçadas. Muita gente desistiu, mas persisti, embora a atuação no início tenha sido bem complicada. Vou fazer dez anos de formada; de vez em quando vou à faculdade para algum evento e vejo que muita coisa mudou, as alunas se sentem mais fortalecidas, têm orgulho da formação. Isso me deixa bastante feliz. Foi um curso que arranjou um jeito de se descolar um pouco daquela coisa biomédica, diferente da enfermagem: a gente vem com uma cara diferente, é uma formação para ter mais autonomia, para brigar com médico, para defender a mulher...

Durante a faculdade, fiz um curso de doula. Depois de formada, acompanhei alguns partos hospitalares e domiciliares e fiz estágio voluntário no Amparo Maternal, sempre como doula. Fiz mestrado na Faculdade de Saúde Pública e depois fui trabalhar na Casa Ângela, uma casa de parto que pertence à ONG Monte Azul e desde 2015 faz parte do SUS. É um lugar pelo qual sou apaixonada! Trabalhei lá durante um ano e meio como parteira em treinamento, participando dos partos acompanhada de outra parteira e depois como parteira plena, quando você não precisa mais ficar sob a supervisão de alguém. Estou lá até hoje. Foi um encontro mesmo, pois dá para trabalhar com uma ampla diversidade de mulheres. Tem as mulheres que moram ali do lado, na comunidade, na favela; tem as da classe média baixa e tem as mulheres com bons recursos financeiros que procuram o parto natural. É um encontro de mundos! Como atende ao SUS, todas podem ter acesso ao serviço. Mesmo antes disso, a Casa Ângela funcionava por análise de renda: cada uma pagava de acordo com sua renda, e quem era moradora do entorno, da favela Monte Azul, não pagava nada. Sempre gostei disso, porque o parto natural sempre foi um lugar da elite por ser muito caro e implicar uma equipe – médico, anestesista, pediatra. E me sinto muito feliz de poder fazer isso igual para todo mundo, por isso não deixo a Casa Ângela. Eu poderia estar ganhando muito mais trabalhando com parto hospitalar em um hospital privado, mas me sinto coerente fazendo uma coisa em que acredito. É o modelo de serviço que acho que deveria haver em todos os lugares.

O TRABALHO COM OS CÍRCULOS
Os grupos da Casa Ângela e os "Fique amiga dela"

Na Casa Ângela, faço vários grupos com as grávidas e seus/suas parceiros/as ou seus acompanhantes, para discutir gravidez, maternidade, introdução alimentar do bebê. São cinco módulos: "Caminhando para o parto", "Parto e nascimento", "Meu bebê chegou, e agora?", "Nasce uma família" e "Amamentação". E como lá tem essa gama variada de pessoas – das mais pobres às mais abastadas –, juntam-se na mesma sala pessoas que vivem em mundos muito diferentes e estão vivendo uma coisa parecida. É rico, mas complicado. Não vamos romantizar. Às vezes, o que acontece é que pessoas dos dois lados da escala [social e econômica] ficam um pouco constrangidas. É devagar que vão se descontraindo, fazendo brincadeiras, criando vínculos.

Para ajudar a criar esses vínculos e a deixar pessoas tão diferentes à vontade umas com as outras, faço algumas dinâmicas, algumas brincadeiras. Por exemplo, no curso de preparação para o parto, costumo usar uma dinâmica que chamei de túnel de bênçãos. No final do grupo a gente monta um túnel com cada gestante e sua/seu acompanhante fazendo um par, se dando as mãos, levantando os braços como um arco, como se faz nas quadrilhas de festa junina. E todos os pares têm de passar por dentro desse túnel, imaginando que aquele é o canal do parto e desejando coisas boas para o momento do nascimento. E as pessoas vão se encostar e todo mundo vai passar pela mesma coisa. A ideia é: o parto é o que nos une. Você pode ser mais ser rica, mais pobre, ter marido ou não ter, o parto é o ponto de convergência.

Eu conduzo muitos grupos de preparação para o parto em que a gente conversa bastante sobre como são os ritmos das contrações, o que a gente pode fazer para ajudar o corpo, para ajudar a mulher a encontrar a posição, a sentir-se bem. Procuro trazer a ideia de que o corpo tem uma possibilidade imensa de fazer coisas que elas só vão saber na hora de parir e que têm de estar abertas de coração e de alma para viver isso. E que a gente está ali para dar amparo para isso.

O parto vai muito além do parto físico. É um parir de muitas coisas: parir uma nova mulher, parir talvez uma história antiga de sofrimento, de traumas. E tem o medo recorrente de ser mãe. O medo de não dar conta, de não voltar a ser ela mesma, de falta de rede de apoio; muita insegurança. Além desses, há os medos que a medicina ajudou a criar: "A bacia é estreita, como o bebê vai passar?" "E se tiver circular de cordão?" "E a dor, será que vou aguentar?" ... E por aí vai. Nos grupos, ao trocar experiências e falar dos medos, elas vão se fortalecendo. E isso se estende também para as trocas virtuais nas redes sociais. Essa questão das redes sociais tem dois lados: ajuda, mas pode atrapalhar. Se a mulher não criar certo limite e focar em viver sua própria experiência, pode romantizar demais ou "pessimizar" demais. Então, as redes sociais podem fortalecer, mas também podem fragilizar a pessoa.

Na maior parte das vezes tem homens nos grupos, os companheiros das mulheres grávidas. Nesse momento elas querem incluir os homens, querem o companheiro para lhes dar suporte. E eles também têm espaço para falar dos seus medos, dúvidas, angústias. É muito bom porque os homens têm poucos espaços para fazer isso. Alguns até já disseram que gostariam de ter um grupo só de homens para falar mais à vontade, mas aí não dá, porque teria de ter um homem conduzindo isso – é outro universo, não teria sentido uma mulher conduzir.

No Coletivo existe um projeto antigo que são as rodas do "Fique amiga dela" (tem até uma cartilha disponível on-line) em que a ideia é: "Vamos amar a nossa vagina, descobrir a nossa vagina, ter contato com a nossa vagina, acreditar nesse corpo e em sua beleza". Claro, aí são grupos só femininos e intimistas, com poucas mulheres. Eu sou uma das facilitadoras dessas rodas. Começa com uma conversa sobre o corpo feminino – anatomia, fisiologia – tipo uma aula. A gente fala sobre as diferenças de anatomia da vagina, como as vulvas podem ser diferentes. E a intenção é desconstruir essa coisa de que vagina não pode ter cheiro, que é suja – essa ideia que a medicina ajudou a construir. Que a mulher veja a vagina e fale: "A minha vagina é linda!"

A segunda parte é de autoexame. Elas vão se tocar, fazer um autoexame de colo do útero usando o espéculo. Elas já vão sabendo que rola uma parte assim. E quem não quiser fazer não tem problema, mas normalmente a maioria faz esse autoexame. Cada uma leva uma toalha, deita, pega um espelhinho, o espéculo e a gente ajuda a visualizar. E fala um pouco sobre o útero, sobre o ciclo menstrual. As mulheres ficam felizes quando veem o seu colo do útero pela primeira vez, é muito legal.

Isso me dá muita alegria, pois é uma coisa tão simples, mas que a gente perdeu. Ficou a ideia de que o corpo não é nosso, de que a vagina tem de ficar escondida, de que só o médico pode olhar; e tem também o medo do toque desse médico, porque tem um monte de histórico de violência em consultório ginecológico. Também é uma violência o profissional não te oferecer diferentes métodos de contracepção em uma consulta. Em nosso direito reprodutivo, nós deveríamos ter acesso a toda informação disponível. Hoje você vai a um consultório ginecológico e o cara vai te dar o quê? Pílula! Se você falar em DIU, ele vai dizer: "Ah, DIU, não! DIU, é muito ruim, é coisa do passado!" Diafragma, então, nem pensar! Os caras acham que isso nem existe mais, que é uma coisa que foi abolida. E é um método bacana e fácil, só exige que a mulher tenha um autoconhecimento, toque o colo do útero – e é por isso que os médicos não querem ensinar a botar diafragma. Além da obstetrícia, a ginecologia também é outro universo de muita medicalização do corpo e de fragilização da mulher! Desde a primeira menstruação ela fica achando que seu corpo não funciona bem, que menstruação é uma coisa ruim, quase uma doença! Eu acho que a mulher tem de ter o direito de decidir se quer menstruar ou não, se quer parir ou não, e de que jeito quer parir. O corpo é dela, ela tem de fazer o que quiser! Mas para isso ela precisa ter informação ampla e séria, e o problema é quando a cultura impõe uma regra.

Às vezes, conduzimos as rodas "Fique amiga dela" junto com um grupo de ginecologia natural. É a mesma vivência, mas acrescida de orientações sobre como cuidar da nossa saúde de forma mais natural para tentar diminuir essa tendência da medicalização do corpo. Por exemplo, a candidíase: vamos ver se não é a alimentação, vamos usar óleo de coco ou talvez um chá... Hoje, por exemplo, eu falo de babosa nos grupos e digo: "Minha avó falava disso, mas depois tive de estudar de novo pra ver que babosa é um negócio que cura tudo!" E isso eu não aprendi na faculdade. São esses saberes antigos que nossas avós tinham e que a gente foi perdendo.

JORNADAS DE CURA NOS CÍRCULOS
A identificação com as histórias permite que o grupo flua

O que é muito bacana nessas rodas, tanto as da Casa Ângela como as do Coletivo, é que as histórias se cruzam, que as mulheres se identificam muito com a história das outras. Elas contam suas vivências, seus partos, suas dores. Sinto que, na verdade, é a identificação com as histórias que permite que o grupo flua. É aquele momento de perceber que as histórias se repetem – histórias boas e ruins – e que esse acolhimento permite que a gente vivencie tudo isso de uma maneira mais fortalecida. É como se você estivesse em um espaço em que sabe que ali ninguém está te julgando, ninguém está te criticando. Na verdade, está te ouvindo e está te acolhendo. E isso faz muito bem. Por isto eu gosto tanto desses grupos: fazem muito bem para mim também. Fazem muito bem!

DESAFIOS ENFRENTADOS POR SER MULHER
O conhecimento perdido

A sabedoria sobre o corpo feminino que as parteiras tinham e que aprenderam com outras mulheres não está na medicina. Você pega a história da medicina e vai ver que é uma história masculina: o corpo foi descrito de uma perspectiva machista. Parto não tem nada que ver com o que está nos livros, definitivamente! Os livros médicos foram escritos por homens e os homens estão errados, nunca pariram ninguém! Eles falam sobre o parto como se fosse igual para todas as mulheres: "O parto tem de evoluir um centímetro por hora, e o expulsivo tem de durar..." E isso para toda e qualquer mulher! Eles só diferenciam a primípara, que é o primeiro parto, das que estão parindo pela segunda ou terceira vez. Mas tem tanta coisa que influencia no processo de começar a ter contração, de ritmar as contrações, tem tanta história que interfere nesse processo! Histórias pessoais mesmo, da vida das mulheres.

A parteira busca respeitar o tempo e o ritmo de cada mulher para que elas tenham mais liberdade para parir do jeito delas. A gente vai intuindo do que aquela pessoa precisa, porque o que uma precisa não é o que a outra precisa. E é um tipo de comunicação não verbal, porque não dá para ficar perguntando do que a pessoa precisa: você tem mais é que perceber, e às vezes nem ela sabe do que precisa. E a parteira tem de ser otimista, tem de achar que o parto vai acontecer de forma natural. Deve acreditar no corpo, acreditar que existe uma "orquestra" do corpo que vai dar conta. Ela está ali para ouvir essa "orquestra" e dizer: "Está tudo bem, está indo bem. Eu estou aqui para te ajudar" – e deixar a coisa fluir, e intervir só quando, de fato, algo sair do compasso. No parto acontecem muitas coisas que estão além do racional. Muitas vezes a mulher vai fazer a catarse de muita coisa, não só física como emocional. O parto é um processo muito forte!

Lembro-me, por exemplo, de um caso ligado à questão da singularidade de cada parto. Acompanhei uma moça na Casa Ângela que tinha uma história de abuso sexual, de violência grave dentro da família. Teve uma gravidez indesejada com uma pessoa que não assumiu a paternidade. No seu primeiro pré-natal estava superfechada e não consegui acessá-la. Mas a partir da segunda consulta consegui conversar com ela e criar um vínculo. Então ela me contou o que tinha acontecido, que não queria ficar com o filho, e que tinha muito medo do parto. E foi um parto muito, muito difícil mesmo! Demorou mais de um dia. Estávamos eu mais uma parteira, e o nenê nasceu no chuveiro. Quando ele nasceu e vi que ele e ela estavam bem, eu os deixei com a outra parteira, saí um pouco e tive um ataque de choro, pois foi uma descarga energética e física enorme. E para ela foi o rompimento com o velho, porque tinha muitas histórias que precisavam romper, deixar sair...Foi uma catarse na qual liberou suas dores emocionais, como se também estivesse se parindo. Eu também sentia que tinha passado por algo muito forte: é a conexão, que não se explica, da parteira com a mulher que está parindo. Depois disso ela quis ficar com o bebê (isso já faz mais de três anos) e de vez em quando a vejo; ela está uma mulher diferente.

Sempre que viajo procuro saber se existem parteiras no local para conhecê-las e absorver o conhecimento delas. E aprendo muita coisa, mesmo que elas já estejam tão velhinhas que nem mais façam partos. E infelizmente é um conhecimento que morre quando ela morrer, porque não tem ninguém para quem passar. Antigamente elas escolhiam uma pessoa para ser parteira e transmitiam seus conhecimentos oralmente para ela. Quando você conversa com parteiras tradicionais, é muito comum elas dizerem que ser parteira não é uma escolha, é uma missão para o qual se é chamada. E era muito comum a parteira ser também benzedeira e saber lidar com chás, com ervas, com esses métodos de cura mais naturais. Hoje isso só existe em lugares muito afastados, porque quando chegam o hospital e o médico essa parteira já não serve mais! Ela já não sabe mais nada, o médico é quem sabe tudo. E tudo que ela sabe se perde, pois esses saberes não são validados pela ciência; pelo contrário, são perseguidos. Então todo esse conhecimento de toques, de manobras, de movimentos que elas sabiam fazer durante o parto, que o auxiliavam muito e que adquiriram com a prática e a intimidade de lidar com o corpo feminino se perdeu! A gente não sabe mais nada disso; os médicos, então, nem se fala!

A partir de 1950 [no Brasil], os partos começaram a ser feitos em hospitais por médicos, especialmente nas cidades maiores. As mulheres que pariram a partir dessa época tiveram experiências muito diferentes das de suas ancestrais que tiveram filhos com parteiras em casa. A relação que o médico estabelece com a mulher no hospital é completamente diferente. E, sobretudo entre os anos 1960 e 1970, inúmeras mulheres tiveram experiências muito ruins, com partos cheios de intervenções – como o uso de analgesias profundas em que as mulheres eram meio que apagadas na hora de o bebê nascer, uso intensivo de fórceps etc.

Muitas mulheres têm histórias tão tristes que algumas nem querem falar sobre isso. E muitas são as mães de jovens que vêm em busca de um parto mais natural, então elas desencorajam as filhas. As grávidas dizem: "Poxa, eu queria tanto poder contar com a minha mãe, mas ela teve um parto tão difícil! Ela me desencoraja a ter um parto fisiológico e sempre sugere uma cesárea". Digo a elas: "Olha, vamos acolher a sua mãe. Ela teve uma história difícil e tem medo que você passe o que ela passou". E a Casa Ângela é uma das primeiras e únicas casas de parto que só tem parteira, não tem médico, e quando as mães ficam sabendo disso têm um siricutico! E mãe da parturiente tem uma força imensa com a filha, especialmente se elas têm conexão. Então a tensão dessa mãe passa para ela e isso influencia demais o parto. Um parto que tem tensão no entorno acaba sendo mais complicado. Fica tudo muito difícil quando ela está fazendo uma escolha que a mãe não aprova. E aí, como é que faz para ficar perto da mãe, nesse momento em que ela precisa tanto disso? E a mãe também sofre. Esse também é um processo de transformação, porque é uma filha que vai ser mãe, que vai tomar decisões que são dela: o corpo é dela, o filho é dela, ela é quem vai parir. E eu percebo que as duas sofrem nesse processo tão feminino.

As mães das mulheres que pariram em casa com parteira e tiveram boas experiências no parto são mais confiantes: "Passei por isso, sei que doeu, sei que ela vai passar e que é uma experiência boa". Ela confia na sabedoria do corpo feminino, sabe pela própria vivência. Fora as mães, a maioria das amigas das mulheres de classe média e alta fez cesárea eletiva, e a das mulheres mais pobres fez parto normal no SUS, muitas vezes com oxitocina e episiotomia desnecessárias, partos violentos. Ambas as mulheres precisam desconstruir suas crenças sobre o parto para se preparar para esse parto fisiológico com menos intervenção possível, um parto muito diferente do hospitalar, que as mulheres do seu entorno não tiveram.

É uma questão que tem que ver com tempos históricos de como a gravidez, o parto e a saúde da mulher vêm sendo tratados. Com esse movimento da busca de partos fisiológicos, de métodos mais naturais de tratamento, da volta das parteiras, sinto que muita coisa começa a mudar. O curso de obstetriz que existia foi extinto nos anos 1970 e voltou em 2005 totalmente independente da Medicina e da Enfermagem. Existiu um hiato aqui no Brasil: a gravidez e o parto foram áreas exclusivas dos médicos, mas isso devagarzinho vem mudando. E agora nossa função é unir esses dois mundos: a medicina que salva e salvou muitas mulheres (a cesárea salva vidas) e esse saber ancestral e empírico das parteiras. É sobre isso que quero fazer meu doutorado.

OLHARES PARA A VIDA...
A espiritualidade e os partos

Nesse tempo trabalhando com partos, passei também por um parto interno! Acho que vivi muitas curas, em primeiro lugar com meu corpo. E quando se começa a trabalhar com parto a gente passa a rever os vínculos com as mulheres. Eu já tinha esses vínculos fortes, então fiz algumas curas com os homens, meu pai, meu avô. Talvez tenha parido algumas vezes essa cura, reconhecendo as fragilidades dos homens, e isso de alguma forma me ajudou.

Não consigo desvincular a espiritualidade do meu trabalho – esse universo do nascimento – porque entendo meu trabalho como transcendental. Atinjo minha maior conexão com a espiritualidade e com o humano nesse lugar de acompanhar mulher, de acompanhar parto, de ajudar criança a nascer. Quando o bebê está coroando, sinto como se viesse um calor da terra, uma coisa forte. É uma força emocional toda misturada, difícil de ser entendida, quanto mais explicada! Por que isso é difícil de acontecer no hospital? Porque de certa forma as pessoas se tornam estéreis a essas emoções, colocam barreiras e limites porque elas são muito intensas, e não dá para viver isso do jeito como as coisas estão organizadas num hospital.

Quando o parto acaba, depois que as mulheres saem do quarto e eu entro novamente nele, sinto que alguma coisa aconteceu ali... Há outra dimensão, ele está preenchido de um tempo diferente, de um sentir diferente, de uma coisa intensa que tem conexão com a vida e com a morte. É nesse momento que sinto que existe algo muito além, que eu nunca vou conseguir explicar, nem a ciência. Mas que está lá: eu o sinto, respiro, quase toco!

Cler Barbiero de Vargas

Cler trabalha na área de medicina integrativa e conduz círculos de mulheres. É formada em Comunicação Social e tem especialização em Trauma pela Foundation for Human Enrichment Somatic Experiencing (EUA) e em Matrixworks Living Systems (EUA). É cocriadora e diretora da empresa Sistema de Cura Essências da Deusa. Mantém os sites: https://www.floraisdadeusa.com.br/ e http://www.clerbarbiero.com.br/.

A entrevista da Cler, que mora em Florianópolis, foi feita no dia 20 de outubro de 2017, aproveitando que ela estava em São Paulo. Beatriz não pôde ir e Cristina fez a entrevista sozinha, na casa da amiga onde ela estava hospedada. Cler, 47 anos, é segura, articulada, de colocações objetivas e bem estruturadas – como a guinada certeira que deu na vida. Nessa conversa, as duas foram acompanhadas pela gata da casa, que adorou o colo da Cristina e parecia querer participar do papo.

MÃES, AVÓS, INFÂNCIA
Uma infância diferente

Nasci e vivi até os 11 anos numa vila de uma cidade pequena do Rio Grande do Sul. Até eu fazer 9 anos, lá não tinha energia elétrica. Tinha umas dez casas, a igreja, uma loja, um bar e a escola. Minha família era dona da loja de secos e molhados, que vendia de tudo. As pessoas tinham horta, criavam galinhas, porcos, vacas. A gente vivia com muita segurança, um bando de crianças soltas brincando no mato, no canavial. Eu me alfabetizei cedo e era aficionada por livros. Então minha infância foi de muita imaginação – lá não tinha TV – e de muito contato com a natureza.

Tive uma nona italiana, minha avó materna, que era benzedeira e erveira, embora fosse muito católica. E eu ia com ela à horta para pegar as ervas, que depois fervíamos numa panela grande no fogão a lenha para fazer a garrafada. Além da garrafada, tinha de rezar o terço para a pessoa a ser benzida. Eu queria sempre estar junto rezando, mas na terceira ou quarta reza já estava dormindo, então muitas vezes o meu ninar foram essas orações. E quando rezavam o terço coletivo, à luz do lampião, eu dormia no colo de alguém embalada por esse "rezo". De alguma maneira a espiritualidade já estava comigo, e sempre tive uma relação de profundo amor com a Virgem Maria.

Mas também fui criada dentro de uma tradição católica muito rígida: primeira comunhão, crisma, pecado... Essas coisas... E eu era exuberante, muito imaginativa, e isso era visto como um problema, ainda mais para uma menina. Então foi uma infância em que essa alma selvagem foi quebrada – não porque não fosse amada, mas porque meu jeito de ser era visto como uma coisa perigosa, inadequada para uma menina. Além disso, lá não tive acesso a uma boa escola, a uma aula de arte, de música; era um lugar longe de tudo. Então, teve o lado bom e o ruim de ser criada num lugar assim.

Depois meus pais mudaram para outra cidade e após um tempo voltamos para aquela cidadezinha, mas aí ficamos morando na cidade, não mais na vila. Fiquei lá dos 12 aos 14 anos e depois saí para fazer o ensino médio em Santa Maria. Lá mesmo fiz faculdade e me formei em Publicidade e Propaganda aos 20 anos.

JORNADA PESSOAL
Um AVC aos 26 anos e uma guinada na vida

Quando me formei, fui trabalhar em Porto Alegre, e com 23 anos aceitei uma proposta de trabalho em Florianópolis, que é a minha ilha de Avalon, meu lugar sagrado no mundo, onde vivo até hoje. Fui trabalhar numa agência como redatora publicitária. Três anos depois, já trabalhando em outra agência, havia começado a montar uma pequena agência com uma sócia, e trabalhava muito nas duas. Nessa mesma época tinha acabado de me separar de um homem que amei muito, que morava comigo, com quem fazia planos de casar e que saiu da minha vida muito rápido e sem explicação. Se não bastasse isso, uma superamiga, que tinha acabado de ter um bebê, recebeu o diagnóstico – ela e a criança – de HIV positivo. Estavam hospitalizadas e corriam risco de morte. Era final dos anos 1980 e os diagnósticos e tratamentos estavam apenas começando.

Estava exausta física e emocionalmente. Comecei a ter fortes dores de cabeça e um dia acordei com meu lado direito paralisado: tinha tido um acidente vascular cerebral, um AVC, com 26 anos. Como era bem raro uma pessoa jovem ter isso, demoraram quase 30 dias para fazer o diagnóstico. Até que um médico idoso e tradicional desconfiou, pediu os exames e confirmou o AVC. E ele disse que eu precisava analisar o que estava de errado na minha vida para aquilo ter acontecido comigo, que eu teria de mudar para não correr o risco de ter outro! Foi um AVC bem pequeno, recuperei todos os movimentos, mas meu lado direito formigava muito, eu tinha fortes dores de cabeça e chegava a desmaiar, apesar de todo tratamento que fazia.

Então uma pessoa na minha agência me indicou uma mulher que trabalhava com energia e, mesmo sem saber direito o que era, fui lá. Naquela situação, faria qualquer coisa. Era na Lagoa da Conceição, quase no meio do mato. Ela me recebeu de forma bem amorosa, pegou um pêndulo para me examinar e disse: "Minha querida, seu chacra coronário levou um raio, está completamente estourado; nem sei como você está viva!" Então fez um programa de tratamento, tipo reiki, "mãos de luz", e me encaminhou para fazer sessões em um centro espírita kardecista. Fiz tudo que ela pediu e, mais ou menos quatro meses depois, melhorei de todos os sintomas. O médico disse que eu ia ficar com sequelas, que provavelmente haveria coisas que eu não poderia fazer nunca mais. No entanto, eu estava plenamente curada em um ano! Obviamente foi resultado dos tratamentos alternativos. Então fiz a mudança que o médico recomendou: vendi minha parte da agência e fiquei trabalhando meio período na outra, mudei do apartamento do centro de Florianópolis para uma casinha no meio do mato, na Lagoa da Conceição, mudei minha alimentação para uma vegetariana e comecei uma rotina de meditação e ioga.

Só que eu sou aquela pessoa que acredita, mas sou intrinsecamente uma pesquisadora e fiquei curiosa para entender o que aquela mulher fez comigo que me deixou bem. E comecei a estudar; fui fazer cursos, mas como sou bem autodidata fui também atrás de tudo quanto era livro, e na época nem tinha internet. Comecei a estudar, estudar e, de forma inesperada, me apaixonei totalmente por esse campo. Foi aí que começou o meu processo de transição para outra profissão. Fui bem-sucedida como publicitária, não fui infeliz nessa carreira, mas ela não dizia nada mais ao meu coração. Realizei minha transição fazendo cursos e estudando. Ganhava dinheiro como publicitária, fazia cursos no final de semana e à noite estudava sozinha. Estudei sobre florais, cinesiologia, reiki, mãos de luz, sistema energético, essas coisas. E com 30 anos passei quatro meses na Índia, no *ashram* do Osho. Sei que ele é controverso e tem gente que não gostou de lá, mas para mim foi uma experiência muito forte parar as obrigações do dia a dia, viver em um quartinho supersimples, andar a pé, comer barato, voltar a ser estudante. Além de meditar, fiz vários cursos e tive uma experiência linda de conexão com o lugar.

DESAFIOS ENFRENTADOS POR SER MULHER
O resgate do feminino

Quando voltei da Índia, me casei com o namorado, que virou marido e pai dos meus dois filhos. Hoje ele não é mais meu marido, mas foi um companheiro de 12 anos que encarou muita coisa junto comigo. Logo que casamos comecei a pensar em ter filho, mas não conseguia engravidar. Eu ovulava, mas o meu ovário tinha criado uma capa ao redor dele e o óvulo não conseguia sair. Se fizesse um tratamento hormonal resolvia, mas eu, que já estava no caminho da autocura, me questionei: "Por que estou criando uma carapaça dura que faz que a minha fertilidade fique impedida? Alguma coisa no meu feminino está muito errada". E, claro, vindo de uma linhagem de mulheres católicas, a gente sabe que tem um ranço forte contra o feminino. Eu, como uma criança selvagem que foi domesticada, tinha algum resgate para fazer ali.

Daí uma amiga me falou do trabalho da Mônica Giraldez, baseado no livro da argentina Ethel Morgan, *La diosa en nosotras*. Fui lá sem saber de nada e ela me disse: "Você sabe que o meu trabalho é com a deusa?" Eu nunca tinha pensado na deusa fora do contexto da mitologia, nunca tinha pensado na deusa como agora é para mim: uma divindade viva, pulsante, presente, meu caminho. Então a Mônica pacientemente me contou toda a história do neolítico, da época em que a deusa estava presente na cultura, e me convidou para um círculo. E eu fui. Foi o meu primeiro, e foi *life-changing*, uma revelação. Parecia que eu tinha caminhado a vida inteira para encontrar a deusa. Ela estava me esperando. E comecei a ler tudo sobre esse feminino: Jean Shinoda Bolen, *Mulheres que correm com os lobos...* E comecei eu mesma a fazer uns rituais na lua cheia para Deméter, para engravidar. Nessa época criei uma oração para ela que está na minha obra *O livro de orações à deusa* (Vargas, 2015).

OS PRIMEIROS CÍRCULOS
Um círculo na lua cheia para mulheres que querem engravidar

Sabendo disso, começaram a aparecer mulheres que diziam: "Eu também quero engravidar. Eu posso vir no seu ritual?" E eu dizia: "Claro, venha!" E o meu ritual da lua cheia virou um círculo na lua cheia com mulheres que queriam engravidar. Comecei a fazer um trabalho intuitivo, não havia formação para isso como hoje. E aí eu engravidei naturalmente do meu filho mais velho, sem fazer tratamento. Ele nasceu quando eu tinha 34 anos. Então continuei a fazer esses círculos, comecei a dar essa oração para as mulheres e as gravidezes começaram a acontecer. E já estava atendendo havia tempos no meu consultório. Foi quando abandonei totalmente o trabalho na publicidade: minha transição profissional havia se completado.

Logo em seguida, oficialmente comecei um círculo quinzenal de dois anos de duração, no qual reuni mulheres que já eram minhas alunas de outras modalidades. É a coragem de quem começa. Aconteceram coisas problemáticas e sombrias nesse grupo, e eu não tinha ainda ferramentas para lidar; saí ferida dessa experiência, foi um aprendizado duro. Conto parte disso no meu segundo livro, *A sombra nos grupos e círculos de mulheres* (Vargas, 2016).

O TRABALHO COM OS CÍRCULOS
Trabalhando em quatro dimensões

Nos meus grupos procuro sempre trabalhar em quatro direções: primeiro o intelecto, muitas vezes em uma palestra. Vamos dizer que nesse dia vou trabalhar Deméter, então conto quem ela é, seu mito, o arquétipo. Entro pela mente e aí ela se tranquiliza, porque entendeu o que será visto. Depois da mente é importante que algumas coisas sejam sentidas e vividas no corpo, por meio de exercícios diversos. Depois uso a arte para trabalhar no nível simbólico e finalmente procuro trabalhar a espiritualidade por intermédio dos rituais. Essa última parte é a mais densa, a que joga a pessoa no inconsciente profundo. E ela vai porque já criou confiança, já conviveu o suficiente, a parte mais desconfiada da mente relaxou e ela tem conexões suficientes para sustentar um trabalho mais intenso. Gosto muito também de representar, no sentido físico mesmo, para ajudar a entrar nessa dimensão mais espiritual. Por exemplo, construir um "portal" para atravessá-lo ou um labirinto para caminhar nele.

Eu gosto de criar a cada círculo novo que faço. Uso um pouco de tudo que já vivi, aprendi, li e dos *insights* que tive para criar novos exercícios, experiências, até oráculos. Eu criei 13 oráculos e tenho quatro publicados, um on-line e três físicos. Eu sou a louca do oráculo! E sempre que estou trabalhando com as deusas faço questão que sejam de todas as culturas, para que ninguém se sinta excluída. Por exemplo, se vou começar um grupo e sei que tem muitas católicas, inicio o círculo com a Virgem Maria e já fica todo mundo em paz, porque conseguem fazer contato com aquele arquétipo, com aquele campo energético.

Fiz principalmente programas de 12 ou 13 encontros com grupos fechados. Sempre gostei de programas continuados, porque é o mesmo grupo que inicia e termina, e se você se encontra todo mês ou bimensalmente, a confiança, a segurança e as conexões vão aumentando, o que permite que coisas mais profundas possam emergir. E aquele caldeirão vai sendo nutrido, nutrido, e vai tendo espaço para que, inclusive, coisas mais sombrias emirjam. E a sombra é um lugar de aprendizado.

Acho que, quando estamos iniciando como facilitadoras, precisamos de estrutura. E algumas mulheres que vêm para um círculo precisam também de estrutura, precisam saber o que vai ter, o programa, para se sentir seguras, senão ficam com medo. No começo meu trabalho era bem estruturado, mas há um bom tempo estou mais solta. Hoje procuro sentir um pouco o grupo que se forma e faço um desenho, um roteiro. E é claro que esse roteiro pode mudar se eu perceber que o grupo precisa de algo diferente, porque existe uma inteligência que é do grupo: quando se está junto, um outro campo se forma.

Hoje, na verdade quase não dou mais círculos. Estou mais orientando outras mulheres que querem fazer círculos do que fazendo eu mesma. Atualmente, pelos anos de estrada, gosto de trabalhar no fundo do profundo, naquele lugar em que a transformação e os *insights* vêm e mudam tudo, então prefiro lidar com mulheres que já vêm com mais consciência e autoconhecimento. Tenho um círculo íntimo de mulheres para as quais de vez em quando digo: "Ah, eu estou com saudade de círculo. Vou fazer um tal dia". Daí pego um tópico sobre o que estou questionando, ou que não me sai da cabeça no momento, e aquele vai ser o tema do encontro.

Hoje tem mulheres jovens – uma galerinha na faixa dos 30 anos que já está usufruindo daquilo que as mulheres da nossa geração batalharam para ter – fazendo círculos. Elas já vêm mais curadas, mais inteiras, com o seu feminino mais no lugar, e estão indo rápido e lindamente. Então, estou querendo oferecer ferramentas, informações e caminhos para elas fazerem isso com mais segurança.

JORNADAS SOMBRIAS NOS CÍRCULOS
Nossa ferida é uma ferida de gênero

Acredito que a ferida do feminino é uma questão sistêmica, não é uma ferida minha, que veio da minha família ou das minhas antepassadas, mas é uma ferida de gênero. Você nasce mulher, você nasce com essa ferida. É a ferida da passagem do matriarcado para o patriarcado, em que o feminino foi demonizado. O maior sucesso do patriarcado foi destruir a irmandade feminina. Quando eles quebraram as tendas da lua, destruíram os rituais, fizeram a mulher se casar, ganhar o nome do marido e perder a independência, eles quebraram essa irmandade; se não quebrassem, jamais conseguiriam se estabelecer. Todo mundo enche a boca para falar de sororidade, mas depois de três minutos uma já está fofocando da outra. A ferida profunda é uma ferida de gênero. E ela só vai ser curada num ambiente feminino.

A CONDUTORA
Dar conta de tudo não é uma brincadeira!

Então é por isso que enfatizo que quem conduz círculos de mulheres tem de garantir um ambiente seguro emocionalmente, um lugar que tenha impecabilidade, em que aquilo que você oferece seja verdadeiro, não uma coisa da qual você não sabe muito, mas está na moda. É muito sério: se a facilitadora não oferece um ambiente seguro, as sombras vão emergir (é num lugar assim que elas emergem), ela não vai saber lidar com isso e todo mundo vai sair ferido. É preciso ter muito cuidado para não retraumatizar, abrir ainda mais essa ferida do nosso gênero, e sim curar cada mulher que participe da roda.

E um ambiente seguro é um lugar que tem inclusão radical; todas são incluídas. Você como facilitadora tem de trabalhar para incluir aquela que tem mais dificuldade de se expor e cuidar para que aquela que tem facilidade e fala muito tenha o espaço dela, mas também abra espaço para as outras.

E não adianta querer ser uma facilitadora de círculo se você é uma mulher que está mal com seu feminino. Aí você está fazendo um círculo só para receber das outras mulheres aquilo que não tem. Você não pode estar ali porque precisa receber afeto e amor. As mulheres sairão sugadas em vez de sair bem. Quando está facilitando um círculo você tem um lugar; quando você é participante, tem *outro* lugar.

Se eu vou ao círculo de outra pessoa, estou no lugar da irmã mais nova; se sou facilitadora de círculo, estou no lugar da irmã mais velha e não posso querer ser mãezona para as mais novinhas ou ser a filhinha das mais velhas. E você tem de deixar bem claro o que está oferecendo, a estrutura do encontro, tema, objetivos e quanto cobra, sem constrangimento. Não pode ser tudo frouxo, solto; tem de ter clareza e honestidade com você e com a outra, e tem de ter começo, meio e fim.

Tem de ser também um espaço de absoluto sigilo: o que se fala dentro do círculo morre ali – o que é dito ali é sagrado. Acredito também que tem uma verdade que precisa estar presente. Não posso querer algo assim: "Vou fazer isso com o grupo porque eu quero que o grupo chegue a esse lugar". Não; você oferece, se abre e deixa o grupo chegar aonde ele tem de chegar. Quando você está conduzindo um círculo, tem de ter estrutura emocional e espiritual para dar conta de tudo isso; não é uma brincadeira!

JORNADAS DE CURA NOS CÍRCULOS
A principal função dos círculos é relembrar a irmandade perdida

O círculo de mulheres talvez seja o lugar em que mais gosto de estar no mundo. Quando estou num círculo, geralmente a gente começa se dando as mãos e meu coração faz um quentinho, porque acho que essa irmandade é uma memória ancestral que a gente tem. A gente tem de reencontrar esse lugar onde cada mulher que encontro é uma irmã. Nós, mulheres, precisamos primeiro nos curar entre nós, precisamos curar nossa relação com as outras mulheres. Nós temos essa ânsia pelo reencontro, tanto com a deusa como com essa irmandade perdida. Acho que, quanto mais mulheres estiverem fazendo círculos (e isso aparece no livro *O milionésimo círculo*), mais nós vamos curar essa relação entre nós e com a própria Terra, porque a gente está ligada a ela. Acredito que sempre que mulheres se reúnem com intenção boa e irmandade – seja para estudar um livro, para bordar, para fazer alguma coisa por alguém – é bom, e é impressionante o que conseguimos juntas!

Quando uma mulher se conecta com outra mulher como irmã, de alma para alma, uma mágica acontece ali! Em cada círculo em que isso acontece, mesmo que seja só entre três ou quatro mulheres, quando elas voltam a sentir essa sororidade, uma parte sistêmica é curada e essa cura reverbera para o mundo inteiro. Para mim, a principal função dos círculos de mulheres é ajudar as mulheres a relembrar essa irmandade perdida.

FORMAÇÃO, QUESTÕES FINANCEIRAS E AMPLIAÇÃO DOS CÍRCULOS
O Método Cler Barbiero de Condução de Círculos e Grupos de Mulheres

Houve uma época da vida em que tive o que eu e meus filhos chamávamos de "carrinho de padaria". Colocava ali todos os meus materiais – cadeiras zen, tapetes, almofadas, tudo para o altar e para as vivências – e dava às vezes dois círculos por final de semana, em cidades diferentes. Colocava umas palestras gravadas no som do carro e saía feito uma "representante da deusa", feliz da vida; de todos os grupos, *workshops*, cursos e formações que ofereço, círculos de mulheres é o meu preferido. Meu coração fica dançando feliz dentro do peito quando fazemos a roda e damos as mãos para começar. De tanto dar círculos e programas, acabei fazendo uma síntese própria e criando meu método de ensino: vou dar a primeira formação em abril de 2018, em Florianópolis [curso já realizado].

Lancei o Método Cler Barbiero de Círculos e Grupos de Mulheres depois de quatro anos estudando, testando formatos, escrevendo e canalizando. Em 2017, vivi minha segunda "jornada da heroína" depois do diagnóstico, do tratamento e da cura de um câncer de mama. Então fiz um período sabático, de autocuidado e de descanso, e com isso tive a oportunidade de pintar muito, escrever muito e me sintonizar com as coisas que fazem meu coração vibrar. O Método veio à luz por meio da coragem e da transformação desse momento que vivi. Decidi que ele levará meu nome porque é o meu legado para as mulheres que virão depois de mim. Chamo as facilitadoras do meu método de "tribo do coração", porque somos aquelas mulheres de coração grande que querem trazer o amor de volta para as relações femininas.

O Sistema de Cura Essências da Deusa

Quando meu filho mais velho tinha mais ou menos 1 ano, tive a primeira revelação sobre o chamado da deusa para fazer o Sistema de Cura Essências da Deusa – que, mais que florais, seria a vibração do arquétipo, a princípio das gregas e depois das outras. Fiz esse trabalho entre 2000 e 2007: são quase 400 essências! Foi um trabalho inspirado, foi canalizado, é uma cocriação minha com a deusa.

Fiz esse trabalho criando dois filhos pequenos que amamentei, fiz massagens, preparei o alimento... Foi outra grande iniciação: a maternidade. Foi tudo junto para mim. O trabalho com os círculos não está separado da minha jornada com o Sistema de

Cura Essências da Deusa, que não está separado da minha maternidade, que não está separado do meu trabalho no consultório e que não está separado do meu trabalho como escritora. A pintura, que hoje ilustra meus dois livros e meus oráculos, apareceu mais tarde, quando eu estava com 45 anos, como outra revelação na minha vida.

E já não são mais florais hoje em dia. Começa com uma composição de flor, depois passa por potenciações, rituais, palavras de poder, símbolos; já não tem mais nada físico, são essências de campo de consciência. Elas são um campo, são vivas. Por isso mudei de nome, hoje se chama polaridade sistêmica. Não é simplesmente uma terapia, é um caminho que não é religioso, mas é profundamente espiritual, porque é ligado nesse pulso da grande mãe.

Sei que estou vivendo as últimas décadas da minha vida e preciso deixar esse legado inteiro. Já sou feliz por ter tido a coragem e a força que tive, mesmo com bebês pequenos, de trazer essa ferramenta para o mundo. Mas o sistema tem uma missão e estou a serviço dessa missão. Então, atualmente me dedico bastante à gestão da minha empresa para que se expanda como e quanto deve se expandir. A minha grande homenagem para a deusa, o meu rito de iniciação no caminho dela, foi trazer para a Terra essa medicina e compartilhá-la.

OLHARES PARA A VIDA...
Só posso falar o que é verdade para mim

Atualmente estou pintando todos os deuses, e tem vindo a vontade de fazer círculos mistos, que incluam homens. Acho, porém, que seria mais orgânico se tivesse um facilitador homem e uma facilitadora mulher; a energia fica mais bem representada. Porque desconfio que é disfuncional uma mulher ser iniciadora de um homem. Hoje me sinto mais preparada, se fosse o caso, de fazer um misto, mas jamais faria, como mulher, um círculo só masculino. Acho que um círculo só masculino tem de ser facilitado por um homem, da mesma maneira que acharia esquisitíssimo um homem facilitando um círculo de mulheres.

Vejo com muita simpatia os grupos de homens que estão surgindo, como o Guerreiros do Coração, outros grupos ligados ao xamanismo, grupos do sagrado masculino. Acho que todos necessitamos disto: as mulheres de ir curar suas feridas de um lado, os homens de ir curar suas feridas de outro, e depois a gente se encontra no caminho do meio.

Meu processo com tudo é assim: vou na frente, vivo a coisa, faço a trilha, uma, duas... Entendi como é? Então, agora vou passar para as pessoas: compartilho imediatamente. Todos os *insights* que tenho viram um livro, um círculo, um *workshop*, uma proposta, às vezes uma essência do sistema. Tenho essa coisa de ensinar partindo da experiência. Só fui estudar as questões sombrias nos círculos porque elas se manifestaram nos que eu conduzia e eu não tinha ferramentas para lidar com elas. Meu processo é intelectual também, porque pesquiso, leio, estudo, mas ele é mais do que tudo um processo de *insight*. Para mim, não faz sentido falar de uma coisa que não é a minha verdade.

Não só acredito em reencarnação: eu *sei* que ela existe. Além de algumas sessões de vidas passadas que fiz, tenho memórias mesmo. Lembro-me de coisas que não estudei nesta vida. No meu trabalho com as essências, por exemplo, não estudei os nomes científicos das flores, mas eu sabia. Quando eu trabalho com círculo, às vezes tenho a exata sensação de que já fiz aquele mesmo trabalho e às vezes uso memórias de rituais que tenho de outras vidas. Então não é que acredito, eu *sei*.

Até eu começar esse meu caminho – e são quase 30 anos de jornada –, a minha vida foi muito atrapalhada. Eu era uma pessoa nervosa, ansiosa. Começou na infância, quando meu lado de garota viva e criativa foi visto como um problema, um defeito. Digo que nasci em 1964, mas tive uma educação dos anos 1950. Então o caminho com o feminino e com a deusa foi extremamente curativo para mim. Hoje sinto que meu feminino está coladinho. Ele foi estilhaçado, mas agora está todo coladinho.

A gente tem esse vaso da vida que é o nosso corpo. E a deusa é uma manifestação da matéria; ela é imanente, não é uma ideia abstrata. E a gente vive no nosso corpo as quatro faces dela: a menina; a donzela, quando menstrua; a mãe quando entra em idade fértil; e a anciã, quando entra na menopausa. E a deusa é uma só, o princípio feminino é um só. A gente só multifaceta para entender melhor, para se conectar melhor com cada qualidade. E todo meu trabalho e meus círculos estão sempre centrados na grande mãe e em suas faces. O princípio masculino vai estar presente também, mas meu trabalho e meu caminho são a deusa. Eu nunca estou fora desse fluxo; a deusa para mim é uma presença constante e cotidiana. Essa é a minha jornada.

Dúnia la Luna

Como fazemos com todas, nós editamos a entrevista da **Dúnia** e a enviamos para ela analisar. A resposta veio na forma de "puxa, amigas, não estou me identificando com a apresentação da minha pessoa..." Então, a seguir, está a apresentação que ela fez de si mesma. Apenas acrescentamos que hoje Dúnia conduz trabalhos de imersão na natureza, jornadas e oficinas. Tem uma linha artesanal de produtos aromaterápicos, a Mater Prima – Poções Corporais Aromaterápicas, e um site e uma página do Facebook: https://www.ocaminhodaserpente.com.br/ – https://www.facebook.com/ocaminhodaserpenteduniaiaiuna/.

"Por algum tempo, achei que seria necessário legitimar meu conhecimento com cursos e diplomas formais. Mas hoje vejo que muito dessa "formalidade" tem que ver com a lógica patriarcal. Esse tipo de estrutura nunca reconheceu, por exemplo, o trabalho de parteiras, curandeiras, conhecedoras de ervas ou outras práticas ancestrais. Não estou interessada em títulos, mas em expandir a consciência e o conhecimento partindo dessa linhagem feminina, que envolve a terra e o corpo, percebendo a conexão vital entre eles. É isso que chamo de sagrado. Por meio da natureza, do meu corpo, da minha sexualidade e da dança entro nesse fluxo de vida em mim e me sinto desafiada a partilhá-lo com você. Todos os meus trabalhos com grupos de mulheres são um convite a reconhecer o medo e romper com essa casca de insegurança e culpa que aprisiona o processo criativo da alma e afeta especialmente as mulheres."

Dúnia, 42 anos, é uma mulher de imensos olhos claros, cuja profundidade dá uma pista das profundezas em que ela mergulha na sua busca – que envolve tanto o físico como o espiritual. Como mora em um sítio, fizemos a entrevista no dia 13 de junho de 2017, num café de shopping, aproveitando que ela estava em São Paulo. A conversa se estendeu e ficamos horas ocupando a mesa daquele café, sem nos incomodar com o desconforto das cadeiras.

MÃES, AVÓS, INFÂNCIA
Não podia mais dividir meu mundo de mulher com ela

Meus pais se casaram muito jovens, e praticamente fui criada com meus avós paternos nos sete primeiros anos de vida, até minha avó falecer. Ela tinha um centro de umbanda, e a irmã dela era a mãe de santo do terreiro. Minha avó era uma das médiuns e também lia cartas. Enfim, uma bruxinha. Depois tentei descobrir com minha tia-avó como ela lia as cartas, mas ela tinha virado católica do padre Marcelo e disse que isso era coisa do diabo. Eu ouvi muito atabaque e aquilo ficou impresso em minhas células tão forte... Mais tarde, ao ouvir música árabe nas aulas de dança do ventre, me vinha a memória corporal dessa época.

Minha mãe foi superatenciosa, preocupada em me informar sobre o meu corpo, como era constituída a mulher, até certa idade... nos meus 12 anos ela entrou numa igreja cristã e vinha com coisas sobre pecado... Lembro que ali eu me afastei criando uma fenda no meu feminino. Depois entrei na dança do ventre, com 16 já dava aulas de dança, tinha meu dinheiro e pagava as aulas sem falar muito sobre a dança, porque ela não queria que eu dançasse dança do ventre de jeito nenhum; porém, sou muito transgressora e fui me profissionalizando. Toda vez que ia dançar procurava dormir na casa de amigas para não criar caso, mas um dia ia de casa direto para um show e pedi para ela abotoar meu sutiã de dança. E ela: "Não vou abotoar. Não concordo com o que você está fazendo". Eu: "Tá bom, quando chegar lá peço para alguma outra mulher". E fiquei com essa fenda, não podia mais dividir o meu mundo de mulher com ela. Eu tinha outras pessoas com quem me conectar, mas a minha mãe não. Mas tudo bem: com tudo que a vida me trouxe a partir disso e considerando as crenças familiares, já seria querer demais. Está tudo certo.

JORNADA PESSOAL
Encontro com a dança e com a mestra

Meu processo de trabalhar com o feminino começou com a dança do ventre. Tinha uns 15 anos quando comecei a fazer aulas de dança e aquilo despertou em mim uma coisa completamente atemporal, com a qual me conectava e que não conseguia nomear. Mas quando mudou a professora não senti a mesma coisa: descobri que a minha relação com a dança tinha muito que ver com a relação com minha primeira professora, a Layla. Ela é uma mulher linda. Tinha o cabelo vermelho, era toda tatuada (hoje tenho várias tatuagens). Ela trazia arquétipos que ressoavam em mim um feminino desconhecido, um feminino erótico profundo, e eu queria absorver aquilo. Insisti, e ela concordou em me dar aulas particulares de dança no local onde morava.

E daí para a frente, além das aulas, Layla foi me explicando muitas coisas: questões de processos energéticos, a conexão do corpo como microcosmo ligado a um macrocosmo... As aulas se transformarem em encontros com um lugar misterioso em mim, e a dança a se tornou um portal. Mas o portal era a Layla, e a dança, um veículo para esse encontro. Com ela descobri maravilhosas mulheres que a história nunca cita, descobri o mundo da magia, cabala, mitologia, civilizações da deusa, Isadora Duncan e a dança como processo da alma. Tudo isso se misturava dentro de mim e esse amálgama viria a ser depois meu processo de expressão. Eu ainda estava me descobrindo e queria beber tanto quanto podia "da fonte Layla". Então eu criava grupos de mulheres (primeiros círculos sem intenção) para a Layla; a gente estudava o feminino, o tarô, ciências ocultas... A conexão dança-Layla-sombras foi minha "faculdade"! Uma verdadeira iniciação/formação. Isso cria uma raiz, uma consistência... Quando estou em sala de aula não estou só: ela e tudo que compõem nossa relação estão comigo.

Tentei trabalhar em escritórios, mas não gostei e detestava ir à escola. Passar a vida fazendo o que não gosto para ganhar dinheiro não fazia o menor sentido. Fiz três anos de Psicologia e vi que ainda não era isso o que queria, até que fui convidada a dar aula numa escola que na época era uma das melhores casas de dança do Brasil. Então tive de escolher entre fazer faculdade e dançar lá, e escolhi dançar, óbvio: a faculdade era muito rasa perto das aulas que eu tinha com a Layla. Contra tudo e todos, larguei a faculdade.

A dança traz desafios homéricos em relação a você e outras mulheres, a você com o seu corpo e enquanto profissional, mas ali me encontrava com outras mulheres como instrutora e dançarina – e era o que queria na época. Eu me sentia com 100% de prazer, encontrando o meu mundo. Abri um estúdio de dança do ventre e fui professora de um importante clube de São Paulo. Foi maravilhoso, sedutor e um caminho, mas ao mesmo tempo aquilo que nos liberta num dia pode nos aprisionar em outro se ficamos distraídas. Meu contato com as mulheres começou a se multiplicar e, ao mesmo tempo que em sala de aula eu legitimava o feminino profundo, intenso e verdadeiro, também havia uma incoerência: era adaptar o corpo e a imagem para atender às necessidades comerciais do sistema.

Com 22 anos eu era uma dançarina bem-sucedida e reconhecida, mas comecei a notar uma dicotomia em mim e nas outras – a sexualidade era uma grande ferida e um grande portal para as mulheres. Até então eu tinha como referência de "mulher" algo fora de mim, mas comecei a sentir um chamado para mergulhar na questão da minha sexualidade. Eu não tinha sido preparada para as dificuldades iniciais do sexo. O que existia era muita projeção: romance, mentira e frustração em torno desse universo. Senti que nada se sabia sobre as mulheres porque elas simplesmente mentiam sobre isso... Mais tarde, entendi que era por vergonha de suas experiências.

Eu lidava com muitas mulheres mais velhas e, quando dava exercícios de dança do ventre buscando o erótico e a sensualidade, ouvia sempre: "Ah, mas a gente não é sensual como você". Dizia então que elas tinham de ser sensuais não como eu, mas como elas mesmas. Comecei a ver como as mulheres vinham na sede de se tornar as dançarinas que elas viam e não em se tornar elas mesmas. Elas não estavam entendendo o que tinham de buscar ali, e se elas não estavam entendendo, então talvez eu também não estivesse entendendo. Então comecei a olhar o universo da dança do ventre e a perceber onde, em mim, eu sustentava uma farsa, algo que não era eu... Vi o que era exigido das dançarinas naquele lugar: que fossem magras, continuassem sempre jovens, bonitas segundo um padrão – e sendo dançarina ali eu contava uma linda mentira sobre o que era ser mulher buscando ser o que eu não era! E percebi que o que um dia me conectou agora estava me colocando longe de mim. E aí comecei a mudar tudo... E a não agradar, claro. Fui convidada a me retirar da casa. Fiquei sete anos lá.

Comecei a entrar na minha sombra: vi que o que estava querendo era me tornar a Layla ou outras mulheres escritoras e dançarinas que também eram a minha inspiração. Quem eu era? Se quero ser autêntica, preciso viver minhas próprias "viagens", minhas lacunas, minhas inquietações! Parei de procurar formações e comecei a olhar para mim partindo da premissa desse saber feminino: o que está dentro a gente cria fora. O filósofo Novalis disse: "Se o que vem para nos libertar nos aprisiona, para que nos serve?" E era exatamente isso que estava sentindo em relação à dança! Essa frase ainda me martela muitas vezes em que me vejo enredada por algo.

OS PRIMEIROS CÍRCULOS
Trabalhando com a sexualidade

Ainda nas aulas, muitas vezes as alunas vinham falar comigo: "Dúnia, você não faz aula particular? Porque quando o meu marido... Eu sou bem travada!" Elas viam em mim uma sexualidade natural, mais solta. Então aceitei o desafio de dar aulas para mulheres que queriam entrar em contato com a própria sexualidade e comecei a desenvolver um trabalho com esse foco. Pesquisei na internet a respeito do pompoarismo e descobri uma professora que tinha acabado de voltar da Tailândia. Chamei cinco amigas, elas toparam fazer as aulas e nós dividimos o valor. E tive uma surpresa. A professora falava assim de sucção vaginal: "Você imagina que está sugando..." E eu: "Imagina que está sugando? Não, se estou pagando tanto, quero saber qual é a técnica, não quero imaginar!" Eu fazia um exercício de sucção do ventre com técnicas de ioga, mostrei isso para elas e fui olhar: meu períneo e vagina sugaram também! A professora ficou espantada: "Como é que você fez isso?" Eu não sabia! Daí comecei a pesquisar sobre o pompoar sozinha, com muitas leituras e com experimentos que fazia me usando como laboratório.

Eu queria trabalhar com algo que me desse satisfação, ganhar dinheiro com o que amo, em cima de aptidões que tenho e que as pessoas reconheciam e solicitavam. Em 1999, comecei a aplicar o pompoar e outras técnicas ligadas ao despertar da sexualidade em sala de aula. Nesse tempo, alunas e dançarinas ficavam impressionadas com o meu empenho de quadril e eu não entendia o que elas achavam tão impressionante, mas era fácil pra mim e eu amava, então resolvi pesquisar essa diferença e criei o *workshop* "Laboratório de Quadril". Foi um período muito próspero, consegui viajar para o Egito, para a Holanda, e lá aumentei as minhas pesquisas, entrei mais fundo na história da mulher e da sexualidade.

O TRABALHO COM CÍRCULOS
Uma mudança constante e a busca da integridade

Quando voltei da Holanda, falei para a Layla que queria saber mais sobre a história da mulher; ela me presenteou com muita literatura boa. Entrei em contato com o tantra, com o taoismo, com o *hieros gamos* – sacerdócio sexual da Antiguidade. Na vida de todas as grandes mulheres da história o papel da sexualidade foi fundamental; percebi que a sexualidade era fator pontual no processo do feminino.

Em 2002, criei um trabalho chamado "Íntimo e Pessoal", que recriava práticas dos livros que em mim tinham efeito. Experimentava em mim, laboratoriava em aula e pensava: como é que vou crescer? Me arriscando e colocando no mundo! Em 2004 eu já estava com meu marido atual (Marcelo), e mais mulheres interessadas começaram a aparecer. Sei que isso teve muito que ver com a qualidade da relação que o Marcelo se propôs comigo; ele colocou seu masculino totalmente a serviço de seu feminino, e isso foi fundamental para eu desenvolver um processo íntimo profundo e real com ele e nos cursos. Alguns temas abordados: "O corpo da deusa", "Erotismo, sexualidade, espiritualidade", "Conhecendo o corpo do parceiro", "Beijar e tocar, é só começar", "O feminino e os ciclos da vida", "Masturbação, tabus e crenças". Muitas disseram ter tido orgasmo pela primeira vez depois desses *workshops*. Fiquei alguns anos trabalhando assim, depois aquilo perdeu o sentido para mim...

Em 2005, engravidei de uma menina, a Lara, e em 2008, fui morar num sítio. Isso me fez aprofundar a conexão entre corpo e natureza como minhas alquimias pessoais. A cachoeira que frequentava diariamente me modificou, me mostrou novas possibilidades, e eu ansiava por partilhar isso com as mulheres. Falar de feminino? Que nada! A gente tem de experimentar o feminino no berço da natureza. Pensei: vou trazer as mulheres para meu sítio, fazer retiros em casa e banhos na natureza. Comecei a fazer isso e a ter *insights* como nunca! O da defumação medicinal íntima, o autocuidado, o autotoque: o vivenciar o corpo feminino. Tinha o banho experienciando a nudez na cachoeira: as mulheres mergulhavam no rio, uma de cada vez, enquanto as outras criavam um círculo em seu entorno: criávamos uma espécie de cama onde todas, olhando para aquele corpo à sua frente, buscavam aceitar o seu próprio.... Foi um trabalho bem profundo. Tínhamos partilhas de nossas crenças e medos, e no final do dia elas iam embora. Mas vi que um dia não bastava. Elas tinham de chegar sexta e ir embora domingo, e aí rolava uma série muito maior de práticas.

O trabalho do "Íntimo e Pessoal" era todo constituído da maneira como eu vivia a minha sexualidade. Eu recebia todas preliminarmente num campo acolhedor. O trabalho começava com cada uma falando sobre si, entrando em contato consigo mesma e com o entorno à sua maneira e se sentindo à vontade umas com as outras. Como a dança sempre foi um veículo para mim, seria também para elas: trabalhávamos o corpo de um jeito solto, pessoal, leve... Depois mergulhávamos nas danças rítmicas de transe como ferramenta para "derrubar os muros da alma" e podermos nos permitir olhar profundamente para a sexualidade.

Depois de um tempo comecei a sentir um "vácuo" nessa proposta: as mulheres entravam em contato com a força da natureza, em processos de catarse, falavam de sexualidade, tinham um *start*... mas quando voltavam para a vida, depois de um tempo lidando com os desafios cotidianos, muito pouco do retiro se fazia efetivo. Pensei: "Bom, esse jeito de nos trabalhar já está desatualizado". Uma coisa difícil para a estrutura patriarcal é abrir mão daquilo que a gente estudou e investiu como profissão. Meu propósito é romper essa estrutura em mim, e mais uma vez mudei tudo. Claro que me vieram muitos medos: quem eu era então? Que sentido tem tudo isso? De onde viria o sustento? Então descobri que esse é o jogo da vida, nos recriar sempre que entramos no automático.

O que ainda fazia sentido para mim eram os banhos na cachoeira, o autocuidado e a medicina dos *yoni eggs*. Iniciei uns cursos, mas caía no mesmo condicionamento de não praticar no dia a dia pela crença na impossibilidade, falta de tempo, ambiente ou realidade ideal... Um dia acordei com um *insight*: se a medicina dos *yoni eggs* é um processo de cura das crenças herdadas pelo útero e as mulheres não conseguiam praticar o que almejavam, então talvez estivéssemos diante de um medo ancestral do próprio útero. E isso é uma herança: somos filhas de mulheres com muito medo do feminino e julgamento com as mães! Então não seria um curso, e sim uma jornada de desconstrução de percepção sobre a vida – o que levaria vários dias...

Mas como eu faria isso morando no meio do mato, sem receber as pessoas? E então me veio a ideia de transmitir e acompanhar as mulheres por WhatsApp. Tenho preconceito com coisas do feminino a distância, mas pensei: não sou eu que tenho de estar junto das mulheres, são as mulheres que tem de estar perto de si mesmas. Então criei uma jornada que estipulei intuitivamente por 21 dias para orientar as mulheres usando o ovo de cristal. E fiz a jornada com uma amiga. Foi incrível! Eu sonhava coisas que ela tinha acabado de sentir no processo, e vice-versa.

Fui criando meditações para abrir o portal uterino. Essa jornada veio do meu desejo de dizer: "Você não precisa vir aqui para ver como coloca a gema; o mais importante é o seu relacionamento com você mesma e como essa relação se faz no seu dia a dia". Muitas mulheres não têm preparo para esse diálogo interno mais atento, vivemos distraídas, e nesses 21 dias a gente se prepara para fazer esse mergulho no próprio corpo e confiar no que ele está dizendo. Há um medo que não é de o cristal entrar e sair, é de entrar em contato com o útero, com esse escuro, com as verdades da maternidade, com as mortes, com as crenças ancestrais que não precisam mais perdurar... E eu vou entrando em processos com ela.

Agora estou no décimo grupo brasileiro a distância, e terceiro grupo internacional (Itália-Áustria), cada um com 20, 30 mulheres. Há 20 anos gastávamos anos em terapia para ter estrutura para olhar um trauma que hoje podemos olhar e transmutar em dias! E é para ser assim mesmo, pois a humanidade não tem tempo a perder. Ou mudamos ou mudamos, e nesse sentido vejo que os *yoni eggs* também são uma prática passageira. Não cabe nos assegurar mais com crenças, práticas ou terapias; é preciso dar lugar cíclico ao novo, e o novo vem depois da morte... (risos).

O cristal de jade, usado pelo taoismo, é uma ferramenta especial, uma medicina para a vitalidade energética pélvica. No taoismo, o períneo é o ralo energético do corpo, ali se escoa ou se reserva energia vital – e, em consequência, saúde. Também me conectei com a obsidiana mexicana. Vivi processos intensos que solicitaram amadurecimento e autorresponsabilidade, pois as escolhas geram consequências, às vezes difíceis, até você saber usar com harmonia. Abri o meu campo energético e de conexão psíquica anos-luz, mas meu corpo não estava tão preparado e se ressentiu... Mas nada acontece sem necessidade. Se queria orientar mulheres, tinha de me orientar em alto nível antes. Enfrentei desafios, atravessei tempestades muitas vezes, mas hoje me sinto preparada para ajudar outras mulheres a atravessar suas tempestades.

Nessas experiências com a obsidiana e com a jade, vi que nós, ocidentais, mentais e urbanos, não podemos trabalhar no mesmo modelo e método das antigas tradições. Ninguém tem uma vida regrada como um taoista, nem um nível verdadeiramente místico das antigas mexicanas. Até podemos tentar praticar tudo isso, mas até que ponto conseguimos sustentar isso verdadeiramente na vida que criamos? Não sinto que deva pegar essas antigas tradições, reproduzi-las e fazer delas a minha verdade fora do tempo. Acredito mais que, se uma coisa me inspira, posso me abrir para deixar que a intuição flua, e quando vejo já estou criando uma versão minha disso tudo. Minha linha de trabalho com os *eggs* inclui o fortalecimento energético, pélvico, a auto-observação, a abertura da comunicação onírica e principalmente a liberação das crenças herdadas.

DESAFIOS ENFRENTADOS POR SER MULHER
Encontros com a sombra

Quando estava vivendo o processo de transformação pessoal através da sexualidade eu tinha catarses, memórias. Aí minha mãe me contou coisas sobre um histórico de abuso sexual na família e tudo fez sentido. Me veio: "Nossa família é doente. Eu tenho essa herança em mim. Eu tenho o abusado e o abusador nas minhas veias. É nisso que eu tenho de mexer". Comecei a mergulhar em todos os desejos obscuros que passavam pela minha cabeça e "fantasias" que antes cortava. Li um livro chamado *Nunca contei a ninguém*, sobre mulheres abusadas da década de 1950. Foi muito difícil, mas pude acessar os desvios dos abusadores e me reconheci nas histórias das abusadas. E comecei a questionar o abuso na minha história, questionar se eu praticava o abuso em alguma esfera, e percebi que sexualmente havia uma insatisfação vinda sei lá de onde, que queria algo mais – e esse algo mais era muito sombrio. Eu me propus a olhar e a ter coragem de reconhecer dentro de mim esse universo sombrio. E tudo que me aparecia internamente, mesmo que muito sombrio, em vez de dizer: "Ai, que absurdo", eu dizia: "Eu também".

Fui percebendo que todo mundo tem um grande universo sombrio dentro de si que aprende a repudiar, e assim negamos 50% de quem nós somos! O que diferencia a "pessoa normal" de um psicótico é que a "pessoa normal" consegue diferenciar quando um desejo ou um pensamento sombrio que se passa dentro dela não é algo saudável, ou que se realizasse a tal ação isso seria uma psicose. Muita coisa passa pelas emoções e pela cabeça, mas se olho para isso posso entrar nesse lugar em mim com consciência. Se não olho, posso nem realizar a ação de fato, mas sustento um campo para que isso aconteça fora. Então tenho de ficar íntima dessa sombra para ter capacidade de transmutar!

Comecei a me familiarizar com os mitos que falavam do encontro com as sombras, e o meu trabalho se transformou mais uma vez! Não dava para entrar em sala de aula, dar técnica de massagem íntima ou pélvica e simplesmente falar sobre sexo oral. O "Íntimo e Pessoal" começou a ser um processo de entrar em contato com aquilo que nos impedia de dar um passo a mais... A sexualidade é tão ampla!

Recebi o diagnóstico de ovários policísticos, e disseram que não tinha cura a não ser que eu tomasse hormônio. Não tomo hormônio; fazia tratamentos com ervas, acupuntura, e às vezes a menstruação vinha, às vezes não. Sonhei que estava grávida, que estava tendo um nenê, e esse desejo cresceu em mim, então fui fazer uma bateria de exames e para minha surpresa já estava grávida de três meses! Acredito que engravidei porque convergiu meu desejo com o momento propício de criação da vida.

Mais tarde entrei em contato com a medicina da urinoterapia, em que você toma sua urina. O conceito base é que você ingere pela urina todas as toxinas que tem no corpo e ele desenvolve os anticorpos necessários para a regulação... Fiz uso da urinoterapia no intento de, quem sabe, regular a menstruação, e um dia pensei: "E se eu tomar meu sangue?" Estava menstruada e experimentei. Uso uma combinação de medicinas e práticas alternativas, como a dos ovos de cristal e massagens taoistas e o automergulho sempre, mas foi o sangue menstrual que me trouxe a regularidade mesmo, nunca mais parou de descer. E aí experimentei, de fato em um outro nível, o poder do sangue da mulher menstruada.

Há três anos, eu estava dando um curso no Rio de Janeiro. Não sabia, mas estava com uma gestação ectópica que estourou lá e fui internada de emergência no Hospital Miguel Couto. E vivi coisas ali dentro... A área da maternidade parecia banheiro de penitenciária. Gente espalhada pelo corredor, as mulheres muito maltratadas. Fui operada por um cara que meia hora antes estava falando assim para uma mulher: "Vai, vai, vai! Para de frescura! Vai ficar aí gemendo? Ou você tem logo esse bebê aí ou então eu vou te cortar toda". Eu só chorava! Foi um processo aterrorizante! Eu precisei passar por isso para entrar em lugares desconhecidos do feminino, a que não teria acesso de outro modo, para conhecer ainda um pouco mais de feias facetas minhas e para me dar conta de que vivia na bolha "avalônica" do sagrado feminino... Sei que criamos fora o que somos dentro, então ali tinha dois caminhos: me fechar e criticar o sistema ou absorver e perceber quanto eu ainda era tudo aquilo... Enfermeiras embrutecidas, médicos arrogantes e insensíveis com a vida, mulheres maltratadas e acostumadas com isso, conformadas... Eu era tudo aquilo em algum lugar de mim. Foi mais uma experiência intensa, mas também uma grande transformação.

JORNADAS SOMBRIAS NOS CÍRCULOS
A falta de conexão conosco mesmas

As mulheres iam ao círculo, conseguiam ver suas amarras, mas no cotidiano continuavam incapazes de se responsabilizar pelas emoções que sentiam, por exemplo, com as atitudes do parceiro. O tempo todo a gente se desconecta, se sabota, sai da via potente da vida. Uma desconexão recorrente no "universo dos círculos" é que ao tomar conhecimento do feminino de Avalon vem um ímpeto de querer reconstruir isso no mundo atual. Não vai rolar, agora a gente tem outra consciência, está em outra realidade. Precisamos perceber o que nos coloca em conexão com o feminino no cotidiano do mundo atual.

Antes o motivo comum de quem buscava dança do ventre era aprender a ser sensual, e o que se obtinha era muito mais que isso: era um compartilhar com outras mulheres. Hoje a busca vem de uma "fome" de saber mais sobre o feminino. Essa fome é de conexão com a vida, e de alguma maneira obtemos essa conexão por compartir verdadeiramente com outras mulheres!

Nos grupos, às vezes aparecem mulheres que foram seriamente abusadas. O que tenho de olhar ali? Claro, acolho a pessoa e aquilo a princípio me toca profundamente. Mas se fico só na oferta do colo, não a ajudo a transformar essa ferida. Num caso assim, alguém no grupo disse: "Sua dor é nossa dor, *hermana*"... Hum? NÃO mesmo: a dor dela é só dela. E deixar com ela para que ela a transforme a fortalece. É preciso largar a ideia de que não somos capazes sozinhas... É por isso que tem tanto guru por aí! Nós somos nossas transformadoras. Se aconteceu com ela, ela tem a capacidade de passar por isso e de transformar isso. Não se pode tirar essa oportunidade dela. Isso a enfraquece e valida a ilusão da vítima... Se há um empoderamento real da mulher, é esse!

JORNADAS DE CURA NOS CÍRCULOS
O útero é muito mágico

Lá atrás, quando comecei a mergulhar na sexualidade por meio da dança, as mulheres diziam: "Eu nunca tinha tido um orgasmo antes e agora consegui!" Ainda hoje, algumas chegam dizendo que têm dificuldade com orgasmos, outras que têm incontinência urinária. E aí, quando reparam que o trabalho vai além disso, a maioria que topa ingressar nele muda a vida. Trabalhar o músculo pélvico é entrar em contato com as suas sustentações de vida: o que você tem sustentado, o que não tem querido sustentar, o que você tem sustentado a mais, o que está flácido. A maioria que vem com essa busca, nossa, descobre o universo.

Eu me inspiro muito nos saberes orientais antigos como o taoismo, que vê o corpo e seu sistema de modo muito mais complexo do que o ocidental e ao mesmo tempo tem uma simplicidade maravilhosa. Fora que os nomes são superpoéticos! Câmara secreta, palácio da segurança... Eles dão lugar à nossa fantasia, nos ajudam a criar a realidade sutil. Assim, se você vê seu corpo de maneira diferente, não vai olhar a vagina como um lugar vergonhoso, mas como a câmara secreta; quando fechar os olhos para meditar no útero, vai ver o palácio da criação e da segurança. Você cria isso de fato em seu campo invisível.

Fiz uma formação em Constelação Familiar Sistêmica em que se olha para as crenças da ancestralidade. Em paralelo, o grupo das *yoni eggs* faz uma abertura para olharmos as nossas crenças ancestrais na linhagem materna e entrar em contato com o útero e todos os saberes, crenças, potenciais que vieram através dele. E a medicina das *yoni eggs* confirma o que a constelação percebe: realmente às vezes repetimos a doença do outro ou seus medos. Num dos grupos, uma mulher introduziu a gema e o joelho esquerdo travou. Nunca tinha acontecido antes, e ela nem conseguia levantar. Perguntei como tinha sido sua amamentação (nutrição feminina), os colos que recebeu da mãe... Tinha sido tudo ok, mas então ela sonhou que estava com alguém da família entre os joelhos, ajudando essa mulher a vomitar. E aí fez todo sentido: por meio desse sonho, nós duas intuímos que ela pode ter acessado uma ancestral que talvez tivesse tido anorexia. Então me veio imediatamente uma dinâmica da constelação. Falei para ela fechar os olhos e abrir, entre sua ancestralidade feminina, quem ali precisava ser olhada. Era alguém lá longe. E então o olhar sistêmico da constelação se fez vivo para mim: "Agora eu te vejo, você faz parte dessa família etc." É um trabalho mágico e ao mesmo tempo muito lúcido. Você não se fantasia de deusa, você só precisa confiar no seu corpo e ele te mostra tudo. O útero por si só é muito mágico!

A gente criou uma cultura que deslegitima o invisível, em todos os sentidos, e o feminino está nas entrelinhas, no invisível, na imagética. Se você não entra nesse invisível e não dá crédito a ele, você não está em conexão. Podemos dar cursos maravilhosos sobre feminino, mas se fica no intelecto não experimenta o feminino. É por isso que a natureza conecta tão bem, porque aos poucos você vai entrando na relação com a vida. Muitas mulheres vão para o sítio e adoecem. Lógico que adoecem! Estão tão concretas que precisam entrar num processo de doença para ir para outro nível de consciência. Eu experimento isso direto!

Os últimos anos têm sido os mais interessantes da minha vida, porque experimento a doença como um presente. Por exemplo, tive por muito tempo enxaqueca. E um dia, percebendo a incoerência da medicação com aquilo em que acredito, em vez de ir buscar uma solução para a enxaqueca eu mergulhei nela. E, para a minha surpresa, o que aconteceu? Comecei a viajar como se tivesse tomado alguma droga poderosa. Entrei em processo de lembranças, de emoções. Passei a fazer isso também com outros processos. O que me vem – raiva, inveja – entro nelas e fico ali, fora dos conceitos e dentro da frequência corporal até ver o que acontece. Na maioria das vezes não entendo o que aconteceu. E ser capaz de lidar com o que a gente não entende é o mais difícil.

Tudo que chega ao grupo olho como ressoa em mim, porque se aquilo está no meu campo está lá para eu trabalhar nele. Meu caminho está sempre permeando outros e vice-versa. Nesse meio-tempo, conheci mulheres que me ajudaram direta e indiretamente: a Ana Thomás, com seu processo pessoal; a Gláucia Mimbi, com as saunas sagradas. E fico pensando: "Nossa, eu vivi uma sauna sagrada a semana passada com a minha enxaqueca!" É igual! Então vou fazendo os links, e cada vez mais percebo que cada um tem dentro de si o seu antídoto, o seu saber, que está ali à espera de ser ativado. Só depende da própria conexão.

FORMAÇÃO, QUESTÕES FINANCEIRAS E AMPLIAÇÃO DOS CÍRCULOS
Dar curso de formação de condutoras para mim não faz sentido

Se a gente continuar nessa de esquematizar como carreira tudo que nos chega de saberes, estamos falando do feminino, mas agindo contra ele próprio. Por exemplo, já me pediram que a medicina dos *yoni eggs* vire um curso de formação: em tudo se vê um mercado ou um produto a ser consumido eternamente. Isso é uma incoerência porque o feminino é cíclico. E temos uma cultura que se baseia tanto no medo que, quando uma coisa dá certo, não se quer largar o osso mesmo que a alma clame por outra coisa. E as mulheres que fazem trabalhos parecidos com o dela são "filhas da mãe, roubaram o meu trabalho". Teve alguém que patenteou os movimentos ondulatórios da dança do ventre! Oi? Eu também já caí nessa de implicar com as cópias, de ver inveja nas outras... Então percebi que era preciso admitir que estava também em mim... Que existia algo em mim de querer ser a única! Que arrogância! Eu não estava fazendo isso para um dia não fazer? Se eu estou trabalhando a outra é para ela um dia não precisar de mim. E quem está preparada para não ser precisada? Hoje me preparo para não ser precisada, então o que me chega são mulheres que estão preparadas para ser guias de si mesmas.

Na minha visão, dar curso de formação de condutoras de círculos do feminino não faz sentido. A formação tem um modelo igual para todas e no mesmo tempo a ser percorrido, mas os caminhos da natureza não são assim... Ao caminhar no fluxo da vida, cada mulher é colocada diante de sua própria criação de realidades incoerentes, e cada uma precisa nadar nelas até que se sinta preparada para desconstruí-las. Quanto tempo vai durar esse processo? Vai durar o tempo que tiver a matéria do curso de formação? Claro que não! Pode durar uma semana, sete anos ou pode ser que nunca aconteça. Acontece quando, dentro do seu próprio fluxo de vida, cada ser vai se descobrindo com suas aptidões e desígnios e os partilhando com o mundo, sem intenção de títulos nem de ser uma reprodutora de técnicas. Visto que "formação" é uma invenção da cultura patriarcal para a reprodução do trabalho em massa, a formação de qualquer coisa no feminino subentende exatamente isso! Em vez de seguirmos no fluxo instável de criação de quem somos a cada época da vida, oferecemos "fôrmas" para o que naturalmente não tem e que nos convida a sair delas: o feminino! Quando a mulher sentir que esse é o trabalho dela, ela está pronta, porque isso não é uma profissão para a qual você se prepara – nem isso, nem nada.

Desconstruções em relação ao dinheiro

O feminino me levou a entrar em contato com desconstruções da relação com o tempo e com o dinheiro. Se uma pessoa diz que não tem dinheiro para pagar o curso, digo: "Tudo bem. É aberto para troca, para o que você tem a oferecer de melhor". E, às vezes, a pessoa sente que não tem nada a oferecer, ou que o que ela tem a oferecer é muito mais valioso do que aquilo que ela acha que o curso vai oferecer. Quando vemos situações assim, estamos diante dos nossos medos, porque o primeiro caso denuncia insegurança sobre o que se tem de melhor e o outro denuncia medo de ficar em desvantagem. Então se prefere pagar ou não fazer a desconstruir essa relação de ganho e perda. E o valor das trocas não pode ser medido em moedas, mas sim pelo interesse que temos naquilo que queremos trocar.

Oficinas itinerantes, tarôs, roupas

Estou com vontade de criar roupas em casa. Gostaria de fazer um livro, de fazer um oráculo de alguns gráficos de meditação que intuo, mas vou mesmo sentar para fazer essas coisas? Não sei. Porque tem de ter esse ímpeto, o tesão de ficar mergulhada. A dança nunca saiu do meu coração, sempre dou pequenas oficinas que chamo de itinerantes. O Laboratório de Quadril se transformou no "poder das ancas" mais amplo e mais terapêutico; o Medicinas Lunares é um círculo de saberes em que aprendemos a usar o sangue menstrual como remédio e a cuidar da nossa energia sexual feminina. E no "Banho Rito Medicina" recebo mulheres em casa para passar o dia na natureza.

OLHARES PARA A VIDA...
A gente é só passagem!

Você vai encontrar grupos de mulheres em várias épocas e regiões para as quais a sexualidade era o portal de transformação: as hieródulas, prostitutas sagradas, na Suméria; as hetairas na Grécia; as *almées* no Egito; as *devadasis* na Índia; as tigresas brancas no taoismo... Todas tinham um conhecimento "extra ordinário" da sexualidade, e isso lhes conferiu uma conexão diferenciada. Mas a cultura mudou, extinguiu esses saberes milenares e tornou a sexualidade humana materialista, abusiva, agressiva, um instrumento de poder e dominação. O filme pornográfico é o maior instrumento de abuso sexual em massa já inventado; eles tiram a legitimidade das relações e do erotismo. Quando busco ou acesso algum saber ligado à sexualidade, sempre me volto para o sacerdócio feminino antigo e para a natureza como base. Vejo a sexualidade como um portal de criação, o mais forte, material mesmo. Toda a emoção na hora da máxima eletricidade magnética corporal cria um campo que "amanhã" vai se manifestar na matéria, é alquímico. Sabe esses filmes de fantasia em que se abre um portal e você entra em outra realidade? O útero é isso. E tudo isso é muito antigo – mas é novo, não é?

Se você criou uma vez, cria de novo. Por um tempo você vai ficar vibrando naquilo, aquilo é vivo e vai te nutrir. Depois chega uma hora em que você vai ter de abrir mão. Quando estiver no ápice, muito segura, já não vai mais querer aquilo, você já é outra pessoa. Houve um tempo em que eu pensava: "Eu nunca vou cansar de fazer e desfazer?" Até que entendi que a brincadeira da vida é esta: fazer e desfazer. E está tudo ótimo! Mas terminar uma coisa que está "dando certo" é muito difícil nessa estrutura social em que vivemos. É a pegadinha da vida, e isto é o que o feminino está ensinando: deixe morrer o que precisa morrer e restruture a vida de acordo com a natureza e não contra ela. Para mim, a maior lição do feminino é a gente aprender a lidar com a morte – com a morte do nosso corpo jovem, com a morte da nossa maternidade (porque a filha vai crescer), com a morte dos nossos ofícios... Ao trabalhar com o feminino ou com qualquer coisa que proponha a transformação do ser humano, você se torna passagem... Apenas isso, passagem...

Jaqueline Conceição da Silva

Jaqueline, ou Ialandalu, seu nome no candomblé, 32 anos, é doutoranda, mestre em Educação e formada em Pedagogia. É criadora e articuladora do Coletivo Di Jejê (http://nkanda.org/index.php), espaço de formação e produção de conhecimento sobre a mulher negra, para a mulher negra e feito por mulheres negras no qual são oferecidos cursos on-line e círculos presenciais.

Entrevistamos Jaqueline em seu apartamento no dia 24 de novembro de 2017. Como era sexta-feira, seguindo os preceitos do candomblé, ela estava toda vestida de branco. Jovem e muito articulada, na entrevista ela foi emendando conceitos filosóficos com a experiência vivida no candomblé, que entende como uma afirmação de negritude, das raízes e da ancestralidade.

MÃES, AVÓS, INFÂNCIA
Apesar do candomblé em comum, sem proximidade com a família

Meu avô materno, já casado, veio de Ilhéus, onde trabalhava com cacau, para fazer a vida em São Paulo. Eles foram para um bairro de periferia no extremo norte da Brasilândia e lá tiveram os filhos. Eu nasci numa casa muito, muito pobre mesmo, nasci miserável.

Meu pai e minha mãe separaram-se muito cedo e não tenho vínculo nem com meu pai nem com sua família. O que eu tenho de família é minha mãe, minha avó e minhas tias. Mas o vínculo é delicado, porque somos bem diferentes em questões de visão de mundo, crenças, pensamentos, valores... Apesar de todo mundo ser ligado ao candomblé, não temos muita proximidade.

Mesmo não sendo feliz com o meu pai, minha mãe esperou a gente ter uma idade em que poderíamos nos cuidar sozinhas (minha irmã tinha 10 anos e eu, 8) para se separar. Hoje ela é casada novamente e mora num bairro longe daqui. Eu a vejo uma vez a cada 15 dias, mas falo com ela sempre. Quando fui fazer faculdade, minha mãe disse: "Mas por que você vai fazer faculdade? Você tem é que arrumar um emprego e casar". Ela criou a gente para não depender de homem, estimulou que a gente trabalhasse, mas ao mesmo tempo, por sua experiência de vida, achava que ter um marido traria segurança.

Ela acha que tenho de pôr a comida dos meus filhos no prato. Imagina! Parece que é pouca coisa, mas no dia a dia isso gera um desgaste muito grande. Então optei por morar longe. Mas priorizar a independência é uma coisa que a minha mãe me ensinou, apesar desses pequenos conflitos. Recentemente, ela pediu: "Promete que você não vai casar nunca mais ou pelo menos vai esperar mais uns dez anos para fazer isso?" Então acho que ela oscila entre as duas posições.

JORNADA PESSOAL
Só fui entender que era negra quando fui para o mestrado

Eu tive um aborto muito cedo, aos 15 anos, e depois uma filha aos 18. Passei por complicações no parto e ela morreu. Quase morri também. Não fujo nada da história de vida das meninas da Brasilândia: há picos da minha vida que me levam para longe, mas há coisas da minha vida que me colocam no mesmo lugar delas.

Quando estava na faculdade tive o João e, quando casei com o pai dos meninos (ele não é pai biológico do João, mas a relação é paterna), tive o Pedro, que hoje tem 7 anos. Fiz Pedagogia numa universidade particular, a São Camilo, que oferecia muitas bolsas de estudo, e por isso pude fazer faculdade. Noventa por cento das pessoas da minha sala eram negras e da periferia como eu. Elas tinham os valores, práticas, costumes, gostos e falas iguais aos meus. Brancos na faculdade, só os professores.

Quando terminei a faculdade, queria muito fazer mestrado e consegui uma bolsa para a PUC. E lá foi muito diferente, lá fui entender que eu era negra e o que era ser negra: as situações cotidianas de racismo foram me mostrando isso. Como ser confundida com a mulher da limpeza, mesmo estando com notebook e com livro no elevador. O que é que eu tenho em comum com a mulher da limpeza? A cor da pele e o jeito de falar, o jeito de se portar. Porque não é só uma questão de tom de pele: é diferente você ser criada num bairro e numa família de classe média e ser criada num bairro de periferia.

Acho que várias vezes na vida sofri racismo, mas foi a PUC que fez assim comigo: "Ó, acorda!" Uma vez, uma professora me perguntou: "Quanto é a bolsa de mestrado?" Eu: "Mil e quinhentos reais". Ela: "Nossa! A minha empregada ganha mais do que isso!" A minha família é uma família de domésticas; a minha avó foi doméstica, a minha mãe, as minhas tias... Quis, mas não podia desistir do mestrado por causa da bolsa. Eu não trabalhava, tinha dois filhos pequenos e a bolsa compunha a renda familiar. Tive de aguentar. Entrei em depressão, fiquei doente, engordei muito, mas fui entendendo o processo.

Enfim, descobri que eu era negra e que ser negra não era bom. Quis então entender o que era isso: ser negra. No segundo ano do mestrado, comecei a entender que a branquitude cria um modelo do que é ser negro. Por exemplo, a Djamila Ribeiro é uma mulher negra aceita porque tem algo que a branquitude acha importante: o diploma de mestre por uma universidade conceituada. Isso faz que ela seja aceita e querida – porque eles precisam pregar a diversidade, não é? Mas não é qualquer uma, não é qualquer mulher negra que transita nesse universo, as que são aceitas são também sempre magras e jovens.

A minha família sempre teve ligação com o candomblé, aquela coisa de terreiro, do toque, do Exu, da Pomba-Gira, mas sempre tive muito medo desse mundo. Por dez anos fiz de tudo para ficar o mais longe possível do candomblé, justamente por ter vergonha. Mas com essa situação na PUC, pensei: "Bom, já que eles estão criando o modelo do que é ser negro, eu, rebelde por natureza, vou no contrário disso. O que é que a branquitude diz que é atrasado? O candomblé? Então eu vou me iniciar" – e fui para o candomblé. Ele me deu uma localização no mundo. Além disso, que moral eu ia ter de chegar num espaço e falar como negra, sendo que aquilo que tem de mais negro no nosso país – a religião de matriz africana, que preserva toda a memória da negritude na roupa, na alimentação, na dança, no canto, na tradição – é um espaço que não reconheço, que não tenho como referência? É interessante como a espiritualidade age: como sou uma pessoa muito racional, o meu orixá trabalhou comigo no campo da racionalidade.

Comecei a ler teoria crítica, e o que ela diz ser formação? Absorver a cultura, ressignificar e mudar a realidade para avançar, sair do lugar. Walter Benjamin[4] diz que para a formação acontecer, para poder absorver a cultura, é preciso que os indivíduos vivenciem as coisas. Então, naquele momento vivi uma sede de experiências. Fui ver filmes que nunca tinha visto, fazer coisas que nunca tinha feito, vivenciar coisas que nunca tinha vivenciado. Comecei a querer vivenciar a experiência ancestral e busquei saber mais sobre o candomblé e sobre o que era ser negra. Minha família já frequentava um terreiro e me iniciei nesse terreiro de Xangô.

Eu achava que o inimigo eram as pessoas brancas, não tinha o entendimento de que estamos num sistema social em que as pessoas brancas têm privilégios e que não é especificamente esse ou aquele indivíduo que o tem. Há um ou outro tipo Bolsonaro, um indivíduo branco algoz, mas não é todo e qualquer branco que é assim.

No meio desse processo conheci um homem branco, um professor universitário extremamente educado, inteligente, mas na minha cabeça era inviável uma relação inter-racial pela questão do racismo. O racismo tem duas sacadas: ele faz você entender o

---

4. Walter Benjamin (1892-1940): filósofo, ensaísta e crítico literário ligado à Escola de Frankfurt.

que acontece, mas também faz que o tempo todo você se ache inferior. É como se você achasse que as pessoas estão te olhando porque você vale menos. É dolorido e difícil se livrar desse lugar em que te colocam pela sua condição de mulher, de negro, de gay... Mas, se te colocam, não quer dizer que você tenha de ficar. E na relação com esse homem em nenhum momento a questão racial aparecia: isso me incomodava. Falei sobre isso e ele disse: "Eu sou de origem espanhola, você é de origem africana, fulana é de origem japonesa. O que nos diferencia no cotidiano? Óbvio, sei que quando a gente vai a determinados lugares as pessoas nos olham de forma ríspida pela questão do racismo. Mas para mim a sua origem étnica não é um problema, para mim isso não muda nada". Eu nunca tinha pensado nisso, daí passei a olhar as pessoas brancas de outra forma.

Nessa mesma época conheci meu pai de santo, que é um homem branco de olhos verdes... E que tem a mesma concepção que tenho sobre candomblé. No meu terreiro, a maioria das pessoas é negra, mas há muitos brancos. Se eu não tivesse tido essa experiência anterior que me mostrou que o branco não é inimigo, eu não conseguiria ir lá, teria essa barreira.

Hoje sei quem sou; ou, pelo menos, tenho mais condições de saber. O candomblé é um caminho de autoconhecimento cotidiano e constante. O tempo todo a gente vai vivenciando situações de busca, de força, de identificação... Quanto mais você entende seu orixá, mais você entende sobre você mesmo. Cada Orixá – ou *Inquice* no idioma quimbundo que se fala em Angola, de onde meus ancestrais vieram – tem uma forma, cada um age de um jeito, não são iguais. O meu orixá é extremamente amoroso.

O meu pai de santo diz: "Você vai ser mãe de santo e vai trazer uma contribuição muito importante para a religião: isso está no seu caminho. Todas as coisas que você vivencia é para te preparar para isso, inclusive o estudo". É importante que as pessoas do candomblé tenham estudo, porque isso lhes possibilita uma visão de mundo mais ampla. Esse é um caminho de muita dificuldade, porque exige muita coisa, mas também de muito aprendizado. Depois que me iniciei, estou mais calma, mais tranquila. Dois anos atrás eu tinha uma inquietação, uma angústia e uma raiva que não me cabiam.

DESAFIOS ENFRENTADOS POR SER MULHER
A condição da mulher negra não dá tempo para fragilidades

Nem sempre a questão racial nos permite ser mulher como se constitui o "ser mulher" em termos sociais. A condição de vida da mulher negra não dá tempo para fragilidades, para as bobagens do "mundo das mulheres" no campo da estética, do romantismo, para viver o ideal de mulher dos contos de fada. Porque é demanda, demanda, demanda – o tempo todo. É o irmão que está preso, é o filho que morreu, é o filho que está doente, o marido que não trabalha.

A nossa vida afetiva é construída num espaço pautado pela questão econômica, porque a questão da sobrevivência é urgente. A demanda familiar consome muito porque há também a ausência do pai, por diversos motivos, grande parte das vezes.

Eu gosto de maquiagem, de perfume, de creme, de estar bonita. Mas as coisas que fazem da mulher uma mulher – como a sensibilidade – ao longo da vida eu não tive o direito de ter. Quando a minha filha morreu, não tive o direito de sentir a dor da perda dela. Para mim, até hoje, 13 anos depois, é uma coisa distante, como se eu tivesse visto e não vivido, porque a maternidade para nós, mulheres negras, é uma dimensão prática.

A inteligência afetiva, a possibilidade do toque, do sentir, da contemplação, foi negada por uma questão prática do cotidiano, não só para a mulher negra, mas também para o homem negro. Percebi isso vendo filmes franceses que têm muito essa coisa de perceber o outro. E nos filmes brasileiros sobre negros, por exemplo, o tempo todo a relação é violenta. É um toque meio que permeado pela violência, e a violência nos desumaniza. Mesmo no campo da sexualidade percebo que há um toque que não é de sentir a pele, de estar com o outro, do momento juntos. Há uma sexualidade também violenta, compulsória, imposta.

É uma realidade que enfrentei a minha vida inteira. Eu só abraço a minha mãe no Natal, no ano-novo e ocasionalmente, quando, de enxerida, vou lá e abraço, mas ela já se retrai. Então cresci sem essa dimensão do toque, do corpo do outro, a não ser na perspectiva do sexo. E vi que todo mundo é assim, não é um mal-estar só meu. Então, estabeleci como meta para meus filhos essa educação do sentido, do afeto, do corpo, do toque. Meus filhos me abraçam, me beijam, a gente discute se está triste, o que é estar triste... Quando cheguei de viagem depois de 30 dias, meu filho chorou. Perguntei por quê, se eu tinha chegado, e ele: "Eu estou chorando de saudade. Porque dói". Com minha mãe eu nunca tive a possibilidade de dizer "Estou chorando porque estou com saudade e saudade é uma coisa que dói". Fui entender essas coisas já adulta. E fico pensando no buraco que foi a minha vida – e não é culpa da minha mãe, claro. É o contexto social em que a gente viveu. A minha trajetória me fez uma mulher negra privilegiada porque tenho tempo para o romantismo, para ler, assistir a um filme, sentar e conversar. A maioria das mulheres negras que conheço, inclusive minha mãe, minha avó, minhas tias, jamais teria tempo para isso.

Esse é um problema que as pessoas negras enfrentam no interior das suas relações, mas acho que é uma questão que a sociedade como um todo vem enfrentando. A gente está tão brutalizada, tão violenta que essa dimensão do toque, do sentir, do afeto, de pensar na relação, de conhecer o outro está se perdendo. Essa violência que não é só a violência do tiro, da morte é uma violência humana e relacional, não está mais restrita aos lugares pobres. Essa brutalidade que vai nos moldando sempre fez parte do universo das pessoas pobres e negras e agora está começando a fazer parte da humanidade como um todo.

As mulheres negras adoecem mentalmente muito mais. Não é que elas não construam afetividade; constroem – a gente oscila entre esse universo de não mulher e mulher o tempo todo. Nos é "vendida" a necessidade do parceiro, do romantismo, do afeto como para todas as mulheres. Mas acho que essa busca desesperada faz que a gente se submeta a relacionamentos abusivos com muito mais frequência porque nossa noção de afeto é mais deturpada, equivocada, confusa, maluca, perdida – sei lá o quê – do que talvez a das mulheres que cresceram numa família com um pai que elogia, que diz: "Nossa, como você é linda! Minha princesa, minha rainha". Leva um tempo para você conseguir entender que essa carência é justamente pela falta disso.

Sou marxista, milito no feminismo há tempos, mas tem ciladas de que a gente não foge! Tem a questão formativa, a maneira como a gente é socializada. E isso é tão entranhado... A experiência com meu último namorado me fez pensar: "Gente, como é que uma mulher de 32 anos, feminista, macumbeira deixa um cara desses passar conversa nela? Tem alguma coisa errada". Aí comecei a me propor olhar para entender. E entendi que o afeto que meu pai não me deu não vai ter homem nenhum no mundo que me dê, porque é um afeto que *ele* tinha de dar. Um homem vai me dar outro afeto, numa outra dimensão. Nisso o feminismo me salvou, mas talvez, para mim – talvez, eu não tenho isso muito consolidado ainda –, ser mulher também tenha uma dimensão do cuidar. Talvez estar com um parceiro implique que eu possa cuidar... E cuidar na ilusão de ser cuidada. Talvez essa seja uma ilusão feminina, e aí é nas brancas, pretas, cor-de-rosa...

Na tradição na maioria dos países e das tribos africanas – e não tem como apagar essa memória ancestral –, as mulheres são chefes de família. Eu era casada, mas na minha casa a palavra final era minha, e não é por uma questão de feminismo, era meio natural... Claro, ele me traía, ele também usava do machismo para se favorecer, mas o trato, o cotidiano, a administração do dinheiro eram meus.

Isso é uma coisa. A outra coisa é o fato de que há a ausência de homens nas famílias negras da periferia. Isso tem que ver com genocídios e com dificuldades de estabelecer vínculos familiares, mas também com o fato de que esse modelo familiar burguês – pai, mãe, filho, cachorro, papagaio e periquito – é um modelo branco ocidental. Na nossa tradição africana as famílias não se constituem assim, as famílias são estendidas. Essa necessidade de dizer: "Pai, mãe, paterno, materno" é muito mais um valor branco, ocidental do que um valor nosso.

E aí é muito louco. Freud explica a modernidade branca, ocidental, europeia nesse contexto, e aí ele vai bem. Mas para um grupo que vem de outra dinâmica social, política, cultural, histórica, econômica, sexual, isso não casa. O problema é que na faculdade a assistente social e a psicóloga aprendem esse pensamento para trabalhar com uma família que vem de outra experiência antropológica: aí você tem todos os conflitos. É como colocar uma tartaruga para viver no deserto – foi o que fizeram conosco. Tiraram a gente da África, de um outro contexto sociopolítico, e nos colocaram para viver numa sociedade completamente diferente da nossa, com outras regras. E disseram: "Vai, viva aí! Sobreviva". Como? O que a tartaruga, tadinha, vai fazer no meio do deserto, se ninguém der água para ela, pelo menos até que ela consiga encontrar sozinha? Ela vai ter de buscar estratégias, e para isso precisará negar características dela e adquirir outras que não fazem parte da sua origem.

Aí a gente volta àquela questão de ser mulher e não ser. Ser cobrada da feminilidade... E o que é feminilidade? A graciosidade, a tranquilidade... Sei lá o monte de baboseira que falam sobre isso! Esse modelo de mulher ocidental, branca, não condiz com o modelo de mulher que a gente tem como referência. Na tradição africana, todas são guerreiras, rainhas... Só que não dá mais para voltar para a África, até porque essa África não existe mais. A gente precisa sentar e entender o que está acontecendo, considerar esses elementos para pensar como é essa condição. Às vezes eu fico brava quando as mulheres vêm com essa conversa de solidão da mulher negra, como se a solidão da mulher negra fosse algo só afetivo. A nossa solidão é essencialmente histórica, política, econômica.

O racismo pega a gente em duas dimensões – na dimensão humana porque nos desumaniza e na dimensão de mulher porque faz que a gente se sinta menos mulher porque não estamos no padrão de mulher branca. E aí, por nos sentirmos menos mulher, a gente se sente sozinha, vulnerável... É um mix do peso que a mulher carrega por ser mulher e do peso que a gente carrega por ser negra. Carregamos esses dois pesos nas costas. E se for uma mulher negra e lésbica carrega um peso triplo: ser mulher, negra e lésbica.

Três meses atrás, eu estava sem dinheiro, sem força, sem ideia para trabalhar. Acendi uma vela e falei para Xangô: "Olha, agora está na mão do senhor". Então uma mulher do Rio de Janeiro, que não conheço, começou a falar comigo pelo Facebook e me disse que ia depositar um dinheiro para eu pagar o aluguel e não ser despejada. Perguntei como eu ia devolver esse dinheiro, ela disse que não precisava. Depois surgiu a oportunidade de eu ir para o Canadá apresentar um artigo e ela pagou a passagem, a estadia e custeou a minha presença lá e nos Estados Unidos por 30 dias. Perguntei o que ela queria com isso, mas ela só respondeu que sou uma pessoa esforçada, inteligente... E que ela não é rica, mas tem um dinheiro que guardou para seus bichos quando morrer e eles precisam de pouco, mas que eu precisava de investimento!

Fui jogar búzios com o meu pai de santo para saber dessa história, e ele falou: "Está tudo certo! É para você aceitar porque está tudo correndo como tem de correr".

Eu falo para ela que ela é o meu Xangô. Isso que essa mulher faz comigo chama-se rede de apoio. "Olha, eu tenho dinheiro, você precisa de um apoio, eu estou te apoiando". Isso é o que, via de regra, as mulheres (e homens) brancas têm: um pai, um tio, uma mãe, alguém que dá esse apoio. O que nós não temos é esse tipo de rede de apoio.

Mas existe entre nós uma rede de solidariedade muito grande. Por exemplo, arrumei um trabalho extra, estou precisando de grana, e minha prima de 17 anos vai se deslocar da Brasilândia para cá para ficar com os meus filhos. Essa rede solidária é muito maior entre as mulheres negras do que entre as brancas de classe média. É a dialética da vida. Se por um lado ser negra não nos permite essas experiências do gênero feminino tal qual a burguesia vem construindo historicamente, por outro lado nos força a uma solidariedade muito maior porque senão a gente não sobrevive. Por exemplo, várias mulheres da minha família moram no mesmo quintal. Minha tia trabalha de manhã, hora em que seus meninos estão em casa, então quem está em casa cuida deles, e cuida bem cuidado. Dá banho, dá comida, manda para a escola. Tem essa dimensão de solidariedade.

OS PRIMEIROS CÍRCULOS
Um espaço para a mulher negra exercer sua individualidade

Criei o Coletivo Di Jejê porque queria um espaço em que as mulheres negras pudessem exercer a sua individualidade sem ter de pedir permissão o tempo todo. O Di Jejê é um centro de pesquisa e formação sobre a mulher negra. Criação minha e de Xangô. Xangô é meu sócio majoritário – eu trabalho para ele. Logo depois que me iniciei, comecei a fazer os encontros presenciais. Estava ainda careca quando a gente fez as primeiras rodas de conversa sobre o feminismo negro.

A ideia é ser um espaço que produza conhecimento sobre a mulher negra no Brasil, em que elas possam ter voz para dizer as coisas que pensam e sentem, e que possam pensar sobre si mesmas. E de como a gente pode sistematizar, dentro dos parâmetros da racionalidade acadêmica, a experiência do que é ser mulher negra para que isso sirva para outras mulheres.

O TRABALHO COM OS CÍRCULOS
Nós, mulheres negras, precisamos falar

O Coletivo Di Jejê foi criado há três anos. Fiz reuniões em vários lugares. Várias foram na minha antiga casa, no quintal. Eu colocava a cama, o sofá e o colchão para fora, a mulherada vinha e a gente passava o dia discutindo sobre a mulher negra: era um espaço para compartilhar essa experiência. Vieram mulheres dos mais diversos tipos: idosas, meninas muito novas, mulheres adultas, acadêmicas, mulheres que não tinham nem o ensino médio.

Nos grupos me apresento, falo um pouco e aí deixo as pessoas falarem. Se a pessoa quiser falar uma hora e meia, vai falar, não vou interromper porque parto do princípio que ali é o momento de ela falar. Aprendi isso atuando como professora: a aprendizagem é subjetiva, individual, e não tem como eu te dar o meu ritmo. Você tem seu ritmo, e eu tenho de ter a paciência de esperar, porque senão não posso te ajudar a aprender. Às vezes a gente passava oito horas conversando; 30 mulheres conversando durante oito horas. Ali a gente comia, fumava, conversava, ouvia música... Elas achavam que não estavam produzindo conhecimento, mas na verdade estavam produzindo conhecimento sobre si mesmas, sobre suas experiências. Isso é muito significativo.

Acho que as rodas foram muito ricas para as mulheres contarem suas histórias, para compartilhar experiências, para ouvir outras mulheres na mesma condição. É muito mais formativo na perspectiva da experiência do que como conhecimento teórico. Acho que o conhecimento teórico tem mais a função de ir mostrando: "Olha, se você reolhasse, refizesse, repensasse..." do que de afirmar: "Essa é a verdade". Porque a verdade do Walter Benjamin pode não ser a minha. Ele viveu em outro século, em outra realidade, era um homem branco, usava ópio... Tudo isso influencia. Já a experiência pessoal pode ajudar muito mais a me olhar e a me perceber.

Hoje os encontros são mais virtuais, on-line. Sinto falta dos encontros presenciais porque é um momento muito rico de diálogo, de poder falar, porque mulher não pode falar; nós somos silenciadas o tempo todo. E nós, mulheres negras – justamente por esse estereótipo de que o negro é burro –, podemos falar muito menos, e muito menos das nossas dores. E a gente precisa falar, precisa tanto!

As primeiras rodas de conversa sobre feminismo negro me deram a ideia de criar os cursos on-line. As experiências daquelas mulheres fomentaram material para elaborar cursos para que outras mulheres, de outros lugares, pudessem acessar esses pensamentos sobre ser uma mulher negra. São cursos pagos, porque na verdade o meu trabalho hoje é o Coletivo Di Jejê. Mas ele é, de fato, coletivo, porque é um trabalho 100% autossustentável, especialmente por mulheres negras.

Alguns cursos têm temas muito específicos, como um sobre mulheres lésbicas. Eu não tenho a menor condição de elaborar um curso sobre isso porque para mim a vivência é mais importante do que o conhecimento teórico. Então convidei uma professora negra e lésbica que elaborou um curso lindíssimo sobre o tema. No curso sobre saúde sexual e reprodutiva da mulher negra, convidei uma psicóloga negra que trabalha com isso.

Mas, como a maior parte dos cursos é sobre feminismo negro, acaba sendo eu que faço, que construo o material teórico. Por enquanto tem rolado no virtual, mas é muito bacana, porque ainda assim sempre coloco vídeo, elas postam vídeo, tem os fóruns de discussão. Agora o Coletivo está com 17 cursos on-line: sobre feminismo negro, mulheres lésbicas, saúde sexual e reprodutiva, masculinidade negra, intelectuais negras, cursos sobre candomblé, um sobre ancestralidade, um sobre a mulher no candomblé, um sobre a importância histórica do candomblé para a questão cultural, histórica e social no Brasil.

Meu plano, para um futuro não tão distante, é que a gente possa ter uma casa de uso compartilhado por outras mulheres negras, para as mais diversas atividades, e que num futuro, talvez um pouco mais distante, a gente possa ter uma universidade – uma universidade negra de fato.

JORNADAS SOMBRIAS NOS CÍRCULOS
O modelo é o homem branco, hétero, cis, burguês

Tivemos um curso sobre machismo em que veio um homem branco. Bom, todo mundo falou, contou histórias, experiências, a gente chorou – foi uma coisa bonita. Chegou a vez de ele falar, e ele disse que racismo era uma coisa que estava muito mais na cabeça da pessoa do que uma coisa em si. Ele falou ainda mais umas besteiras... Quando terminou, eu disse: "Você olhou bem para a sala em que você está? Quantas pessoas brancas têm aqui dentro?" Ele: "Eu. Por isso vocês são privilegiadas". Eu: "Então a gente vai fazer o seguinte: já que eu tenho privilégio, o meu privilégio de mediadora vai dizer que daqui para a frente você não abre mais a boca. Você vai ficar quieto até o final, porque você precisa aprender a ouvir". Ele: "Mas eu paguei". E eu: "Eu também pago para estar no mundo e nem por isso posso acessar o mundo. Então você vai ficar quietinho, ou pode levantar e ir embora. Aqui o seu lugar é de ouvir. Você até poderia falar se soubesse fazer uso da fala. Já que você não sabe, vai ficar quieto". Aí uma moça levantou, exaltada, e disse que ele tinha de ter vergonha de fazer o que fez porque ali era um espaço de mulheres negras e que ele, como homem branco, ocupava todos os espaços. Aí ele levantou e foi embora. Estava com a namorada, uma menina negra de 18 anos. E ele fez questão que ela fizesse o curso "porque ela precisa entender o que é ser negra". Condescendente, bem típico do homem branco, cis, hétero, de classe média. Mas também entendo que a formação dessas pessoas faz que elas achem que o mundo é o umbigo delas.

Os brancos vão a atividades de negros e acham que estão em casa, que podem fazer o que quiserem, porque o mundo diz que tudo é deles, inclusive a pessoa negra – porque a gente é coisa, não é pessoa. Mas as pessoas negras estão entendendo que são gente, e que gente, como diz Caetano, é para brilhar, não para morrer de fome. E aí incomoda, porque começa a questionar, a apontar, a criticar. Acho que é o mesmo processo que as mulheres vivem com a questão do feminismo, de apontar para os homens as questões. Eu acho que essa é a dimensão do gênero que nos une como mulheres, porque o "ser" que existe é homem branco, hétero, cis, burguês. Ele é o "ser", ele é deus, um modelo. Quanto mais próximo dele a gente conseguir chegar, beleza! Então, a mulher branca está muito mais próxima desse deus do que a mulher negra: só pela questão da pele! Mas ainda assim ela não é esse "ser", e o tempo todo tudo vai lembrar para ela que ela não é ele.

A Angela Davis, uma intelectual negra que pesquiso faz certo tempo, diz que é necessário discutir a escravidão porque os negros vieram para a América na condição de escravos, e isso os colocou num contexto de objetificação, porque eles eram propriedade. E esse lugar mudou a consciência dos brancos e dos negros em relação a si mesmos. Quanto mais próximo do estereótipo de negro o indivíduo branco parece, mais rejeitado ele vai ser entre seus pares, porque ocupa um lugar que não é valorizado. E quanto mais uma mulher se distancia daquilo que é ser homem branco, mais rejeitada ela vai ser.

É muita dor que sai nas falas. Por exemplo, a primeira pergunta que faço, até para saber como é o grupo e como vou conduzir o processo, é: por que você veio fazer o curso? O que te trouxe para ele? Numa das rodas, uma moça falou: "Vim fazer o curso porque descobri que eu era negra quando fui estuprada". Eu disse: "Oi? Desculpa, como é que é?" Ela: "O cara me estuprou porque eu era negra e até então achava que era branca. Então tive de lidar com dois traumas: descobrir-me negra e ter sido estuprada". E aí ela compartilhou sua experiência de como começou a perceber a questão da objetificação do corpo da mulata e quanto isso a fez rejeitar seu corpo num primeiro momento. E no decorrer do curso ela foi entendendo que esse corpo é um espaço de potência e de resistência porque é o corpo que faz que ela esteja no mundo. Então ela precisa usar o corpo dela como uma armadura, não como uma fragilidade. Eu acho que de todas as histórias que ouvi, essa foi a que mais me impactou e me fez pensar também sobre meu corpo.

Agora não mais, mas no começo, quando andava de avião, ficava sem jeito de pedir um copo de água, porque tinha medo de a aeromoça achar que eu era pobre e que estava com sede. Olha que neura! Às vezes é tão dolorido... São esses processos que a gente vai passando e trazem a constatação de que você tem muita dor! Acho que muitos negros não querem fazer essa discussão porque não querem sentir essa dor; no fundo sabem que têm, mas não querem deixar isso explícito, até porque isso implica tomar partido, tomar uma postura, e nem todo mundo tem condições emocionais para essa luta.

Quando entendi que as pessoas me liam como um ser exótico, pensei: o que é ser um ser exótico? É como se eu fosse um animal que pensa. Eu odiava quando chegava aos lugares e as pessoas falavam assim: "Nossa, mas você é tão inteligente! Olha como você fala bem!" E eu: "Ué! Mas eu tenho boca para falar, tenho cabeça para pensar! É óbvio que eu vou falar e vou pensar".

É uma luta o tempo todo... Por exemplo, já ouvi de mulheres negras que não sou tão negra assim para ter um coletivo que fala de mulheres negras, porque meu tom de pele é claro, porque a raiz do meu cabelo é lisa, porque o meu pai é branco. E que essa fala tem de ser feita por mulheres negras que são mais retintas, que têm o cabelo mais crespo. Isso também é um desgaste. Lembro que quando aconteceu essa discussão num curso, a vontade que tive era de largar tudo. Porque você tem de debater com o homem branco, com a mulher branca, com o homem negro, porra, você tem de debater com a mulher negra também? A esquerda se divide, muito, mulheres também às vezes fazem isso. As pessoas que se entendem como negras estão questionando mais, só que vejo ciladas nisso. A gente é um povo altamente mestiço e a presença negra no nosso país é muito forte numérica, cultural e historicamente. Hábitos, costumes, gostos, trejeitos. Acho que a discussão racial no nosso país não tem de passar pela cisão de brancos e negros, tem de passar pelo processo de entender o caminho ao que o racismo está nos levando.

E são essas discussões sobre racismo que a gente deveria fazer no Brasil entre pessoas negras, entre pessoas negras e brancas, entre pessoas brancas. Nós caímos na discussão do racismo por fenótipo: "Ah, você é mais branca, menos branca, você é macaca, você é suja". Não! Isso é a materialização do racismo, e a gente tem de discutir ideologia porque é a ideologia que molda a realidade. A gente precisa entender que ser mulher é uma construção, ser negra é uma construção. Isso eu sempre falo nas rodas de feminismo negro em que faço mediação ou nas de adolescentes negros de um projeto da prefeitura: a gente tem de discutir não o que está posto, mas o que originou o que está posto. Discutir o que está por trás, porque de algum lugar isso surgiu – e só vamos mudar o que está posto quando entendermos isso, quando formos à raiz.

JORNADAS DE CURA NOS CÍRCULOS
Os outros são nosso espelho; é isso o que nos faz humanos

Penso que o objetivo maior dos encontros e do Di Jejê é o fortalecimento. Desses encontros saiu um documentário, saíram livros, projetos de pesquisa. Em razão desses encontros terminaram casamentos abusivos – e eu não sou psicóloga, terapeuta, nem tenho esse objetivo. Mas acredito que o conversar, o ouvir, o falar, o olhar do outro, até trocar dica de cabelo é significativo, porque nos humaniza. E esses encontros possibilitam esse "olhar-se", esse espelhamento. A leitura que faço do mito de Narciso é que, mais do que admirar sua beleza, ele busca se ver em alguém, olha no espelho porque quer se reconhecer em algo. E as pessoas são nosso espelho o tempo todo. E é isso o que nos faz humanos.

Sempre brinco nas rodas que nossa psique é inteligente: ou ela se adapta ou surta. E surtar é cansativo. Então o que a gente faz? A gente se adapta, senão não aguenta a realidade. Penso que as rodas sejam um alívio para as mulheres, porque nelas tem aquele momento em que se percebe: "Olha, eu não estou louca. Eu passei por isso, ela passou, a outra passou... Então, esse é um problema nosso. Se é nosso, em conjunto podemos resolver". É quando a gente consegue entender onde temos de fato que centrar a nossa força.

Tudo isso são processos que os cursos trazem, mesmo on-line. São experiências que surgem da leitura dos textos, dos fóruns... Às vezes publico artigos que alunas transformam em material do curso para que as outras leiam, estimulo que elas troquem contato, conversem entre si. Direto eu recebo e-mail das pessoas: "Nossa, o curso mudou minha vida! Abriu a minha cabeça. Eu não pensava assim. Agora eu quero conhecer mais o candomblé. Agora eu quero saber mais coisa sobre ser negra".

Aprendi recentemente que a experiência ancestral não está só no terreiro. Qualquer espaço que nos coloque em condição de pensar por nós mesmas para conseguir transcender a condição de oprimido, de explorado, de infeliz, é uma situação que nos possibilita vivenciar a nossa ancestralidade, porque nós nascemos para a liberdade. E qualquer relacionamento pode ser uma forma de você aprender sobre si mesmo. Foi me relacionando com uma pessoa sem caráter nenhum que pude ver meus limites, reafirmar valores e crenças e aprender coisas sobre mim que não sabia. Na experiência, eu aprendo com o outro indivíduo, ele é o meu mediador com a realidade. Mas só pode aprender sobre a vida e sobre si mesmo quem viver a vida.

Eu acho que nas rodas quem mais ganha sou eu, porque ouvindo cada uma delas consigo me rever. Também aprendi uma coisa: que não posso mensurar o meu impacto no outro, não tenho como saber, mas posso saber o que o outro pode fazer em mim e como vou lidar com isso. Eu me sinto privilegiada também porque, como tenho as minhas entidades, converso muito com elas, e nesse processo também vou me percebendo. Trabalhei muito tempo com adolescente infrator, aprendi a ser analítica para tentar entender o que está por trás do discurso do que o outro me diz e faço isso comigo o tempo todo. O tempo todo fico tentando me entender.

OLHARES PARA A VIDA...
Uma vida dedicada

Na verdade, a cada dia que passa, mais penso que não tenho plano. As coisas mais importantes para mim são ver meus filhos crescerem e resistir até conseguir ser mãe de santo. É uma vida dedicada. Então agradeço ao meu pai Xangô por ter me avisado com antecedência, porque tenho tempo de me preparar mental e espiritualmente para essa grande tarefa. Tento ser uma pessoa melhor: uma pessoa que respeita a individualidade dos outros e respeita a minha, meu processo, meu tempo. Que sabe ouvir as pessoas, não julgando e condenando, mas ouvindo realmente.

Eu sou vaidosa, a gente quer viver bem, quer comer bem, quer viajar, óbvio. Mas a existência e o significado da vida estão ligados a manter essa memória e energia vivas, o *Inquice*. Trabalho e dinheiro são coisas que a gente perde e ganha ao longo da vida. Tudo é transitório. Então, enquanto eu tiver o meu Orixá, enquanto Xangô estiver para mim, sempre vou estar por ele. Para mim, é isso que importa.

Eu quero fazer doutorado, estou negociando como é que vai ser. Quando estava nos Estados Unidos, recebi um convite para dar aula numa universidade lá, e quando voltei fui consultar o Exu do meu pai de santo sobre isso. Ele respondeu: "Você sabe que não vai, não é, neguinha? Daqui você não sai. Como é que você vai ser mãe de santo fora daqui?" E, por mais que possa ser fantástico morar nos Estados Unidos, se ser mãe de santo é o que Xangô quer de mim, é o que ele vai ter.

Laura Bacellar

Formada em editoração, **Laura** trabalhou em várias editoras e também com tradução, preparação, revisão e tudo mais que trata de texto. Ela se tornou uma ativista do movimento LGBT no Brasil e criou a Editora Malagueta, voltada para lésbicas. Hoje gerencia o site http://www.escrevaseulivro.com.br/ e a página do Facebook https://www.facebook.com/EscrevaSeuLivro/, que ajudam escritores a lidar com o mercado editorial, tema que também desenvolve em palestras e cursos.

Um livro mudou sua vida; assim, não é de espantar que Laura tenha criado uma editora e os círculos de mulheres para levar a outras a mesma libertação que esse livro lhe trouxe. Nós a entrevistamos na casa da Cristina – ela mora fora de São Paulo – durante a tarde fria do dia 19 de agosto de 2017. Laura, 56 anos, tem um humor irônico e inteligente; demos muitas risadas juntas, além de compartilharmos o amor pelos livros.

MÃES, AVÓS, INFÂNCIA
Eu não tinha referências do que era ser lésbica

Eu tenho pais bem católicos, católicos intelectuais, não beatos. Os dois ainda estão vivos e vão à missa todo domingo. Fui criada nesse meio: branca, classe média, escola tradicional, num meio em que não existia ninguém que se autodeclarasse gay ou lésbica, e nem se falava disso. Eu me sentia lésbica, mas não tinha referência, nada no meu entorno que me explicasse o que era ser assim.

Sempre gostei de ler e lia muito, mas não havia literatura no Brasil que abordasse as questões das minorias sexuais. Quando havia, era tenebrosa! Só desgraceira, gente se ferrando. A Cassandra Rios falava de minorias sexuais, mas tinha apenas personagens que morriam, ficavam loucas, se suicidavam... E mesmo só por abordar isso a Cassandra foi perseguida pela ditadura, seus livros, proibidos. Cresci lendo escondida essas obras e por isso tenho inveja da moçada de hoje: eles não sabem como era aquilo.

Quando entrei na universidade, já não queria ficar no Brasil. Dei um jeito para ser babá na Inglaterra, consegui que minha família me deixasse ir, larguei a faculdade e fui. Passei um ano lá e foi uma coisa maravilhosa, eu podia respirar. Escolhi não morar em Londres, fui para um vilarejo que tinha duas ruas e amei! Morava com uma família, recebia uma mesada e eles sustentavam tudo, me tratavam bem e me davam tempo livre justamente porque topei morar naquele "ó do borogodó". E a Inglaterra é o país dos livros! Por exemplo, vinha um ônibus-biblioteca toda semana para aquele lugar. Ah! Sabe êxtase? Foi como fazer um curso de literatura inglesa. Eu lia pra cacete, desde clássicos até pop, coisa *hippie*, coisa revolucionária, coisas que não existiam aqui e muitos livros escritos por mulheres.

JORNADA PESSOAL
Os livros me deram a referência para eu me entender

Logo que cheguei, me mandaram com os avós e a menina de que eu cuidava para o País de Gales. Lá existem muitos sebos; fui passear sozinha e entrei num deles. E xereta daqui, xereta dali, achei um livro com a capa rasgada, mas olhei a contracapa e pensei: "Parece que tem alguma coisa, sei lá, de mulheres..." Comprei, passei a noite lendo, e foi um impacto incrível! Esse livro, que na época se chamava *The price of salt*, tinha como autora Claire Morgan. Foi publicado em 1952 e depois reimpresso com o nome da autora verdadeira: Patrícia Highsmith. Agora ficou conhecido como *Carol*, nome do filme lançado em 2016 e baseado nele. Então, por sorte caiu esse livro na minha mão; é o primeiro da literatura mundial em que há uma história lésbica com um final feliz! Foi um *best-seller*, vendeu mais de um milhão de exemplares...Passei a noite lendo e... Imagina? O livro teve um impacto, mas um impacto! Foi muito forte para mim! Pensei: "Meu Deus, isso é possível!" Daí aproveitei e fui atrás de mais literatura que tratasse desse tema.

Achei uma livraria em Londres especializada em literatura gay e pensei: "Vou ler isso tudo!" Eu nem tinha muito dinheiro, então ia comprando de pouquinho em pouquinho. Li obras famosas, autores e autoras bissexuais, lésbicas e gays e continuei lendo, lendo, lendo... Foi meio que um curso não só de literatura, mas de cultura LGBT. Aqueles livros me deram as referências de que eu precisava para me sentir melhor, me entender e entender essas questões na história. Foi um processo de me assumir. Foi tão intenso e importante para mim que guardei a ideia de que, quando pudesse, faria isso no Brasil.

Fiquei um ano na Inglaterra, depois fui viajar, em parte só, em parte junto com uma amiga. Fomos da Inglaterra até Israel fazendo várias viagens de trem, depois fui

CÍRCULOS DE MULHERES

morar num kibutz. Dezenove, 20 anos, aquele desespero de querer conhecer as coisas... Foi muito bom, fez muita diferença para mim. E li, li... Sempre que possível, encostava num cantinho e lia.

Voltei para o Brasil mochilando pela América do Sul. E resolvi que não ia mais morar com meus pais. Ainda que fosse possível falar com eles intelectualmente, a casa deles não era um ambiente que permitisse certos pensamentos... Sou muito diferente deles. Meu pai me ajudou e fui morar sozinha. Então pude ir fazendo as experiências de vida – aí, sim, de vida. Tive uma namorada, depois um namorado para ver como era. Passei por vários processos e situações para trabalhar a sexualidade numa sociedade extremamente machista como a nossa, ainda mais nos anos 1980! Lidei com aquilo de vários jeitos, até chegar à conclusão de que homem não, mulher sim, e dane-se!

Na volta comecei a fazer faculdade de Jornalismo, mas não gostei e acabei fazendo Editoração na USP, curso que tinha mais que ver comigo. E antes de me formar já estava trabalhando em editoras. Trabalhei em várias, uns bons dez anos. E aí consegui uma bolsa na Alemanha. Passei seis meses numa editora alemã em Munique, e não queria voltar de jeito nenhum. Fui para Berlim e fiquei lá mais uns seis meses. Daí conheci uma americana, passei um tempo namorando com ela e depois fui para os Estados Unidos.

Minhas experiências fora do Brasil foram muito boas porque entrei em contato com a literatura, o movimento e o pensamento de minorias sexuais, inclusive com um viés mais feminista. Mas uma das coisas que senti, tanto na Alemanha quanto nos Estados Unidos, é que lá, se você tinha livros muito bons, conteúdos ótimos e pensadoras fantásticas, os eventos eram um lixo! Fui a vários, mas não me sentia bem-vinda. Como elas não me conheciam, às vezes eu não conseguia conversar com ninguém! Não tinham acolhimento para a pessoa de fora – nem estrangeira, nem não estrangeira, nem mesmo para as locais que não eram da "panelinha". Resolvi que, se fizesse um evento no Brasil, não ia ser assim.

Eu não queria voltar para o Brasil, estava de saco cheio do meio editorial, da falta de espaço para lésbicas, do machismo, mas acabei voltando bem quando o Collor caiu, em 1992. A volta até que foi interessante, porque nessa época eles abriram as fronteiras e passou-se a poder importar revista, vídeo, livro... Isso mudou a cultura brasileira. Antes era uma cultura completamente fechada, na qual só entrava o que os militares deixavam. E a partir de 92 você podia importar um vídeo gay, uma revista lésbica: passou a existir o cartão de crédito internacional. Essas coisas deram alívio para quem era minoria.

Quando estava nos Estados Unidos fiz um "curso" de lesbianismo político, digamos assim. Eu li, fui a livrarias, vi vídeos, conheci várias pessoas. Quando voltei estava com vontade de fazer alguma coisa e fui numa reunião de militância homossexual em Cajamar. Lá conheci duas meninas de Santos que estavam fazendo uma revista lésbica e resolvi ajudar. Comecei a escrever, editar... Era a única revista lésbica do país, a *Femme.*

Então, o dono de uma agência de viagem que estava querendo abrir um segmento gay entrou em contato com as meninas da revista, perguntando se elas conheciam alguém para fazer isso, e elas me indicaram. Estava fazendo *freelas*, dando aula de inglês e peguei de farra. E fui dar uns palpites para ajudá-los a montar roteiros que fossem interessantes para lésbicas. Tinha acabado de voltar dos Estados Unidos, tinha boa noção do que propor. Além disso, a mulherada de lá só respondia se tivesse uma lésbica aqui, então servi de ponte. E um amigo meu foi trabalhar sendo o representante do grupo gay nessa mesma agência.

O dono da agência "soltou" para a Associação Brasileira de Agências de Viagens (Abav) que ele tinha essa agência dirigida ao público gay. E aí o pessoal da revista *Panrotas* quis fazer uma matéria e nos perguntaram: "Vocês topam dar uma entrevista?" – "Ah, sim! Estamos aqui para isso!" – "A gente pode fotografar vocês?" – "Pode". – "A gente pode pôr o nome?" – "Pode". – "A gente pode pôr o sobrenome?" – "Pode". Isso foi em 1993, e em 93 as pessoas não faziam isso. As lésbicas e os gays que davam entrevista na televisão, por exemplo, apareciam de costas ou com aquele quadriculado na cara para não ser identificados. E lá fomos nós, os dois bonitinhos, sorrindo para a câmera com nome e sobrenome. Saiu a matéria na revista dirigida ao pessoal profissional da área, mas a repercussão foi inacreditável! Começaram a ligar querendo entrevistar a gente, e por consistência resolvemos: "Estamos numa agência de turismo gay, somos assumidos e não temos vergonha disso. Então, vamos!" E fomos mesmo! Eu dei entrevista e saí em todos os jornais, em todas as revistas e em todas as televisões. Todas!

Culminou no Jô Soares! Lá fomos os três – o dono da agência, o meu amigo gay e eu – falar sobre turismo gay. Nos anos 1990, todo mundo assistia ao Jô Soares, então eu fiz uma saída de armário espetacular, pública, para ninguém botar defeito! Quem não viu no Jornal da Cultura viu no Jornal da Gazeta; quem não viu no Jornal da Gazeta viu no Jô Soares. Se hoje é difícil você conseguir que uma mulher se assuma lésbica, imagina em 93. Foi um estardalhaço.

A família inteira ficou sabendo. E meus alunos de inglês, minhas colegas de escola, meus vizinhos de prédio... Todo mundo. Meus pais ficaram putos, mas nada como ter feito um período de politização fora! Eles ficaram putos e eu fiquei puta de volta: "Vocês deviam ter orgulho de mim, porque eu tenho coragem!" Fiz o maior discurso e eles ficaram sem palavras. Achavam que eu ia ficar com vergonha, mas joguei a história do orgulho de volta. E no fim isso não deixou de ser muito bom. Foi um *turning point* que fiz ali. Encarei a coisa como: "Vou ser consistente e fazer isso mesmo".

Na televisão brasileira (e nem na literatura, aliás) não havia quem dissesse: "Sim, eu sou lésbica. Não tenho problema nenhum com isso". Essa fala foi um negócio muito diferente, muito novo. Naquele momento, além de fazer uma saída do armário

CÍRCULOS DE MULHERES

gigante, dei o tom do que ia fazer a partir dali: entrei numa militância cultural que não acredita no chororô.

Dei palestras por muitos anos e sempre divulgava que gays e lésbicas são fortes e têm dinheiro. Sou do grupo que inventou essa história do dinheiro gay aqui no Brasil, a gente importou a ideia dos Estados Unidos. Tem quem odeie isso, dizem que os outros só nos aceitam porque a gente diz que tem dinheiro. É verdade, tem esse lance de classe, mas é uma estratégia! É para chegar a um fim, para ter respeito. Penso que, se a gente está num país que respeita o dinheiro, então vamos dizer que somos ricos. E funcionou, um monte de mídias abre espaço para falar de minorias por conta de sermos consumidores.

O meio editorial inteiro já me conhecia, e o fato de ter me tornado uma personalidade do dia para a noite fez que eu fosse indicada quando o Grupo Editorial Summus pensou em trabalhar com o segmento LGBT. Abri as Edições GLS; toda a concepção foi minha. Fui editora responsável de 1998 a 2004.

Fiz parte também do grupo que organizou a Parada do Orgulho Gay de São Paulo. Nesse grupo, queríamos fazer alguma coisa que não usasse nem o viés da vitimização nem o discurso de sindicato, agressivo. Então resolvemos criar outra história usando uma bandeira gigante e colorida, a mesma que usam em Nova York, e deixando claro que era a parada da diversidade. Nós que inserimos essa palavra – diversidade – no discurso da mídia. Então, quem vai à Parada é quem apoia a diversidade, não necessariamente quem é gay. Funcionou, superfuncionou.

PRIMEIROS CÍRCULOS
Grupo "Umas e Outras"

Alguns amigos gays diziam que mulher lésbica não sai de casa, não vai a eventos. Eu dizia que elas não saem de casa porque os eventos são feitos para gays. Então, junto com uma amiga, a Valéria Melki Busin, resolvemos fazer encontros femininos chamados "Umas e Outras". A gente convidava mulheres para falar sobre temas do interesse de lésbicas. Homens não podiam entrar: se você juntar homens e mulheres para falar sobre questões fortes, os homens interrompem as mulheres, não deixam elas falarem. E combinei com minha amiga que toda vez que chegasse alguém meio perdida, a gente iria conversar, dar acolhimento, não deixar ninguém se sentir excluída como me senti nos eventos americanos ou alemães.

Começamos a fazer mensalmente e lotava. As mulheres queriam ouvir outras mulheres. Usamos o espaço de um amigo que tinha uma livraria: ele dizia que era o evento que mais trazia movimento para lá. O pessoal adorava! Depois nós alugamos uma sala e nossos encontros se tornaram semanais. Havia uma roda de ajuda mútua coordenada por uma psicóloga, havia cinema... O foco era a lésbica, mas se alguém fosse falar e levantasse outra coisa, a gente acolhia. Teve palestra, gente cantando, tocando. E durante as apresentações as pessoas conversavam, perguntavam, se colocavam. Foi um círculo mesmo, literalmente. Faz 15 anos que a gente parou de fazer esses encontros e as mulheres ainda se lembram disso.

Só que os círculos eram gratuitos. A gente pedia para as pessoas contribuírem, mas se não ficasse em cima elas não contribuíam; nunca conseguimos dinheiro. Não era só o trabalho que tomava tempo, às vezes a gente tinha de entrar com dinheiro nosso para pagar o aluguel. Foram quatro anos assim, dois pagando aluguel... Chega uma hora que cansa. Nós duas achamos que estava de bom tamanho e falamos: "Olha, quem quiser pega o bonde e leva. A gente não está mais aguentando".

O TRABALHO COM OS CÍRCULOS
Entrando na aventura do círculo

Em 2007 fui observar quantos títulos de literatura lésbica tinham sido publicados no Brasil no ano. Em geral são publicados uns 20 mil títulos, de todo tipo de assunto. Quantos de literatura lésbica nesse ano? Apenas um!

As pessoas associam a palavra lésbica a putaria, sem-vergonhice, e a literatura lésbica a subliteratura. Muita gente acha que separar a literatura em categorias é besteira, que somos todos seres humanos etc. Como sou do meio editorial, sei que o histórico de publicações demonstra que 90% dos livros no mercado têm autores homens. Dos 10% que são de autoria de mulheres, quase 100% são de autodeclaradas hétero. Então a gente vê onde está a literatura lésbica. Sim, somos todos seres humanos. Só que não temos visibilidade nenhuma. Por isso é preciso criar essa categoria, estabelecer um lugar onde só lésbicas vão falar.

Fiz isso abrindo a Editora Malagueta, e muita gente me olhou tortíssimo! Disseram: "Ah, quer dizer que, se sou hétero ou gay homem, e quiser escrever literatura lésbica, você não vai publicar?" E eu: "Não! Você vai publicar em outro lugar, aqui não". É uma questão de abrir espaço. Na Malagueta, a condição para ser publicada era ser uma autora lésbica e colocar uma lésbica como protagonista da história. Além de publicar, eu colocava livros de literatura lésbica de outras editoras à venda no nosso site, para oferecer o máximo de obras que pudessem abrir a cabeça das mulheres.

No Brasil, temos leitores que não leem quase porcaria nenhuma, só coisas na internet. Mas sofrem um grande impacto quando leem algo que tem que ver com eles, com que se identificam. É o impacto de quem sofre discriminação. Muitas vezes eu gostava de alguns autores e autoras e não sabia por quê. Depois descobria: eram gays e lésbicas. Porque, pelo fato de você ser gay ou lésbica ou trans (trans, pior ainda), você

CÍRCULOS DE MULHERES

está na margem. Você tem permanentemente a sensação de não pertencer ao centro da sociedade. Essa sensação cria um tipo de literatura que é um olhar de fora... E o que a permeia é essa sensação que quem está de fora compreende perfeitamente. Um índio vai compreender, um negro, um judeu num local cristão... E esse olhar de fora do centro, esse olhar da margem, combinava com o meu olhar.

Tinha feito muita diferença na minha vida ficar sabendo, pelos livros, coisas como que o lesbianismo existe desde sempre, que ninguém sabe o porquê de algumas pessoas serem hétero e outras serem homo e por aí afora. Esse foi o motivo de fazer a editora focada na literatura lésbica. Eu achava que todo mundo era igual a mim, que bastava fazer a mesma coisa aqui, ou seja, colocar os livros à disposição das pessoas, que elas viriam correndo abraçar aquilo.

Mas sabia que não era possível trabalhar com minorias sexuais sem fazer algo meio diferente. Não adianta você oferecer um livro porque as pessoas não sabem que o livro existe; pior, elas não sabem nem que essa categoria (de livro) existe! Então eu teria de fazer um trabalho paralelo: criar um ambiente no qual ser lésbica não fosse um problema – ao contrário, fosse o tema – e chamar as pessoas para lá. Um lugar onde o fato de ser lésbica fosse acolhido, comentado, que fosse o assunto principal. Foi isso que me levou a entrar nessa aventura dos círculos.

Então, desde o início da editora, que abri em 2008 com a minha companheira, hoje ex, pensei em eventos. Eventos que fossem gratuitos e sem bebida alcoólica. Aprendi que, se as pessoas começam a beber, não querem mais saber de livro, são energias diferentes. Então procurei fazer eventos em locais culturais e que tivessem certa regularidade. A ideia era chamar o pessoal para ouvir uma autora falando da sua experiência de ser lésbica, e depois permitir às pessoas que falassem da experiência delas. Foi uma sacada muito boa.

Fizemos inúmeros eventos, tanto na sede da editora quanto em outros lugares. E, além de São Paulo, em outras cidades: Belo Horizonte, Recife, Porto Alegre, Parati nas off-Flips. Muitos desses eventos foram saraus em que se ouvia uma autora lésbica falando do seu livro e de sua história, ou alguém lendo um poema ou uma crônica que tinha escrito e depois sessão de perguntas e troca de experiências. Para muitas delas era a primeira vez que pegavam um microfone para falar um poema de amor para outra mulher. Tenho certeza de que em vários momentos a gente criou experiências únicas, que rolavam só ali. Seria bom se isso fosse feito de maneira permanente, se existissem espaços para isso.

Todos os eventos que fazíamos enchiam de gente. Na Casa das Rosas, por exemplo, a gente fez eventos tão movimentados que eles nos convidaram para entrar no calendário deles. No Rio conseguimos fazer um encontro no Centro Cultural Banco do Brasil. Foi um tumulto fazer um evento lésbico num lugar tão burocrático. Ele saiu por mérito da minha ex-companheira, que insistiu por telefone em falar com o fulano, falar com o beltrano... Tinha mais de 200 mulheres lá. Um buchichão mesmo. No Recife a gente fez um encontro no auditório da Livraria Cultura do Paço Alfândega, e lotou. Tinha um pessoal que nos queria em outros lugares, queria que a gente passasse a vida fazendo evento. Se tivesse dinheiro para continuar, seguiria fazendo isso, porque há uma carência imensa. Todas as minorias são assim: lésbicas, gays, trans... Mas tínhamos de ganhar a vida. Contas existem, infelizmente.

JORNADAS SOMBRIAS NOS CÍRCULOS
Nada de vitimismo e chororô

Às vezes as pessoas realmente têm histórias de vida muito problemáticas. Mas se ficam: "Ai, meu Deus, ele me bateu, a minha mãe me chutou, e não sei mais o quê", elas não saem disso. Eu sou mais: "Vamos ver o que dá para fazer, se dá para ajudar – mas chororô, não". Ainda mais chororô institucionalizado. Odeio a militância que age assim, odeio essas estatísticas de morte de homossexuais. Não acredito que é por aí que tenha de se levar o tema. Acho que fui a primeira lésbica no Brasil a dizer que não ia chorar, nem reclamar. Não é esse o meu jeito.

E nos círculos você tem de tomar cuidado porque pode rolar uma energia de muito, muito problema, e, a menos que você esteja conduzindo um círculo terapêutico, não é esse o foco. Se a pessoa tinha uma catarse, tudo bem, mas eu não incentivava. Sempre achei mais interessante levar as coisas não num pique de vitimismo e chororô, e sim num mais bem-humorado. Então, se alguém fosse falar de alguma coisa mais pesada, dramática, procurava convidar também quem sabia fazer graça. Umas chamavam para o chorinho, outras para a risada – e era sucesso absoluto!

JORNADAS DE CURA NOS CÍRCULOS
Aquela coisa gigantesca e sem nome que ficava
na cabeça dela não fica mais

Não se fala muito sobre lésbicas. Na sociedade em geral não há espaço para falar sobre o que você sofreu ou deixou de sofrer quando seus pais ficaram sabendo, se você foi posta para fora de casa ou o que a sua avó disse... Todas essas coisas causam traumas, que ficam trancados e que a pessoa carrega ao cuidar da vida, trabalhar, estudar. Ela pode passar anos sem nunca ter a oportunidade de falar disso. Então, se há um evento em que se abre essa possibilidade, ela não aguenta, pega o microfone e conta sua história. Nossa, não sei quantas vezes vi isso! E também quando a pessoa, ao ouvir outras histórias, percebe: "Nossa, a minha não é tão ruim!" E depois todo mundo comenta, conversa e aquela coisa gigantesca e sem nome que ficava na cabeça dela não fica mais. Fica uma experiência forte, que dá para ser trabalhada. Claro que isso é muito libertador!

Como a nossa sede nos últimos anos era uma casa, os encontros que fazíamos lá podiam ter um clima mais íntimo. E em vários momentos nós abordamos temas fortes. Numa festinha, no dia das mães, convidamos as lésbicas para falar da própria mãe ou de sua experiência como mães. Foi incrível, porque apareceram umas histórias bem fortes, na veia mesmo. Uma mãe lésbica contou que um filho não a aceitava bem, uma coisa difícil. Uma menina japonesa contou da relação extremamente conflituosa com sua mãe, que não a aceitava de jeito nenhum! A mãe batia na cara dela, era realmente agressiva, mas dentro da cultura japonesa você não pode brigar diretamente com sua mãe, e ela não tinha coragem de sair de casa. E as pessoas acolheram muito bem tanto a menina que falou da mãe como a senhora que falou do filho. Ninguém ignorou, algumas pessoas ficaram com lágrimas nos olhos...

Outro evento que fizemos, esse com um viés mais cultural, foi na off-Flip. Convidei pessoas que tinham escrito livros de literatura infantojuvenil pelo viés da diversidade e, de repente, nossa mesa ficou cheia de mães. A mãe de um menino gay que escreveu um livro infantil falando de diversidade sexual explicou por que o escreveu: "Eu queria melhorar o mundo para o meu filho". Uma mãe lésbica fez a tese de doutorado sobre a literatura que aborda a diversidade e a forma como ela é tratada nas escolas – ou seja, como não é tratada. Publicou e o livro dela foi ilustrado pelo seu filho, hétero, que a aceita e vive com ela e a companheira. Outra escreveu um livro em que conta sobre seu filho gay que é muito delicado e por isso mundo o rejeita. Ela disse que escreveu o livro para proteger o filho! De repente, a gente tinha três mulheres que escreveram livros para deixar o mundo melhor para os filhos delas. Algumas mães na plateia falaram também, e ao final várias pessoas vieram dizer que aconteceu ali um evento de mais qualidade do que o oficial da Flip.

Então, a gente teve eventos que pegaram desde o lado mais íntimo até o mais cultural. Na parte comercial os círculos não renderam, mas culturalmente movimentaram muito. Algumas meninas sentiam que aquele trabalho era tão legal e importante que se tornaram voluntárias da editora. Em vários eventos tinha gente para receber, dar crachá, indicar aonde ir, desempacotar os livros, vender. Enfim, tinha gente apoiando. Por quê? Porque achavam toda aquela história importante. E era mesmo! Foram experiências fortes para muita gente. Várias mulheres vieram me dizer que nunca tinha vivido isso antes. E muitas nunca tinham visto nem lido um livro com temática lésbica. Então eu estava certa: tinha de fazer assim mesmo se fosse para vender livros... E eu acredito que livros ajudam, mudam a cabeça das pessoas: esse é o meu ideal, por isso trabalho com eles.

DESAFIOS ENFRENTADOS POR SER MULHER
São raríssimos os espaços para falar sobre o lesbianismo

Quando eu falava sobre a questão de conseguir espaço porque nós, homossexuais, temos mais dinheiro, de fato isso não é bem verdade para as mulheres. Uma coisa é um casal de gays homens que não tem filho e outra, um casal de lésbicas, porque lésbicas ganham menos por ser mulheres. Então duas mulheres juntas não ganham mais do que um casal composto por um homem e uma mulher. Quem ganha mais são os dois homens. Mas não quis chamar atenção para isso, na época.

Tem muito preconceito contra lésbicas mesmo! Tanto que, quando você encontra um lugar que abre as portas, tem de aproveitar. Minoria sexual já está acostumada a ser olhada torto, mas se você convida para um evento não pode ser num lugar onde isso aconteça. Então a gente sempre teve o cuidado de procurar locais que acolhessem bem. E também existe o medo de quem vai: "Meu Deus, será que alguém vai me filmar? Será que eu vou sair no Jornal Nacional?" Tantas fantasias! As pessoas vêm com um histórico de ter sofrido muita discriminação, algumas sofreram violência mesmo, algumas estão numa situação econômica terrível porque foram postas para fora de casa. Há grandes preconceitos externos e também internos. Eu cheguei à conclusão de que o preconceito internalizado é o mais difícil de lidar. É preciso trabalhar anos e anos para ir se livrando dessa carga.

E a pessoa que não assume a sua sexualidade não tem com quem conversar. E se não ilumina a si mesmo e à sua identidade, em geral tem uma vida emocional podrérrima, muitas vezes atrai as piores parceiras. Fica com uma mulher abusiva, ciumenta, que não deixa isso, aquilo... E fica também sem parâmetro: não sabe o que é abuso e o que não é, se alguma coisa é normal ou não. Se está numa relação só de duas pessoas e não consegue consultar o entorno, é muito difícil saber. A mulher que se cerca de amigas com quem conversa francamente fica muito menos sujeita a viver isso. Também há as mulheres lésbicas que se autoisolam porque não se assumem. Quem fica muito trancada gasta energia se escondendo e inventando história para parente em vez de usar essa energia para avaliar o relacionamento, ou procurar outro, ou procurar emprego. Então, a chance de virar uma meleca é imensa!

E ter um espaço para falar livremente sobre suas questões é muito difícil. Acontece raríssimas vezes. Eu, uma lésbica dinossáurica, 56 anos, não tive tantos momentos assim na minha vida! Atuei na militância LGBT, sou uma pessoa com recursos, vivo e trabalho num ambiente cultural e mesmo assim não tenho tantos momentos para falar do lesbianismo – imagina quem não tem isso? Tem gente que não tem sequer a possibilidade de ter uma conversa.

A editora tinha uma proposta comercial, mas nunca ganhamos dinheiro nenhum! Como proposta comercial foi uma desgraça. A Malagueta era bem pequena, mas como tenho um nome no mercado, consegui colocar nossos livros em livrarias de prestígio e tínhamos um trabalho de venda impecável pela internet. Mas, mesmo assim, a editora ficava no vermelho o tempo todo. Foi consumindo as reservas... Foi aí que vi a extensão do autopreconceito. Aqui no Brasil, as lésbicas famosas, com raríssimas exceções, não apoiam eventos voltados para LGBTs. Não existe uma comunidade lésbica que se apoie fortemente. As mais famosas e ricas não estendem a mão para ajudar as mais desfavorecidas e jovens. Isso é preconceito introjetado. No exterior é diferente. Nos Estados Unidos, por exemplo, existe uma rede de ajuda, existe o apoio da comunidade. Elas podem ser antipáticas, não falar com estranhas, mas a rede funciona. As pessoas fazem questão de comprar nas livrarias especializadas em LGBTs, em literatura feminista, em literatura revolucionária. Aqui é o contrário. Se veem uma livraria gay, dizem: "Não vou, lá só tem putaria, não vou gastar o meu dinheiro lá, vou gastar na Saraiva".

Eu acho os encontros presenciais muito interessantes, mas se não houver uma maneira de despertar nas pessoas o impulso de elas fazerem algo por elas mesmas, não importa quantas coisas se ofereçam – oportunidades, encontros, obras, filmes –, elas vão ficar na mesma lenga-lenga. Acho que é preciso uma forma mais eficaz de inspirar as pessoas a se tornar protagonistas, a ir atrás do que é importante para elas. Eu enjoei um pouco de mulher que fica com medo de tudo. Me cansa. Por exemplo, uma vez recebi um e-mail de uma mulher que dizia ter 28 anos e um monte de problemas. Sugeri que ela fosse a um encontro do círculo da Malagueta onde poderia comprar livros, conversar com outras mulheres, ouvir ideias, tudo grátis. Aí a fulana: "Ah, mas é que moro com meus pais e eles não me deixam sair muito de casa". Com 28 anos? Eu: "Olha, acho bom você começar a sair de casa, a fazer amigos, porque senão não vai dar muito certo, não é?" Ela: "Se eu for ao evento, posso usar um pseudônimo?" Eu: "Você pode usar o nome que quiser! Ninguém vai pedir a sua carteira de identidade, você pode fazer e falar o que quiser!" Ela: "Ah, mas alguém sabe que a gente vai lá?" Aquilo foi me irritando... Respondi: "Querida, você pode ir ou pode passar a vida fechada em casa. Daqui a pouco você tem 50 anos e vai estar solteirona, infeliz, sem ninguém – eu conheço várias que ficaram exatamente assim". Não sei o que ela fez, não respondeu mais. Mas isso infelizmente é comum. A gente tem uma cultura que convida a mulher a não fazer nada, mas é ela que tem de querer se virar, especialmente agora que as oportunidades estão aí.

O que vim a aprender com as Edições GLS, com o grupo "Umas e Outras" e com a Malagueta é que nem todo mundo pega a oportunidade e usa. Não, esse movimento é interno, a pessoa tem de ter esse impulso. Eu saí de campo, parei com a Malagueta em 2015, nós estamos em 2017 e ninguém fez nada para lésbicas! Falam que faz falta, mas não fazem. Eu em vários momentos senti que fiz alguma coisa. Nos dois casos com ajuda, a Valéria era espetacular e a Hanna também, trabalhamos para caramba... Mas quando essas duas iniciativas foram suspensas, ninguém mais fez. Pode olhar! Abre a internet e procura: reunião lésbica, evento lésbico, "sapas". Não tem! Só tem bar.

OLHARES PARA A VIDA...
A gente tem de ampliar a consciência e a maestria

Eu já tinha saído de São Paulo um pouco antes de fechar a Malagueta. Fui morar na Cantareira com a minha então companheira. Quando o relacionamento terminou, fui procurar outro local para morar. Pesquisa daqui, pesquisa dali, acabei indo parar em Mairinque. Uma feliz coincidência, porque fui ver a casa de uma amiga que estava mudando para Portugal e ela acabou desistindo de mudar para Portugal e casou comigo.

Dei uma pausa nas atividades LGBT, só vou fazer de novo se arrumar um jeito de fazer a pessoa sair da casca rápido. Não sei o que vou fazer no futuro porque minha profissão de editora está um caos. Hoje tenho um site sobre escrever livros. Agora, como também sou uma xamânica que toca tambor, já andei fazendo umas rodas de cura. Estou num momento de decidir várias coisas.

O xamanismo trabalha saindo dessa realidade que a gente toma como a realidade absoluta: é como se você fizesse uma viagem para uma realidade paralela, alternativa. E acredito que essa realidade alternativa, que é bem maior do que essa nossa de três dimensões, faz mais sentido e é mais significativa que essa que parece a realidade total. Eu acho que a gente está aqui para acessar essas coisas maiores e realmente mais importantes. Viajo sem usar ervas. Já usei ayahuasca, nada contra, mas não é a minha medicina. Só uso o tabaco e o tambor.

Sou da linha que acredita na maestria de cada um, não acho que a gente tem de se curvar a Deus ou que o universo vai nos condenar. Acho é que a gente tem de ampliar a consciência e ampliar a maestria. E o caminho para essa ampliação da maestria é fora da realidade 3D. Se você ficar só na realidade 3D, entra na briga de poder, que é um beco sem saída. O caminho da ampliação da consciência chega na maestria num estado ampliado. Com isso, você começa a ver as coisas de um jeito diferente. Aqui parece quase um teatro... E você vai vendo várias vidas, vai vendo temas, vai fazendo descobertas... Enfim, vivi algumas experiências, tive muitas mudanças em pouco tempo, então estou vendo para que lado vou.

Ma Devi Murti

Ma Devi é terapeuta ayurvédica com expertise em diversas técnicas e terapias, como massagem *abhyangha* a quatro mãos e orientação nutricional, feitas em parceria com Silvia de Oliveira. As duas também coordenam círculos gratuitos e abertos às mulheres em geral, que acontecem em locais públicos de São Paulo. Juntas mantêm o site www.ayurverde.wixsite.com/ayurverde e o Instagram www.instagram.com/gaia_alimentacao/.

Quarenta e sete anos, bem alta, imponente, sorriso largo, Ma Devi lembra as belas e poderosas forças da natureza que ela reverencia. Fizemos a entrevista na manhã de um sábado quente, em 4 de março de 2017, sentadas ao lado de imagens, cristais e flores que energizam a sala de seu consultório no centro de São Paulo. A certa altura, Silvia se juntou a nós e participou da intensa conversa.

MÃES, AVÓS, INFÂNCIA
Uma menina tímida e "diferente"

Meu nome é Claudia Ferreira. Sou a filha do meio do segundo casamento de Antônio Mendes e de Genésia Rosária Ferreira. Minha mãe é negra e meu pai, branco. Eles se apaixonaram, ficaram juntos e tiveram meu irmão, eu e minha irmã. Fomos morar no interior de São Paulo, em Tapiraí, um lugar divino! Tive a melhor infância do mundo, no meio do mato, pescando, caçando, bem próxima da natureza.

Tapiraí era uma colônia japonesa, com algumas famílias de origem italiana e alemã. A única família que tinha negros era a minha. Fizemos muitos amigos, eles gostavam de nós, mas eu sentia necessidade de me colocar, de ter postura. Sempre fui muito tímida, mas, com a questão de ser muito mais alta que as outras crianças e negra, não me sentia igual a elas. Então buscava me sobressair sendo líder de classe, participando do grêmio estudantil, do teatro da escola, essas coisas. Sempre procurei ser a primeira em tudo para esconder uma timidez enorme e a sensação de ser diferente.

Quando eu tinha 11 anos e o meu irmão, 12, de repente minha irmã caçula de 10 anos faleceu. Ela teve meningite num dia e morreu no outro. Estávamos numa festa de casamento longe de casa quando isso aconteceu, e no dia seguinte ela foi enterrada. Foi terrível a gente voltar para casa sem ela! Isso foi um marco bem forte na minha vida. Sempre fui meio ciumenta: era a filha do meio e já me sentia estranha entre meu irmão e a caçula. E confesso que quando a minha irmã morreu pensei: "Agora tenho um lugar, tenho a mamãe só para mim". Coisa de criança mesmo, acho que criança tem um lado meio anjo e meio demônio... Mas ledo engano, minha mãe vivia numa tristeza profunda e se entregava totalmente ao trabalho. A sensação que me ficou é que minha mãe tinha morrido junto com minha irmã. Ela demorou muito para se recuperar.

Eu ansiosamente esperava a minha mãe chegar do trabalho para ir correndo para os seus braços, mas ela me repelia dizendo estar muito cansada. Eu ficava profundamente triste. Tenho muito nítida uma imagem dela sentada no sofá e o gato que a gente tinha passando o rabo nas pernas dela e de repente subindo no seu colo – e ela deixava, fazia carinho, fazia cafuné no gato. E eu pensando assim: "Nossa, o gato! A minha irmã foi embora e agora tem o gato!" Até hoje penso nessas coisas.

Quando fiz 15 anos, mudamos para São Paulo para estudar e minha mãe encontrar um trabalho melhor. Ela tinha pouquíssimo estudo, mas começou a estudar com os meus livros e fez o ginásio e o colegial por supletivo e começou a prestar concursos. Começou como servente numa escola, depois foi trabalhar na área da saúde já como secretária e acabou como oficial judiciário no tribunal de alçada civil.

DESAFIOS ENFRENTADOS POR SER MULHER
Um casamento sem amor e dois filhos

Quando mudamos para São Paulo, não namorava ninguém por ser muito alta e tímida, mas morria de paixão por todo mundo! Com 17 anos conheci o primeiro namorado, dei o primeiro beijo e com 20 casei com esse homem. Casei porque fui me deixando levar, como se fosse o natural a fazer. Ele era o cara "perfeito" para minha família. Lembro que dias antes de casar, falei para minha mãe: "Mãe, eu não quero isso!" E ela respondeu: "Menina, sua louca, como assim? Você vai casar, sim! Ele é maravilhoso: não fuma, não bebe, é trabalhador, é honesto".

Que horror que eu fiz! Já na noite de núpcias, a decepção! Eu era romântica, fantasiava muito e esperava algo maravilhoso. Mas ele ficou vendo um jogo de futebol na TV e eu tive de tirar meu vestido de noiva sozinha. Ali já foi um negócio estranho, foi tudo muito ruim. Chorei a primeira, a segunda, a terceira noite, e pensava: "E agora, o que é que vou fazer?"

Seis meses depois, uma irmã do meu marido que eu não conhecia apareceu na minha casa com um bebê bem novinho, lindo. Ela se apresentou, perguntou se podia deixar a criança um pouco comigo para ver um trabalho e pediu dinheiro emprestado para fazer isso. Dei o dinheiro, fiquei cuidando do bebê e ela foi embora. No momento em que ela saiu de casa o neném ficava me buscando com o olhar, como se eu fosse a mãe dele: me assustei. Passou uma semana, mais uma, mais uma, e nada de ela voltar. E não voltou mais mesmo! Fui falar com a minha sogra, mas ela já criava sozinha outros dois filhos dessa filha, não ia ficar com um terceiro. Minha mãe também falou: "Não fique com essa criança! Você acabou de casar, vai ter seus filhos! Você está louca? Isso não se faz". Mas eu já sentia ele como meu filho.

Depois de semanas em que estava com o bebê, me orientaram a ir ao fórum resolver a questão legalmente. Fui direto falar com o juiz, disse que queria a guarda e a adoção daquele menino. Fui muito convincente quanto ao que queria e o juiz acabou me dando a guarda por tempo indeterminado. E garantiu também que depois de cinco anos, tendo feito todos os trâmites legais, ele seria adotado definitivamente por mim. De repente me vi com aquela criança para criar. E era bem estranho, porque ele é branco, bem branquinho mesmo, bem diferente de mim. Quando eu o levava ao pediatra ouvia que ele não se parecia comigo, que devia ser igual ao pai. Era um saco, mas enfrentei de boa.

Nunca achei legal essa coisa de filho único, então quis ter outro filho – apesar de o casamento não ser muito bom. Fiquei grávida e, muito sonhadora, achava que seria lindo como nas novelas e nos filmes. Meu marido ia me beijar, beijar a barriga, fazer carinho e blá-blá-blá. E nada disso aconteceu, claro! Ele só sabia trabalhar, presença zero. De novo tive de desromantizar. Então passei uma gestação muito sozinha, somente com a presença do meu filho Cacá.

Como a gravidez foi muito solitária e nada do que eu esperava aconteceu, decidi que não queria sentir dor no parto e paguei para ter um parto por cesárea agendado. E foi horrível! Na hora do parto, senti eles rasgando a minha barriga. Aquele monte de luz, aquele monte de gente em volta e aquele solavanco deles puxando o neném de dentro de mim. Fiquei de olhos fechados, e quando eles me mostraram o neném falei: "Tira ele daqui logo, vai ver se ele está bem, se está respirando". Foi tudo muito ruim e não tive suporte de ninguém: nem de mãe, de nenhuma mulher. Por isso que são importantíssimos os círculos de mulheres. Tudo que faço hoje é porque senti na minha pele. E isso não é nem o começo!

Por causa da gravidez tive uma coisa pior, hemorroida. Então era o neném chorando com minha mãe no andar de cima e eu chorando no andar de baixo com meu pai. E não consegui amamentar direito porque o meu peito empedrou, rachou e tive dores infernais. Amamentar não é tão romântico assim. A resistência do bebê ficou muito baixa, ele desenvolveu alergia, problema respiratório, era bem frágil. E assim foi passando o tempo, eu com um menininho me segurando pela saia, o outro no colo... E muito infeliz no casamento.

OS PRIMEIROS CÍRCULOS
A roda de mães no hospital

Quando meu filho mais novo completou 4 anos, descobrimos um problema sério em seu coração e que seria necessário fazer uma cirurgia. Quando cheguei ao hospital para fazer o tratamento prévio havia muitas mães. Não tinha um pai sequer, só as mães e os filhos doentes. Elas comiam, tomavam banho e dormiam no hospital para ficar junto dos filhos o tempo todo; eram todos muito doentes. Apesar de estar ali para fazer uma cirurgia no coração, meu filho era o mais saudável.

Mesmo com todos os problemas, sempre tive uma alegria absurda dentro de mim. E aquelas mães desesperadas viram algo em mim: eu conversava com elas, rezava com elas, dizia "Olha, Nossa Senhora há de proteger seu filho. Vai ficar tudo bem". E de repente tinha uma roda de mulheres em volta me ouvindo, pedindo para eu rezar. E eu dizia: "Vamos rezar juntas". A gente conversava e trocava experiências sobre nossos filhos doentes. Ali comecei a sentir um amor diferente. Não senti isso com a minha mãe, não senti isso com o meu pai, não senti isso com os meus irmãos, não senti isso com os meus amigos, não senti. Eu fui sentir esse amor dentro do hospital só com mulheres, mães com os seus filhos doentes! Acho que a minha primeira roda de mulheres foi dentro daquele hospital.

DESAFIOS ENFRENTADOS POR SER MULHER
Vi meu mundo desmoronar completamente

Meu marido começou a trabalhar em casa fazendo projetos de peças para carro em AutoCAD. E muitas vezes os clientes vinham vê-lo, o que era complicado, já que tínhamos duas crianças pequenas e a casa necessitava estar impecável... Confesso que não dava conta. A gente morava em Barueri, então alugamos um escritório em Alphaville e eu comecei a trabalhar com ele nesse escritório. Meus pais ficavam com as crianças. Eu abandonei de vez o meu mundinho e fui viver a vida dele, de trabalhar, trabalhar, trabalhar! Só que todo dinheiro que a gente ganhava ia para manter aquela estrutura. Minha vida chegou a um ponto que eu não tinha o básico dentro da minha casa, mas tinha um baita escritório em Alphaville. Vivia de glamour!

CÍRCULOS DE MULHERES

Comecei a rever meu casamento, a vida que levava e acabei propondo a separação para meu marido. Ele concordou, saiu da empresa que tínhamos, montou outra e eu abri um birô de plotagem. Nessa época apareceu um homem maravilhoso que se encantou por mim. Eu estava com 29 anos e até então eu só tinha beijado um homem, meu marido. Depois de três meses com ele me seduzindo, pela primeira vez na vida comprei uma lingerie. Foi a primeira vez que comprei uma lingerie para mostrar para um homem, pela primeira vez estava me sentindo desejável. Tem noção do que é isso para uma mulher? Então me permiti, fui ao encontro dele e finalmente tive a minha noite de núpcias. Eu fui parar na lua, no sol, sei lá onde, porque aquele homem estava me desejando. E eu fui consciente de que talvez fosse uma única noite, porque eu era uma mulher negra, pobre, não me achava tão bonita assim, e o que esse cara ia querer comigo? Mas ele quis me ver de novo, e de novo, e de novo!

Então meus pais foram morar na praia com meus filhos, eu fiquei em Alphaville trabalhando; descia para passar o final de semana com eles. Comecei a repetir o que o meu marido fazia, virava a noite trabalhando, mas não ganhava o suficiente. Aí minha casa em Barueri foi assaltada e levaram minhas coisas. Comecei a dormir no escritório. Cheguei a passar fome e não ter dinheiro para descer para a praia e ver meus filhos. Vi meu mundo desmoronar completamente!

Continuava com aquele homem, mas não queria nenhuma ajuda dele. Gostava da sensação de ser uma mulher bonita e desejável. Ele era rico, se quisesse mudava a minha vida, mas a gente nunca entrou nesse mérito. Então, um belo dia não aguentei mais e liguei para ele. Foi a primeira vez que pedi algo; pedi para ele comprar minha máquina de plotagem para que eu pudesse ir embora para a casa dos meus pais. E ele respondeu que ia falar com o contador para ver o que dava para fazer! Quando falou isso, tive certeza de que não poderia contar com ele para nada. Então vendi a máquina para meu concorrente e fui embora sem olhar para trás.

No final de 2005 voltei para a casa dos meus pais. Mas não era mais a minha casa, não eram mais as minhas coisas e os meus filhos também estavam muito distantes de mim. Foi horrível! Um antigo *affair* apareceu justamente nessa época em que eu me encontrava carente e perdida; acabamos ficando juntos uma única vez, mas bastou para que eu engravidasse. Contei aos meus pais e aos meus filhos. Foi difícil porque eu estava sozinha, mas comecei a amar aquela barriga!

Fiz o pré-natal, o primeiro ultrassom, estava tudo certo. Meu bebê já tinha nome, Ana Carolina. No quarto mês de gestação tive um pequeno sangramento, fui fazer um novo ultrassom e o médico então me disse que não havia mais feto, que eu estava passando por uma gestação anembrionária. Fiquei desesperada: como assim o feto não existia? E os meus peitos enormes e a minha barriga? O médico explicou que realmente houvera um embrião, mas que devia ter uma anomalia muito grave e que a natureza era sábia. Que quando a fêmea de algum animal percebe que o filho não vai sobreviver, "come" o filho. E que eu tinha feito isto: tinha reabsorvido meu filho porque percebi que ele não sobreviveria. E eu tentando entender: "Como assim?" O meu corpo reabsorveu o bebê?"

Só que, além do sofrimento de descobrir que não tinha nada na barriga, o médico disse que não podia me dar um remédio para expulsar o saco gestacional porque seria considerado aborto. Falou para eu ir para casa e esperar, que meu corpo por si só eliminaria o que restava da gravidez. Fui embora achando que no máximo em uma semana tudo se resolveria. Mas sangrei por três semanas com muitas dores. Um dia em que meus pais tinham saído e eu estava sozinha com meus filhos, senti dores lancinantes. Fui a vaso sanitário porque senti vontade de fazer xixi e saiu um coágulo enorme. Meu filho mais velho me socorreu e chamou uma ambulância. E na ambulância havia um enfermeiro que me tratou como lixo porque achou que eu tinha provocado um aborto.

No hospital, depois de dores terríveis e muitas contrações, fiz uma força descomunal e senti saindo tudo de mim, um alívio absurdo. Mas então me deu desespero porque eu não ouvi choro. Foi um vazio do profundo da minha alma. Eu pari o nada! Ao mesmo tempo em que veio o alívio veio a dor, mas uma dor que eu não sabia nomear. Veja que babado forte! Como me neguei a fazer um parto natural – paguei para não ter dor e não quis ver o meu filho –, eu não sabia o que era contração, eu não sabia o que era dilatação, eu não sabia o que era toque, eu não sabia nada. E fui viver isso parindo o nada.

Ainda fui internada para passar por curetagem. E a única vez em que me senti bem com alguém naquele momento foi com uma médica, que foi carinhosa e falou que ia fazer a curetagem com todo cuidado, que não ia me machucar e que tudo ficaria bem. Então a única energia de amor, de doçura, que recebi foi, de novo, de uma mulher. Tudo que faço hoje, faço porque senti na minha pele, na minha alma, no meu espírito, no meu ânus, no meu útero, no meu coração.

JORNADA PESSOAL
A doença como caminho

Acabei voltando para São Paulo sozinha e trabalhei em vários lugares. Tive alguns empregos até glamorosos, mas sempre ganhando pouco e tendo dificuldade de enviar dinheiro para meus pais e filhos. Foi quando conheci um homem que trabalhava no mercado financeiro comprando cotas imobiliárias, que me convidou para trabalhar nisso, me remunerando por comissão. Aceitei, trabalhei demais, me dediquei totalmente e acabei ganhando um bom dinheiro. Com isso consegui pagar as dívidas da minha mãe, que não eram poucas, e comprei duas quitinetes – uma é essa onde tenho o consultório; a outra, também nesse prédio, é onde moro.

CÍRCULOS DE MULHERES

Tudo ia bem, até que um belo dia, em 2008, amanheci completamente muda. Minha amiga Silvia estava perto e chamou um amigo médico. Ele veio e trouxe outro médico. Eles me examinaram e viram que eu tinha dois nódulos na garganta. Fomos ao laboratório para o ultrassom e eles, esquecendo que eu estava muda, mas não surda, disseram: "É câncer!" Claro, levei um baita susto! Um desses médicos disse que queria me levar a um espaço que lidava com espiritualidade e que achava que seria bom para mim. Topei e os dois me levaram para um lugar no meio do mato, muito bonito, em Caucaia do Alto.

Lá me serviram chá de ayahuasca, só que me deram sem falar o que acontecia, a miração toda. Nossa, não dá para ter noção do que vivi: foi o melhor dia da minha vida! Quando entrei na "força" da ayahuasca estava tocando uma cítara, e na minha miração me transformei em notas musicais. Foi uma sensação indescritível! A partir daquele momento, foi como se eu tivesse recebido um *download*, mas um *download* hindu! Não foi nem africano, o que por ser negra talvez fosse o lógico, mas hindu. E aquilo para mim foi muito, muito louco. Eu já não aguentava o meu próprio corpo, fui para fora, abracei uma árvore e foi extraordinário a conexão com a natureza. Saí de lá mudada – e, por incrível que pareça, a minha voz voltou. No outro dia os médicos ajeitaram tudo para eu fazer a cirurgia e a radioterapia. Depois fui novamente tomar o chá, agora com outro pessoal, em São Sebastião. E essa sessão de ayahuasca foi tão maravilhosa quanto a outra, com muito *download* mesmo, de virem coisas que não dava para eu saber sozinha.

E um dia, na casa da minha mãe, na época em que fazia a radioterapia, senti como se todos os meus ossos fossem de vidro e fossem quebrar. Minha mãe me socorreu, me levou para a sala e eu me vi – eu me vi! – deitada no sofá moribunda, com a minha família toda em volta, aquela coisa pesada. Então falei: "Não, não vou deitar no sofá! Mãe, põe música para mim?" Ela colocou o mantra de Narayana, fiquei em pé e, conforme ia sentindo a música no meu corpo, comecei a dançar. E não quebrei nem tive dores terríveis. Ali percebi uma forma de me autocurar que levo para o resto da minha vida: a alegria, a dança, a brincadeira, o sorriso, o humor, tudo isso é curador para mim.

Depois de certo tempo comecei a frequentar um espaço espiritual com o uso da ayahuasca e muito estudo do tantra, de ampliação de consciência, bem legais. Durante quatro anos frequentei o lugar e fazia cinco retiros por ano. Três ou quatro dias de voto de silêncio, monodieta, ioga, meditação e também ayahuasca.

E de repente apareceu um nódulo no meu seio que começou a crescer – não era maligno, mas era preciso tirá-lo. Fiz a cirurgia, foi tudo bem, mas o local não cicatrizava. Usei os curativos mais sofisticados que existiam e nada de cicatrizar. O médico então tirou os pontos e deixou aberto. E aí ficou aquele buraco negro no meu peito, que eu não queria ver de jeito nenhum! Eu não olhava, não olhava... Então fui a uma festa naquele espaço e, na força da ayahuasca, consegui olhar para o buraco no meu peito e falei (ou brinquei): "O que você quer falar para mim? Eu estou olhando para você. Olha para mim e fala o que você quer".

Uns quatro dias depois, na minha casa, de repente e de forma totalmente espontânea, me senti transportada para outro lugar e vivi, vivi mesmo, uma experiência de outra vida. Vivi da infância até a morte como uma menina chamada Maria, negra e escrava numa fazenda no interior da Bahia. Maria foi violentada inúmeras vezes pelo dono branco da fazenda, engravidou e teve um filho negro e de olhos azuis como o pai. Amava muito o filho, mas ele foi tirado dela para que amamentasse o filho do patrão, porque a mulher dele não tinha leite. E seu próprio filho acabou morrendo de fome. Sofreu ainda mais violência dos capatazes quando foi levada à força para amamentar o filho do patrão e, meio enlouquecida com a dor da perda do filho, cortou os próprios seios. Aí ela enlouqueceu de vez e foi viver na mata. Depois de muitas privações, vivendo quase como um animal, um dia ela se sentou na beira de um rio, olhou a própria imagem e caiu no rio. Deixou-se arrasar pela correnteza e morreu.

Depois de viver a vida de Maria do começo ao fim, eu voltei para mim mesma. Assim que voltei, escrevi a história toda, quase como psicografando. Foi então que entendi por que fiquei muda e o porquê do problema no seio.... Quando, no finalzinho, ao olhar para o espelho d'água – o espelho é um portal –, Maria não se reconhece e não sabe mais o que é, vem a ela uma lucidez absurda e ela mergulha para ver o que sai do outro lado. E quem sai? Ma Devi Murti.

Essa história da Maria me levou muito para a questão da mulher, para essa coisa do útero, da mãe, de querer e de não querer amamentar. E eu sou mãe biológica e adotiva. Com 21 anos, na minha maioridade, veio um filho que não era meu, superdiferente de mim, para eu amar. Essa experiência de "viver" como Maria foi avassaladora tanto para a minha espiritualidade como para meu entendimento do que é o amor, esse amor fora do sistema, esse amor dilacerante. De perceber o que está por trás de toda violência, de ir além da própria dor.

O lugar onde tinha meus encontros espirituais era dirigido por um homem e sua mulher, que às vezes deixava bem claro que não gostava muito de mim porque eu chego chegando nos lugares. Olha o meu tamanho, 1,84 m de altura! Nos trabalhos com a ayahuasca tinha o *satsang*, que é uma sessão de perguntas de "meros mortais" para o dono da verdade, o "guru" responder. Ele não gostava de ser chamado de guru, mas se portava como tal na maioria das vezes, e só ele finalizava as questões. Ficávamos em círculo, porém era hierárquico, piramidal até! E a mulher sempre do lado dele, mas passando por várias situações constrangedoras (eram nítidos o ciúme, a competição, o medo de perder seu "precioso" lugar) porque aquela presença masculina era extremamente importante na vida dela.

CÍRCULOS DE MULHERES

E, toda a vez que a gente falava de sagrado feminino, lá vinha a bendita questão da maternidade: a romantização da maternidade, como se mulher fosse só isso. Comecei a questionar por que tudo que se referia ao feminino se referia à mãe e somente à mãe. Mulher não é só mãe! Inclusive já desconstruí isso com meus filhos: sou mãe, mas não quero ser endeusada por isso – sou humana. E um dia, nesse círculo que tinha homens e mulheres, falei: "Com a licença da palavra: e a mulher que não quer ter filho? E a mulherada que não tem útero? E a mulher que não é mulher, que não tem vagina? E a mulher que não...?" E aí, sem deixar ninguém responder, comecei a questionar esse amor incondicional de mãe e falei, falei, falei... Acho que não gostaram muito! Numa outra sessão em que eu, a Silvia e mais dois rapazes estávamos felizes, rindo, a dirigente da casa nos repreendeu na frente de todos e nos chamou de bacantes. Eu não sabia o que era uma bacante, mas ela deixou bem claro que era algo muito ruim.

Depois, navegando pela internet descobri que ia acontecer uma festa dionisíaca no terreiro grego. Terreiro grego? Olimpo e Aruanda juntos? Ah...Claro que eu tinha de ir ver isso de perto, mesmo porque no anúncio da festa dizia que haveria BACANTES no local! Era uma festa numa casa, o DJ tocava um som muito legal, tecnomacumba. Tinha uma mulher muito gorda vestida com roupas que lembravam as deusas gregas e que eu achei linda, parecia uma deusa. E muitas outras mulheres vestidas de gregas e homens fazendo malabarismo, uma coisa maravilhosa, todos dançando, alguns se beijando e eu adorando tudo aquilo. De repente a mulher gorda nos convidou para ir ver a lua. Ela estava encoberta pelas nuvens; de repente, o céu se abriu, a lua surgiu enorme e todos começam a uivar para ela, e eu também. E vi que era de fato uma bacante, eu era tudo aquilo ali. Me perguntei: seria esse o paraíso da liberdade perdida? Só vi AMOR, espontaneidade, não julgamento. Alegria e leveza, tudo que eu procurava naquele lugar "espiritual" que pregava a liberdade, mas que era bem careta. Eu sou mesmo essa coisa profana, dionisíaca. Senti uma força e um prazer enormes. Pensei: "Isso é afrodisíaco! Afro-dionisíaco! Africano, grego, sem fronteira, na real". Ah.... Essa noite foi iniciática: Evoé![5]

O TRABALHO COM OS CÍRCULOS
A roda é o caldeirão alquímico onde acontece a transformação

Fui convidada para um círculo de mulheres no Parque do Ibirapuera; nunca tinha participado de um e fiquei como observadora. As facilitadoras vestiam negro e guiavam uma ritualística de cura do útero de acordo com uma mestra americana, tudo muito marcadinho, sem espontaneidade. Senti falta de uma conversa, via que as mulheres queriam falar e interagir mais, mas ali tudo era muito pré-fabricado. Participei de outros

---

5. Grito de evocação proferido pelas bacantes, as sacerdotisas do deus Baco (ou Dionísio).

e fui percebendo a reprodução do patriarcado dentro da roda. Pouco se falava de violência doméstica, machismo, saúde da mulher, pouco se ouviam as mulheres. O assunto mais falado pelas facilitadoras era a maternidade, e do meu ponto de vista mulher é muito mais que uma reprodutora e educadora dos filhos do patriarcado.

Então comecei, de forma espontânea, a me reunir com mulheres, a abrir rodas em lugares públicos como parques e ocupações, em algumas delas convidando mulheres pelo Facebook, em outras de forma fechada somente entre amigas. Essas rodas passaram a acontecer com certa frequência e sempre de forma gratuita. Nesses encontros aparecem mulheres diversas: feministas, ativistas, politizadas, mulheres do lar, oprimidas, mas todas sedentas de acolhimento, todas buscando o autoconhecimento e o resgate da própria sabedoria em relação ao corpo, às emoções e ao espírito.

O mais bonito é perceber a expressão criativa de cada mulher, dar voz a elas, valorizar e integrar as contribuições de cada uma em prol da própria cura, da cura do lar e da comunidade de forma geral. Em cada círculo vemos que podemos e temos condições de criar um mundo melhor, sem dominação e exploração, resgatando a sabedoria ancestral, exercitando autonomia. Mas uma autonomia que requer a responsabilidade de auto-observação e a observação de tudo ao redor.

Acredito que o círculo é aberto antes de começar; já tem uma força criativa se manifestando. Como facilitadora, sempre me coloco como um bambuzinho oco por onde vem o sopro. Eu não acredito muito em ritualística para acontecer a coisa. Gosto da ritualística, mas antes de ela acontecer o "babado" já é! E não precisa de afetação nem de pedantismo. Um círculo já tem terra, água, fogo e ar, e o espírito está se manifestando. Nossa reunião é o caldeirão alquímico onde acontece a transformação. A roda é um caldeirão mágico, a roda é o útero. A partir do momento em que cada mulher começa a falar: "Eu sou fulana de tal, eu vim para o círculo por isso, por isso e por isso", a magia acontece. Tudo é muito simbólico.

A priori, nossos círculos nunca têm tema. O assunto, o tema é o que brota. E você não sabe o que vai brotar. Tudo *Sahaja*, espontaneidade, naturalidade. Não tem ritualística, não tem dança circular – pode até acontecer, se for espontâneo –, mas o principal é sabermos quem é você e ouvir a sua fala. Os círculos também não têm horário marcado para terminar. Se é *Sahaja*, é espontâneo, é natural. Temos o horário inicial e, de forma muito tranquila, ele se encaminha e tem meio e fim. Mas na realidade o círculo nunca se fecha! Ele está no dia a dia, a todo momento, a toda hora.

Existem pessoas que estão preparadas para isso e outras que não. Quando você vem com coisas muito libertárias, pode assustar. Então tenho de ter proteção, mas a minha proteção não é incenso nem sal grosso. É eu firmar na minha criança interior, firmar na minha alegria, no meu coração compassivo. Essa é a minha maior proteção, e está dentro de mim e de cada uma também!

CÍRCULOS DE MULHERES 203

Homens não podem participar, nunca! A maioria, 99,9% das mulheres, já sofreu violência com relação ao masculino. Se não foi violência física foi relacionamento abusivo, verbal etc. Se tem uma presença masculina, a mulher contrai o esfíncter, impedindo a circulação de energia. Se estamos só entre mulheres há liberação, relaxamento, soltam tudo. Começam a falar e falam mesmo, contam suas histórias, seus segredos, inclusive os abusos.

JORNADAS SOMBRIAS NOS CÍRCULOS
A dor do feminino

O feminino é muito dolorido. A gente tem de lamber bastante essa ferida, unidas como numa alcateia. Sair da energia separatista do patriarcado. Patriarcado é guerra, é competição; pouco se olha, pouco se conhece de si mesmo. É um sistema em que o importante é consumir e produzir, não há tempo para afeto, acolhimento e amor. Toda vez que abrimos um círculo, tudo vem à tona, bem e mal, porque tudo é dualidade até você perceber que dualidade é ilusão. Nos círculos temos oportunidade de perceber quanto reproduzimos daquilo que odiamos, contra o que lutamos. Há círculos em que mulheres têm de trajar saia, onde não se fala sobre menopausa e o processo da velhice, que não aceitam lésbicas, trans etc. Isso é um círculo baseado na ótica do patriarcado, da separação, da exclusão.

E para algumas mulheres a ferida é bem pior. Não podemos esquecer que existe muita dor sobretudo para a mulher negra e para a mulher pobre. Na sociedade a discriminação pode ser tripla: por ser mulher, pobre e negra. Temos de ter muito cuidado porque é um campo minado. A chave é se colocar no lugar do outro. Tem muito mais que ver a atitude do que o discurso.

JORNADAS DE CURA NOS CÍRCULOS
A importância da fala, do acolhimento e da irmandade

Nos círculos, o que as mulheres precisam mais é ser ouvidas. Elas estão tão engasgadas, tão sufocadas, tão necessitadas de falar para quem verdadeiramente as escute! Num círculo, quando a primeira fala, ainda está retraída, meio tímida; a segunda, que já ouviu a primeira, se solta mais; na terceira, muitas vezes já vem o choro, a catarse. É mágico!

Quando acontece algum conflito, a pessoa que gerou isso já espera que os ânimos vão se exaltar, que vai haver confusão, retaliação, briga. E não é assim, isso é tratado com muito amor. As palavras saem suaves, mas com firmeza e amor. E isso transmuta, amor cura. Quando nós ancoramos o acolhimento, é mágico! Quando nos abrimos, nos reconhecemos. Criamos intimidade, uma coisa linda que vai acontecendo, se manifestando.

Os círculos podem dar acolhimento, fazer nascer e crescer a irmandade e a força da reunião de mulheres. Na verdade, a mulher que sofre algum tipo de abuso sofre porque se vê sozinha, sem nenhum acolhimento. Quantas mulheres ficam até sem dente de tanto apanhar, chegam a denunciar, mas logo voltam atrás? Porque depois que esfria o calor vem o pensamento: "Eu tenho um marido, uma casa. Mas se eu falar *não* para o meu marido perco a casa, o marido, o filho, perco dinheiro, perco, perco"... Se olho para trás e não tem ninguém para me amparar, eu permaneço na violência. Se você não tem suporte, você suporta. Enquanto a gente não trouxer essa irmandade entre as mulheres, enquanto a gente não perceber que somos comadres, irmãs, namoradas, amantes, amigas, mães e filhas umas das outras, nós vamos passar por muito sofrimento. Acolhimento é reunião, é saber que se você apanhar de um cara vai ter um montão de mulher para te defender. Aí a mulher que apanha vai sentir que tem o poder de sair dessa situação.

Antigamente as mulheres tinham isso. O babado era muito louco porque elas se relacionavam entre elas. Tinha um outro nível de consciência, até que o patriarcado veio, botou a bota na garganta da mulher, a calou e disse: "Isso é o demônio". É porque ele sabe que é muito poder. Na verdade, somos uma, sua dor é a minha dor. Não tem como não sentirmos juntas.

E o patriarcado não é coisa de homem, é um tipo de cultura. Eu também não quero um matriarcado opressor, porque estou vendo muita mulher botando a bota em cima do pescoço do homem. Tem muitos homens me procurando, pedindo acolhimento. O que precisamos é trabalhar afeto, amor, mudança, fazer uma revolução no mundo!

OLHARES PARA A VIDA...
Tudo é!

Eu achava que reencarnação, essa questão de outras vidas, era balela, mas depois da experiência de entrar num portal como Claudia Ferreira, viver como Maria e sair por outro portal como Ma Devi Murti, para mim não é mais uma questão de acreditar: eu vivi isso, eu sou ISSO! Então a morte já não me assusta, mesmo porque sou devota de Kali, a Negra. É nela que se diluem todas as distinções, ela a que lança fora o véu da ilusão. Sou devota dessa mãe que devora, que come o próprio filho, que faz parte de todos os ciclos, de nascimento, criação e morte. Dentro desse útero cósmico tudo é criado, mantido e destruído para que algo novo possa nascer. É Prakriti, a Natureza, é dessa deusa que sou devota – e por isso, por perceber o amor por trás de todas as coisas e além da ilusão separatista, gosto de chamar nossos círculos de mulheres de roda do sagrado profano feminino.

Sou *Vajra yogini*, também iniciada no *tantra Sahaja*[6], que é espontaneidade, naturalidade. É o cocô do passarinho que tem uma sementinha dentro que por si só, sem ninguém proteger do sol, do vento, da chuva, vai dar um jeito de se transformar em árvore e dar frutos para outros pássaros comerem. Esse princípio é o *Sahaja*, o fundamento da natureza – que é complexa e caótica, mas absolutamente perfeita em sua simplicidade. E o tantra é uma filosofia nascida na sociedade rural da Índia antiga, a civilização drávida, nascida no bojo matrilinear, em que imperava afetividade, sensibilidade e amor, em que DEUS era a grande mãe divina natureza. Meu serviço amoroso com as mulheres é consagrado a ELA, que simbolicamente gosto de retratar como uma mulher de seios e barriga fartos e quadril largo, repletos de opulência e graça.

Talvez essa lucidez seja a meta, a razão aonde a gente tem de chegar com todas essas experiências. É perceber que a felicidade é esse pacote de dor e prazer, alegria e tristeza, tudo dentro e fora. Se você percebe que tudo é oceano, que aquela mina d'água, que aquela nascente d'água vai se transformar em riacho, em correnteza, em cachoeira, em oceano, em nuvem... você vê que tudo é!

---

6. A ioga *Sahaja* é um método para obter a autorrealização, a união interior da nossa consciência com o nosso ser interior, que é a dimensão divina dentro de cada um de nós.

Marisa Sanabria

Marisa é psicóloga clínica formada pela Universidade de Filosofia, Ciências e Letras de Montevidéu. Tem formação em Psicanálise e em Psicologia Transpessoal, mestrado em Filosofia e é pós-graduada em Psicologia e Gênero. Foi professora universitária por três décadas. Estuda e trabalha há anos com mulheres em terapia, oficinas e grupos femininos e escreveu diversos livros sobre o tema. Mantém o site http://www.clinicadofeminino.com.

Ouvimos uma palestra da Marisa em 2016, e ficamos tão encantadas que decidimos convidá-la a participar deste livro. Como mora em Belo Horizonte, nós a entrevistamos por Skype no dia 22 de julho de 2017. Marisa, 63 anos, é uma mulher vibrante que sorri com o rosto todo, especialmente com os olhos. Para além de sua fala ponderada, emocionou-se e nos emocionou quando falou dos extraordinários episódios relacionados com sua filha.

MÃES, AVÓS, INFÂNCIA
Uma infância com mulheres imponentes e mãe autoritária

Nasci em Montevidéu, Uruguai. Meus pais se divorciaram quando eu tinha 5 anos. Naquela época não era comum a mulher trabalhar fora, mas minha mãe fez isso. Nós fomos morar na casa dos meus avós, então passei a infância bem próxima da minha avó, uma pessoa decidida. Era uma mulher do lar, mas que plantava, cozinhava, tinha várias atividades e era bastante imponente. Tive tias que também faziam e aconteciam – como se diz na Espanha, de *armas tomar*. Assim eram as mulheres da minha família.

Tive uma relação distante com meu pai, pois, quando ele e mamãe se separaram, ele saiu de Montevidéu e a gente só se encontrava de vez em quando. Só adulta resgatei nossa relação. E anos depois ele me disse que o melhor remédio para uma mulher era a cultura. Então penso que ele também me passou seus valores.

CÍRCULOS DE MULHERES

Minha mãe era uma mulher poderosa e autoritária. Fui educada com parâmetros que não eram habituais naqueles tempos: por exemplo, não sei cozinhar. Sempre que entrava na cozinha, minha mãe dizia: "Não, não cozinhe. Estude e pague alguém que cozinhe para você". Até hoje, com 63 anos, não vou para a cozinha... Essas são marcas consistentes, densas, profundas. Por conta do autoritarismo de minha mãe, quis sair cedo do Uruguai, e fiz isso assim que tive oportunidade. Com 21 anos vim trabalhar no Brasil e nunca mais voltei a morar lá. A filha única mudar de país foi um grande impacto para ela, mas nunca disse: "Não vá!" Ela chorava, mas não dizia para eu não ir.

Já adulta, com minha filha saindo da adolescência, vivi uma grande reconciliação com a minha mãe. Tive uma relação com estremecimentos por conta do seu autoritarismo, mas me entender com ela foi muito bom e importante para mim. Em seus últimos anos, tínhamos uma relação de uma curtir uma a outra; ela sempre vinha me visitar. Minha mãe costurava e bordava e eu hoje costuro e bordo. Atualmente, quero fazer as minhas roupas porque ela fazia minhas roupas. Acho que esse é um dos grandes resgates das questões com minha mãe. Ela morreu em 2011: caiu, quebrou o fêmur e morreu dez dias depois. Eu estava no Brasil, mas consegui chegar lá e estar com ela nos seus últimos dias de vida. Acho que o trabalho com as mulheres foi terapêutico em muitos sentidos para mim, mas uma das coisas mais curadoras que vivi foi a reconciliação com minha mãe.

JORNADA PESSOAL
Mudando para o Brasil

O Uruguai é um país com uma educação privilegiada. Eu me formei nesse país culto, civilizado, cidadão; tive o privilégio de ter essa educação que é um tesouro e que vai ser referência por toda vida. Mas veio a ditadura, e o Uruguai foi se tornando um país muito difícil. Vivi a adolescência nesse período. Depois de terminar o colegial, quis entrar no Instituto de Professores Artigas para me tornar professora de história, mas os militares ordenaram o fechamento do Instituto por ser um celeiro de consciência política.

Estava sem saber o que cursar quando uma amiga da minha avó disse que a neta ia estudar Psicologia. Minha avó me perguntou se eu não queria fazer o mesmo, e acabei indo estudar Psicologia por isso! Mas eu me apaixonei completamente pela Psicologia, uma paixão ensandecida. Uma coisa muito importante da faculdade, que vai me servir para trabalhar com grupos de mulheres, é que tive na graduação toda uma formação em dinâmicas de grupo e grupos operativos. Naquele momento era uma coisa muito moderna, a faculdade era bastante inovadora. Uma vez formada, fui trabalhar num hospital psiquiátrico, a Colônia Dr. Bernardo Etchepare, que trabalhava com pacientes psiquiátricos crônicos.

Então uma colega que morava no Brasil me convidou a visitá-la em Santa Catarina. Ela, terapeuta ocupacional, estava trabalhando em um hospital, e me convidou a participar de uma reunião com a equipe clínica para falar da minha experiência na Colônia. Como nós tínhamos um trabalho inovador com os pacientes psiquiátricos (de evitar métodos violentos como eletrochoque e de trabalhar com métodos de reabilitação alternativos, como artesanato, escrita, trabalho com textos literários, meditação), eles se encantaram com a minha fala e me convidaram para trabalhar lá. Como havia tempos eu queria sair do Uruguai, aceitei a oportunidade e vim morar em Santa Catarina.

Foi a minha primeira experiência morando sozinha; era solteira, tinha meu salário, foi fantástico! Foi uma experiência de libertação e ao mesmo tempo um choque, porque apesar de toda cultura o Uruguai é extremamente conservador. Percebi que minha educação era muito conservadora, que no Brasil as atitudes eram mais liberais. E aqui nada me segurava, não tinha medo, achava tudo bárbaro!

O diretor do hospital de Santa Catarina era amigo do diretor de um hospital em Belo Horizonte no qual se dava formação em Psiquiatria. Então, esse médico me convidou para dar um seminário para os estudantes. Eu era muito jovem, tinha 22, 23 anos. Depois desse seminário recebi uma proposta de trabalhar um tempo aqui e vim para cá, a princípio temporariamente. Alguns estudantes faziam Filosofia na Universidade Federal de Minas e eu comecei a frequentar esses cursos. Fiquei encantada com tudo, e o que seria temporário virou permanente: moro em BH até hoje. Aqui fiz minha formação como psicanalista, minha análise pessoal, o mestrado em Filosofia e montei meu consultório.

Também aqui conheci meu marido, um espanhol de Málaga que estava em Belo Horizonte havia cerca de um ano. Ele tinha acabado de se separar da mãe da filha dele, ainda um bebê que ele mal conhecia. Três meses depois de nos conhecermos já estávamos morando juntos e depois nos casamos. Estamos juntos até hoje.

DESAFIOS ENFRENTADOS POR SER MULHER
Uma filha inesperada

Já estava casada havia alguns anos quando tive um sonho impactante, no qual a mãe da filha do meu marido morria e a menina vinha morar conosco. Eu não conhecia nem a garota nem a mãe. Sempre tinha tido sonhos premonitórios, mas tinha estudado psicanálise, então isso ficava como um enigma sem explicação. Meu marido não queria filhos e eu tinha me acomodado com essa decisão. Contei a ele do sonho e ele disse: "Ah, isso é coisa da sua cabeça, isso é sua vontade de ter filhos", essas coisas que os homens falam...

Mais ou menos um ano depois desse sonho, essa sua filha de 7 anos, com quem ele não convivia, ligou e disse que queria conhecê-lo. Ele ficou "mexido" com esse pedido e

CÍRCULOS DE MULHERES

foi se encontrar com a garota. Voltou encantado, apaixonado pela menina. Ele já tinha uma viagem marcada para a Espanha a trabalho, ficaria cerca de um mês e meio lá. Então eu disse a ele: "Bom, você vai para a Espanha, mas na sua volta vamos pedir à mãe para trazer essa garota sempre aqui em casa, ela vai ser parte da nossa vida a partir de agora".

Mas poucos dias depois a mãe da menina morreu de um aneurisma – e ela era jovem, tinha cerca de 30 anos. Aí eu disse a meu marido: "Ela virá morar conosco, é ponto pacífico". Foi igual ao meu sonho! A gente nem se conhecia, mas ela veio. Tudo aconteceu em cinco dias. E aí meu marido teve de viajar para a Espanha, não tinha como não ir. Ficamos só nós duas; de um dia para outro tive de me tornar mãe de uma menina que, também de repente, ficou sem sua mãe e sem seu universo. A mãe dela era brasileira e eu e meu marido falávamos espanhol em casa; éramos dois estrangeiros morando no Brasil, com costumes estrangeiros, comidas de estrangeiros.... Foi um grande desafio e um momento de muito aprendizado para nós duas.

Pedi ajuda a meus amigos. Perguntei a uma amiga psicóloga se devia colocá-la em terapia e ela me aconselhou: "Não, não põe na terapia, põe numa escola de arte para ela poder se expressar". Uma colega da Filosofia tinha uma escola de arte e coloquei a menina lá. Sabia que ela gostava de natação, então a coloquei num curso. Eu tinha duas amigas com filhas da idade dela e nós programamos constantes passeios para fazermos juntas. Ela foi superbem acolhida: entrou num universo de mais possibilidades e com muitos "tios" e "tias". E ela foi uma campeã! Aproveitava todas as experiências, assimilava tudo.

Comecei a trabalhar a relação mãe e filha, a questão da intimidade entre mãe e filha. Eu a levava e buscava na escola e na natação; saímos muito juntas, fazíamos várias coisas juntas. Nós fomos à Espanha e ao Uruguai sozinhas, só as duas. E, quando ela tinha uns 10 anos, me disse que queria ter meu sobrenome. Já tinha o do pai, claro, mas queria o meu. E aí eu a adotei formalmente. Nós duas sempre tivemos muita afinidade. Uma amiga minha, psicanalista, falava: "Parece que você é a mãe e o pai é o padrasto". Com ela comecei a retomar coisas da minha infância. Por exemplo, se ela ficasse gripada eu não dava remédio, dava o chá que tomava quando era menina.

E se a chegada dela não foi uma experiência fácil, nunca foi sofrida. Foi uma tremenda responsabilidade que vivi de repente, mas me abriu um outro mundo, o da maternidade. As mães das outras meninas, as colegas, a escola, a reunião da escola... Para mim esse foi um novo mundo do qual gostei muito. Nunca me senti perdendo nada, pelo contrário. Sinto que essa experiência me proporcionou outra liberdade de sentimento e de pensamento, me ampliou. A gente se curtiu e se curte muito: ela é **A** minha filha. Hoje é uma mulher adulta que mora perto de mim e me deu dois netos lindos. Em 2008 eu me naturalizei brasileira e brincamos com o meu marido: "O único estrangeiro aqui é você; aqui a 'mineiridade' predomina".

JORNADA PESSOAL
Buscando outros saberes que pudessem dar conta da experiência

Mas isso foi uma grande guinada na minha vida, e como a psicanálise não explicava nem meu sonho premonitório nem o que estava vivendo, fui procurar outros saberes que dessem conta disso. Fiz uma formação em Psicologia Transpessoal que durou sete anos e foi importante porque me deu outras perspectivas, outras visões. E, desde que vivi essa experiência de me tornar mãe no "tranco", a questão sobre o feminino e as mulheres começou a me chamar. Fazia mestrado em Filosofia na época e comecei a cursar matérias que estudavam a questão da mulher.

Então meu marido foi nomeado cônsul da Espanha aqui em Minas e me tornei diretora do Centro Cultural Brasil-Espanha, instituição em que se ensinava espanhol e que fazia eventos culturais. Fiquei trabalhando lá 19 anos, anos de muito aprendizado. Eu aprendi a administrar, a negociar convênios, a organizar eventos culturais. Trouxe para Belo Horizonte a exposição de cem trabalhos originais de Miró, por exemplo. E era uma vida que me obrigava a ocupar muitos espaços públicos, a me encontrar com o secretário de Cultura, com o governador...

Nessa época também defendi a tese de mestrado na Filosofia, fiz a formação em Transpessoal, estava educando minha filha e nós construíamos uma casa. Foi um tempo de muito trabalho, muito, muito, muito. Passei uns anos afastada da psicologia clínica, estudando, mas não mais exercendo a psicoterapia. Em 1999, comecei a pensar em retomar o consultório, mas já com outra perspectiva. Eu não era mais psicanalista, nunca mais tive divã, atendo frente a frente e com uma fala muito mais contundente, mais precisa. E tenho uma clínica bem direcionada para a questão da mulher e do feminino, apesar de ter pacientes homens também.

PRIMEIROS CÍRCULOS
Oficinas para mulheres

Em 2000 comecei o trabalho com grupos de mulheres que chamei de "Oficinas para Mulheres". A primeira foi "A viagem heroica da mulher", baseada no livro *The heroine's journey*, da Maureen Murdock (não traduzido em português). Nessa oficina nos reunimos em círculo e "percorremos" cada uma das etapas da jornada descrita por Murdock. Usamos recursos expressivos, e cada mulher foi fazendo a pasta da sua "viagem" pessoal. Em 2003 publiquei o livro *À procura do feminino*, com base no trabalho com essas oficinas. A partir daí, a cada dois ou três anos publico livros que são reflexões sobre como vou desenvolvendo meu trabalho; a escrita me acompanha e me ajuda a elaborar o que crio. Até hoje continuo com as oficinas, com esse e outros temas ligados ao feminino.

CÍRCULOS DE MULHERES   211

Em 2005, montei um grupo de mulheres que se reunia para bordar em cima de temas, contos de fada, filmes etc.: "A confraria da agulha". São bordados livres, mas tendo como base o tema proposto e, ao mesmo tempo que bordam, as mulheres vão conversando e refletindo sobre questões femininas. São grupos de bordado reflexivos e terapêuticos. Essa confraria existe até hoje. No começo eu não bordava, mas depois aprendi a bordar a mão e a máquina, e hoje tenho o propósito de aprender a fazer minhas roupas e bordar em cima.

O TRABALHO COM OS CÍRCULOS
A importância fundamental da consciência

Todos os meus trabalhos com mulheres foram no sentido da busca da consciência. Minha base são os livros da Marion Woodman, especialmente *A feminilidade consciente*. Para mim, muitos dos sofrimentos das mulheres têm que ver com a falta de consciência, de não saber quem somos, de não entender o que é uma situação de abuso, uma situação de violência no cotidiano. De abrir mão do nosso tempo para cuidar de outros, de postergar nossos propósitos, de não tomar a vida nas mãos e deixar que outros tomem conta dela.

Uma coisa que me deixa arrepiada é a cena da Bela Adormecida sendo acordada pelo masculino. Aquela mulher deitada, imóvel com os braços cruzados, esperando o príncipe para sair daquele sono eterno... Para mim é cena de filme de terror! É uma maneira arquetípica de entender esse feminino que não decide, que não escolhe, que não toma decisões, quaisquer que elas sejam. Decisões trazem consequências, claro, e às vezes algumas bem difíceis, mas se você não decide não é dona da sua vida. Então sou drástica no trabalhar a consciência das mulheres e na busca da autonomia, de pensamento e financeira. Porque, se você não tem como pagar suas contas e depende de outro para isso, você não é livre. A consciência e a autonomia são imprescindíveis para a construção do feminino.

Eu me formei em Grupos Operativos no Uruguai. E nos grupos operativos o foco é o trabalho. Trabalho não como o mundo patriarcal o entende, mas como o propósito do grupo. Então, meus grupos sempre têm uma proposta, nunca deixo ao "deus-dará". Tenho um roteiro, e nós temos de ir segundo esse roteiro porque ele tem um sentido, não é aleatório. E engancho nesse propósito tudo que acontece em volta. Começo com uma apresentação do tema que dura entre 40 minutos e uma hora. Depois trago materiais – lápis de cor, cola, tesoura, tecidos coloridos (gosto muito de trabalhar com tecidos) – e vou fazendo algumas perguntas relativas ao tema e pedindo para elas "responderem" usando os materiais disponíveis. Misturo coisas teóricas porque, claro, não posso negar minha formação acadêmica, mas junto com o fazer: desenhar, costurar, bordar.

Por exemplo, se estou trabalhando a Oficina da Lilith, digo quem é ela na mitologia hebraica e conto sua história. Depois, com os materiais que ofereço, todas vão "respondendo" questões como: "Bom, Lilith vivia no deserto entre as cobras e animais que rastejam. Você já viveu um deserto? Qual foi ele? Como lida com seu deserto?" – e coisas do tipo. Acho que essa maneira de trabalhar as questões de forma simbólica é mais fácil do que falar sobre isso. E ao mesmo tempo, de forma espontânea, elas vão conversando entre elas. Elas comentam: "Comigo aconteceu assim, comigo aconteceu assado". E se uma mulher não quiser falar nada, só fazer o trabalho expressivo, tudo bem, sou muito respeitosa com isso, nas minhas oficinas fala quem quer. E percebo que depois que acaba o trabalho comigo – que tem princípio, meio e fim – muitas delas ficam amigas e se frequentam. Percebo que constroem uma intimidade, que se reconhecem umas nas outras e continuam a relação mesmo após o final dos grupos.

Em Belo Horizonte existe uma rádio comunitária chamada de Rádio Favela, que ganhou até prêmios da ONU. Lá eu tive um programa chamado "Encontro com o feminino". Eu não queria um consultório sentimental, então levava um tema, como anorexia ou síndrome do pânico, contava uma história ou comentava um filme sobre isso, e depois os ouvintes podiam fazer perguntas. O fato de ser professora me ajudou a explicar os temas com clareza, usando linguagem simples. Toda terça pela manhã eu subia a favela – a rádio ficava lá – e fazia o programa, que durava três horas. O rádio tem uma abrangência que nunca imaginei: eu era reconhecida pela voz e pelo sotaque, e isso nunca tinha me acontecido. Fiz isso por dois anos. Para mim essa foi uma forma muito importante de trabalhar com as mulheres, sobretudo as de baixa renda que não têm acesso à terapia ou a grupos de mulheres. E sinto que foi um trabalho terapêutico, sim, escutar essas mulheres nas suas angústias, nas suas dificuldades... Era um grande círculo, um círculo ampliado, porque as pessoas iam acompanhando o que eu falava na rádio, ligando e participando.

Tudo isso foi um aprendizado maravilhoso para mim! Eu já queria trabalhar o feminino de outras perspectivas que não só a clínica, o consultório, a coisa formal. Então, além do programa de rádio e da "Confraria da Agulha", também editei um pequeno jornal chamado *Tenda da Lua,* no qual as mulheres escreviam. Todas eram formas de trabalhar o feminino de maneira mais ampla e aberta.

A CONDUTORA
Ela não é a protagonista

Acho que a coisa mais importante para uma condutora de círculos de mulheres é saber que ela não é a protagonista. O protagonismo mais uma vez é do propósito, do trabalho, da tarefa do grupo. No centro do círculo não está a condutora, está o propósito. "Qual que é nosso propósito? Entender sobre a sombra? Ou entender

CÍRCULOS DE MULHERES

sobre a maturidade? Ou trabalhar a viagem pessoal das mulheres?" O tema é o protagonista.

O lugar da condutora não é um lugar de poder, é um lugar de entendimento da estrutura coletiva e de conduzir todas para o propósito do grupo. Vou dizer uma coisa que pode ser vista como politicamente incorreta: acho que as coordenadoras de círculos têm de estar em terapia ou ao menos em supervisão. Ser condutora de círculos implica receber projeção de um monte de mulher, e para você se achar a bambambã é muito fácil. Em terapia podem-se trabalhar os narcisismos pessoais. Uma boa supervisora pode também fazer esse trabalho.

JORNADAS SOMBRIAS NOS CÍRCULOS
Quem renuncia são as mulheres

Um grupo tem acolhimento, trocas e *insights*, mas pode ter também os problemas de interação, ciúme, rivalidades, inveja, enfim, sombra. A sombra existe em todos os lugares e é parte de todas nós; claro que aparece também nos círculos. Acredito, porém, que se nos grupos não podemos ignorá-la, não temos de dar a ela um protagonismo especial. Se nós dermos o protagonismo ao propósito do grupo, toda sombra que emergir será linkada, analisada e interpretada segundo esse propósito. Eu não posso parar um grupo e falar assim: "Agora nós vamos falar do ciúme entre nós". Nós vamos falar do ciúme entre nós com certeza, mas enganchando naquilo que nos reuniu, naquilo que nos mantém juntas. Senão eu acabo mudando o propósito do grupo, que pode ser, por exemplo, lidar com a questão da maturidade, para um trabalho com a sombra. Sempre retorno o grupo para o propósito: "Vamos focar no que nos juntou aqui, porque o que nos juntou não foi a sombra". Vamos refletir sobre o que está acontecendo de sombrio, mas dentro do propósito. Se dou protagonismo à sombra ela vem para o centro do círculo e o propósito do grupo se perde.

Eu acho que são muitas as dores do Feminino. Por exemplo, as dores do abandono. O abandono de quem quer que seja, do pai, da mãe, do marido. A sensação de abandono é extremamente palpável para muitas mulheres. E as dores do abuso... E o abuso não precisa necessariamente ser sexual ou de violência. Há muitas formas de abuso, o abuso dos homens da família em relação às mulheres, do autoritarismo, da prepotência, dos abusos patrimoniais.

E tem o abuso em relação à falta de repouso das mulheres. As mulheres não descansam; eu mesma passei anos sem descansar. Eu também trabalhei 14 horas por dia, não sabia descansar. Só estou aprendendo agora, aos 63 anos... Estou me permitindo dizer: "Ah, vou bordar, vou ficar assistindo a uma bobagem aqui na televisão, vou ler uma revista, vou olhar para o nada..." Nós, mulheres, temos de aprender a nos dar o direito ao descanso. Os homens desde sempre se dão esse direito, sem problema nem culpa. Nós não, ficamos nos justificando: "Bom, já cuidei dos meus filhos, a casa está em ordem, já fiz as compras da semana, entreguei o trabalho para meu chefe, redigi aquele artigo etc., então posso descansar". Como se precisasse de permissão! E, se descansa, acha que não está fazendo nada e sente culpa.

Na verdade, a civilização patriarcal joga toda a responsabilidade da estrutura familiar em cima da mulher. Quem tem de saber se tem alface na geladeira? Quem tem de saber se a conta de luz está vencida? Quem tem de saber se os meninos precisam levar não sei o que para a escola? São sempre as mulheres, não importa quanto trabalham fora de casa. Nós, mulheres, hoje temos a irritabilidade como pano de fundo. A mulher contemporânea é uma mulher entristecida, uma mulher estressada, uma mulher adoecida, e tudo isso tem que ver com a exaustão. Tem que ver com o excesso de trabalho, de exigência e de busca de perfeição em tudo que fazemos, "em segurar muitos pratos ao mesmo tempo sem deixar nenhum cair", em emendar uma coisa na outra.

Há um estudo interessante das feministas espanholas que começaram a contabilizar as horas gastas nesses afazeres típicos da vida: dar banho nos meninos, fazer o lanche, levar ao dentista, fazer as compras para a casa, levar a mãe idosa para tomar vacina... São horas trabalhadas que não aparecem, porque pertencem ao mundo privado. Nesse estudo, elas chegaram à conclusão de que se essas horas fossem pagas a previdência espanhola quebrava. Então, para realizar esses trabalhos absolutamente imprescindíveis, mas quase invisíveis, alguém renuncia a seu descanso e/ou a seus projetos – e quem renuncia são as mulheres.

JORNADAS DE CURA NOS CÍRCULOS
Grupos femininos são identidade, identificação, concavidade

Os grupos femininos são transformadores, terapêuticos e identitários. Cada uma fala da própria identidade e da própria subjetividade partindo do conhecimento, da experiência do outro. A experiência do outro traz uma experiência para mim e aí eu me identifico. Esses grupos estruturam as subjetividades. Tanto que às vezes as mulheres comentam: "Ah, pois é. Eu achava que a minha vida tinha tais problemas, mas depois de escutar a fulana e a fulana..."

Uma coisa também muito importante nos grupos de mulheres é o acolhimento. É como uma concavidade, como um útero, uma taça. Tem até uma quentura, um calor. Há um acalento no grupo de mulheres. Acho que esses grupos são profundamente terapêuticos porque são restauradores das feridas. Eles saram as feridas, eles são encorajadores. Muitas vezes as mulheres dizem: "Eu estava muito acomodada e desanimada, mas agora, depois de escutar tudo isso, vou para minha casa... E vou em frente!" Então eles são libertadores; nos libertam de muitas ideias erradas, de preconceitos, de medos.

Em 2008, eu e a Fátima Tolentino fomos ao México com o grupo de formação de guardiãs. Lá estivemos com uma anciã de uma tribo em que todas as mulheres tinham de ter seu xale, seu *rebozo*. O xale é uma proteção, uma ajuda e um acolhimento. É uma proteção se está frio, é uma ajuda se tenho de carregar meu bebê, que embrulho e ponho nas costas, que também ajuda a carregar as compras da feira...E me acolhe quando o envolvo em meu corpo. Então, no inverno, peço às mulheres dos diferentes grupos para fazerem um xale. Nós compramos um pano, costuramos... uma coisa simples, depois elas terminam em casa. Mas tem essa metáfora – aquilo que acolhe, que ajuda, que protege, como os círculos.

O patriarcado nos afastou. Cada mulher tinha de lutar com outra mulher para conseguir um macho para proteger a ela e às suas crias, daí a rivalidade feminina. Acho que essa ainda é uma sombra entre nós, sobretudo nas mulheres jovens.

E, claro, se uma mulher mais velha não assume sua maturidade, quer conservar a juventude a qualquer preço e enxerga seu valor no homem que conquista, essa sombra fica enorme e o envelhecimento é vivido como um verdadeiro inferno.

Mas a maturidade pode ser também um momento para descobrir a sororidade. Tem um livro fantástico de uma escritora feminista espanhola, Anna Freixas Farré, *Tan frescas: las nuevas mujeres mayores del siglo XXI* (não traduzido para o português). Diz a autora que as novas mulheres maduras descobriram a importância fundamental das amigas e dos grupos de mulheres, não importa que grupo. Neles, cada uma encontra na outra uma reverberação muito importante para a própria subjetividade, para a alma. Isso fortalece a todas. Tenho plena convicção da importância da amizade entre as mulheres, para as mulheres.

Acho que nós demoramos em descobrir isso e nessa trajetória nos machucamos muito, mais do que precisaríamos. Às vezes a gente vê algumas mulheres com uma alma muito sofrida, muito machucada, e não precisava ser assim...

Quando adquiro a consciência e assumo que a outra mulher pode ser não minha rival, mas minha parceira, quando me reconheço e me identifico com ela, eu me amplio. Há uma alegria enorme... E aí quando uma mulher consegue uma conquista, há uma expansão coletiva que reverbera para todas. Eu vivi isso. Não fiz nada sozinha, não descobri nem criei nada sozinha e nada só para mim. Todo conhecimento, toda descoberta, toda criação acontece na interação com outras mulheres. Nós precisamos de sororidade: o feminino é coletivo. Juntas é que somos fortes.

FORMAÇÃO, QUESTÕES FINANCEIRAS E AMPLIAÇÃO DOS CÍRCULOS
Formação de guardiãs de círculos de mulheres

Entre 2007 e 2008, eu e a Fátima Tolentino criamos, no Instituto Renascer da Consciência, aqui em Minas, um curso de pós-graduação chamado "Antropologia da mulher – Despertando guardiãs de círculo das mulheres" para formar condutoras de Círculos. Tem vinculação acadêmica, dá direito ao título universitário de especialização. Tem 360 horas, é composto de parte teórica e parte vivencial e acontece de forma intensiva em fins de semana mensais ou bimensais. E isso tem me dado muita alegria, porque vem se mantendo. Esse é um projeto que está publicado também num livro que se chama *Guardiãs de círculo de mulheres* (Freitas, Sanabria e Tolentino, 2010). Colocamos as alunas para escrever sobre a experiência, demos o formato de livro e publicamos. Nós estamos no oitavo grupo de formação e ele já está acontecendo também em Salvador.

Continuo com o curso de formação de guardiãs de círculo e faço eventualmente oficinas de mulheres, mas não da forma regular de antes, quinzenalmente. Faço oficinas quando sou convidada, não tenho mais o pique que tinha antes para organizar, estruturar. Hoje só monto uma oficina se tenho um tema que está me chamando muito.

Trabalhando com a questão da maturidade nas mulheres

Estou trabalhando bastante com a questão da maturidade da mulher. Escrevi um livro sobre isso, *A segunda vida – um guia para a mulher madura* (Sanabria, 2016). Acho que a primeira coisa a se pensar é poder viver essa etapa da vida com dignidade. Você não precisa ficar rica, mas tem de pensar em viver sua velhice com o mínimo de conforto. Não podemos esquecer que, apesar de todas as modernidades, a estrutura patriarcal em que vivemos castiga dura e cruelmente a mulher, especialmente na maturidade. Então acho que temos de nos planejar para ter uma condição de vida decente nessa fase.

A fase da maturidade pode ser infernal se você espera reconhecimento, se não se reconcilia com sua história, com o que você construiu, com quem se tornou. Tenho algumas pacientes que vivem essa fase com um ressentimento tremendo, e isso é terrível. Participo de um grupo de estudos sobre esse tema com umas 15 mulheres: geriatras, ginecologistas, psicólogas, mulheres que fazem cinema e outras tantas. E nós sempre falamos que a "boa" maturidade, além da condição material digna, além de ter grupos de amigas, tem que ver com a sensação de pacificação. A maturidade é esse lugar do entendimento, da pacificação de quem você é, das opções que você fez, da coragem de mudar o que ainda pode ser mudado e da aceitação do que é irreversível.

Escrevi um livro, chamado *Crônicas para o desapego*, que reflete a minha reconciliação com minha mãe e com o Uruguai. Eu via o Uruguai como um país sufocante, autoritário... Enfim, saí de lá com essa sensação. E já na maturidade consigo me reconciliar tanto com minha mãe como com meu país de origem. Aprendi que não preciso escolher. Posso amar o Uruguai, que me deu minhas raízes, minha formação; o Brasil, que me acolheu e onde construí minha vida adulta; e a Espanha, que me permitiu ampliar minha vida profissional. E como é importante essa reconciliação: entender nossa jornada, as pessoas que dela participaram, as rupturas dramáticas que fizemos na juventude, nossas escolhas, as consequências delas... Enfim, a aceitação sem ressentimento da gente mesma e da nossa história.

Estou num momento da vida muito interessante. Sou avó de dois menininhos, um de 8 e outro de 4 anos. Tenho gostado muito de ser avó, tem me encantado exercer esse papel, mas é preciso estar pacificado para curtir a oportunidade que a vida dá de ter netos. E nós somos avós da modernidade, presentes e participantes em todos os sentidos. Acho que de certa forma nos tornamos uma fonte de equilíbrio para os netos e filhos ao prover ajuda, de tomar conta das crianças a eventualmente dar ajuda financeira. Mas é preciso exercer esse papel com certa sobriedade, não interferir demais, só quando solicitado. E ao mesmo tempo ser um ponto de estabilidade de tal forma que os jovens saibam que podem contar com você. Essa questão dos avós e seu papel tem me atraído, gostaria de trabalhar um pouco esse assunto.

A questão dos cuidados paliativos também vem me interessando bastante. Acredito que precisamos trabalhar o momento da morte de uma forma mais digna. Não acho digno você morrer num hospital cheio de tubos. O que acho importante é o acolhimento nesses momentos finais. Isso me interessa: como a gente vai se retirar desta vida dignamente? Falei outro dia para minha geriatra: "Olha, eu não quero ficar cheia de tubos, não, não e não! Já criei minha filha, daqui a um tempo os meus netos estão encaminhados, já ajudei muita gente, fui professora 30 anos, já me aposentei; enfim, missão cumprida". Tem um livro do Jean Yves Leloup que fala da Maria Madalena aos pés de Jesus quando ele está morrendo. Diz o autor: "Esse momento final só as mulheres são capazes de suportar. Os homens não suportam". Acho que somos nós que vamos cuidar de forma digna dessa passagem da vida para a morte.

OLHARES PARA A VIDA...
Precisamos de uma nova ética

Estou plenamente convencida de que precisamos de uma nova ética. Vivemos numa civilização que prioriza o mundo público e desvaloriza o trabalho do mundo privado. Mas muito da vida acontece no mundo privado. E essa nova ética é essencialmente feminina, ligada ao princípio feminino, porque é inclusiva. O patriarcado nos ensina a excluir, a separar, a diferenciar e a julgar quem é melhor, quem é pior, quem está certo, quem está errado. A nova ética tem de ser baseada na inclusão porque a percepção de que todos estamos interligados é decisiva para a nossa sobrevivência. Tem de ser uma ética que valorize o que acontece no mundo privado e focada no cuidado. O patriarcado se caracteriza pelo descuido. Nós passamos rapidamente pelas coisas, sem um olhar um pouco mais atento, um pouco mais cuidadoso. Tudo que não é público ou grandioso não é visto como importante.

Precisamos de um olhar mais sereno para a vida. Corremos muito, nos agitamos em demasia, fazemos muito barulho. Acho que essa nova ética deva ser muito mais silenciosa e intimista. Tem de ser baseada na conexão e não na exclusão. Temos de ter a consciência, a lucidez, o entendimento de que só é possível nos salvar se salvarmos a todos: homens, mulheres, crianças, velhos, animais, plantas, as florestas, as águas, o planeta.

Creio que a espiritualidade é uma tentativa de falar com Deus sem intermediários. E a igreja, as estruturas, as religiões, quaisquer que sejam, são intermediários. A espiritualidade tem de ser livre. Nós não podemos dogmatizar o contato com a divindade. E nesse sentido, para mim o Brasil foi uma grande libertação, pois aqui é um lugar com uma espiritualidade eclética. Isso é bárbaro, é uma riqueza, é uma perspectiva para conversar com a espiritualidade. E acho que grandes questões que envolvem as experiências de vida de grande impacto, como a que me aconteceu com minha filha, são mistério, algo que não se explica.

Eu gostaria de trabalhar até onde for possível para mim, mas não no ritmo de antes. Estou mais lenta, isso para mim é claro, e também que preciso de tempos de descanso. Outra coisa que não quero mais é o protagonismo, o palco. Eu já tive "palco": já fui diretora, chefe, supervisora, já recebi governador... Já tive isso e não quero mais. Acho que agora os jovens têm de ir assumindo esse protagonismo; eu estou aqui para orientar, acolher... Outro dia os alunos no Instituto pediram: "Professora, você nos dá supervisão?" Respondi: "Dou, gosto muito desse papel de supervisora, mas vocês é que vão lá na linha de frente".

Pretendo ir trabalhando menos na medida do possível, e ir gerenciando minha retirada. Não acho que a retirada deva ser assim: "Fui! Fechei a porta". Acho que é um processo: você vai se retirando, vai ficando de pano de fundo e deixando que os outros ocupem o lugar da frente. E vai se dando momentos de sossego, e procurando outras coisas para você. Eu quero uma retirada outonal, como diz Rubem Alves. Vou me retirando e dando outros tons para a minha vida. Por exemplo, hoje faço curso de bordado, são 36 mulheres bordando em jeans. Lá ninguém sabe quem sou, lá sou simplesmente uma aprendiz de bordadeira. E, sim, deste título eu gosto: uma aprendiz de bordadeira – de bordar os afetos, de bordar a vida.

Patrícia Fox Machado

Patrícia Fox é graduada em Filosofia com mestrado em Comunicação Social e doutoranda na mesma área. É terapeuta em diversas técnicas que abrangem o uso de medicina xamânica, danças sagradas, espiritualidade e mitologias, todas ligadas ao feminino. Mantém um canal no YouTube: https://www.youtube.com/Patriciafox e uma página no Facebook: https://www.facebook.com/Patrícia.fox.oficial.

Entrevistamos Patrícia, 49 anos, no dia de Santa Catarina, e não por acaso (nunca é), a postura coerente e espiritualizada de Patrícia remete mesmo ao mix de intelectual e mística dessa santa inspirada. A entrevista foi feita em seu antigo espaço na Vila Mariana, onde sentamos em roda no chão; no centro ela colocou uma vela acesa, o fogo que de alguma forma está sempre no centro dos círculos de mulheres.

MÃES, AVÓS, INFÂNCIA
Morgana sempre fez meus olhos brilharem...

Nasci numa casa de artistas, dois músicos profissionais. Minha mãe era *crooner* de orquestra e meu pai, cantor de tango, apesar de brasileiro. O pão da gente vinha da arte! Minha mãe era uma mulher doce com a vida, apesar de ter uma história muito dura, e ao mesmo tempo era muito selvagem.... Eu e minha irmã crescemos num ambiente não com discurso, mas com uma prática bem feminista: ela nos deu uma educação de muita liberdade acompanhada de responsabilidade. Com 10 anos eu cuidava da minha irmã de 8. Ao sair para trabalhar, minha mãe dizia: "Tranque a porta" – e a gente sabia o que podia ou não fazer com aquela chave. Esse berço trouxe muito da forma como lido com as mulheres: com muita independência, mas com confiança na responsabilidade e na interdependência que elas vão ter no círculo, por exemplo. Agir assim faz parte do meu entendimento sobre Deméter. Minha ancestralidade é de mulheres muito fortes, mas muito sofridas. Penso que o meu trilhar uma jornada espiritual tendo essa relação com o feminino quebrou diversos paradigmas desse sofrimento.

Quando eu tinha uns 17 anos, minha mãe adoeceu com cisticercose, o verme se alojou no cérebro. Ela perdeu a mobilidade, teve problema na fala, depois ficou na cama; foi muito duro, anos de doença... Minha mãe sempre foi buscadora. Fomos para a umbanda, a igreja Católica, Seicho-No-Ie... O kardecismo foi a última religião dela. Vem daí minha espiritualidade "mestiça". Acho que tinha de encontrar o porquê do que estava vivendo. E isso me influenciou; desde criança a "filosofazinha" aqui já queria saber todos os porquês das coisas e vivia com o nariz enfiado em livros de história ou mitologia, quase sempre. Tinha um lugar da casa em que eu ensinava as crianças mais novas o que havia aprendido na escola. A vida desde cedo foi me preparando para a minha *bliss*, que é ser professora, instrutora, curandeira, cuidadora e terapeuta.

Eu tinha 21 anos quando a minha mãe faleceu. Foi um processo muito louco, porque meu pai também já estava adoecendo. Ele se tornou um guerreiro quando a minha mãe ficou doente, mas desenvolveu uma diabetes de fundo nervoso; creio que a vida dele perdeu o sentido depois que ela morreu. Ele faleceu dois anos e meio depois e fiquei sem pai nem mãe. E minha irmã Paula se casou na mesma época e foi morar na Suécia, então fiquei sem irmã também!

E, nessa loucura de perder mãe e logo depois pai, em 1990 "visitei Avalon". Ler *As brumas de Avalon* me abriu outro universo. O livro mostrava a possibilidade de haver uma divindade feminina selvagem, algo que não é mostrado normalmente em Nossa Senhora, a maior representante do sagrado feminino no Ocidente. A Morgana sempre fez meus olhos brilharem, mesmo quando apresentada como a vilã nas versões "tradicionais" dos contos do Rei Artur. Mas eu também era meio esquisita para alguns: por exemplo, desde adolescente tocava bateria numa banda de rock só de mulheres.

JORNADA PESSOAL
A Hera Mágica

Com 15 ou 16 anos conheci o Claudio [Quintino Crow], que é uma pessoa superimportante na minha vida – nós trilhamos a maior parte da vida juntos. Quando minha mãe faleceu nós já namorávamos, e aí fomos morar juntos. Começamos nossa busca pela espiritualidade celta e deparamos com algumas tradições neopagãs, como a Wicca. Naquela época, as informações eram superescassas, e foi essa a porta de entrada que encontramos. Além de pesquisar muito, nós dois também passamos por processos iniciáticos. E eu sempre nessa pegada das ervas, além de inúmeros cursos:

astrologia, tarô, reiki, massagem terapêutica e outros. Conhecemos a dona das lojas Alemdalenda, a Heloísa Galves, pessoa essencial na história da espiritualidade feminina e do neopaganismo no Brasil. A Alemdalenda era conhecida como uma loja que vendia gnomos, mas era muito mais: tinha um centro cultural que oferecia cursos e palestras e uma baita livraria para os padrões da época.

Minha irmã voltou para o Brasil em 1998, e propus a ela fazermos produtos artesanais para as deusas. Eu tinha o know-how, já tinha estudado aromaterapia, ervas e cosmética artesanal, e aí fizemos sabonetes, *sprays*, velas – coisas típicas de Ártemis com Atena. A gente expunha em feirinhas e fornecia para a Alemdalenda. A Hera Mágica era a marca das nossas coisinhas, e quem me soprou esse nome foi uma planta. Em meu apartamento tinha uma herazinha num vaso na sala, uma *Hedera helix*. Estava procurando um nome e ela na minha frente... Então, olhei e falei: "Hera Mágica – Uma nova era, uma nova magia!" E logo também pensei: "Meu, é a deusa Hera!"

Quando a coisa começou a tomar corpo, propus ao Claudio e à Paula abrirmos um centro cultural. Pensamos em abrir uma franquia da Alemdalenda, mas a Heloisa nos aconselhou a montar um negócio nosso por conta da nossa criatividade – tenho a sorte de contar com a bênção das pessoas que me ensinaram e inspiraram. E no final de 1999 a gente abriu o espaço cultural Hera Mágica numa casinha antiga de dois andares na Vila Mariana, embaixo como loja e em cima como centro cultural. Reformamos a casa inteira; eu e a Paula chegamos a restaurar portas e pintar paredes. A gente ouvia muito que quando se entrava lá se entrava em outro mundo... Nosso envolvimento com o xamanismo celta e o druidismo era grande e oferecíamos palestras, cursos e grupos de estudos; o trabalho que fizemos foi essencial para o crescimento da cultura celta aqui no Brasil. E fico superfeliz, pois até hoje recebo depoimentos lindos e muita gente me diz: "Eu comecei lá".

PRIMEIROS CÍRCULOS
As "Filhas de Hera"

Já no começo da Hera Mágica eu conduzia cursos e *workshops* com a temática do sagrado feminino, além de atendimentos e rodas com o oráculo da deusa. Alguns cursos eram mistos, mas outros eram só para mulheres. Acredito que precisamos desses momentos a sós entre nós; neles nos sentimos mais livres para compartilhar nossa essência, nossos dilemas e nossas medicinas. Isso tem que ver com as rodas xamânicas, com os mistérios femininos ancestrais, é uma questão arquetípica. Então, eu já fazia círculos de mulheres mesmo sem ter esse nome.

O nome "círculo de mulheres" só chegou ao Brasil em 2003, quando foi lançado o livro *O milionésimo círculo*. Para mim, foi nesse momento que tudo se estruturou como um movimento coletivo, eu devorei o livro. Então, desde 2003 comecei a conduzir círculo de mulheres já com esse nome e em conexão com a ideia do milionésimo círculo. Chamei o primeiro de "Filhas de Hera"; afinal, ele acontecia na "casa" dela.

DESAFIOS ENFRENTADOS POR SER MULHER
Senti meu chão abrir

Na Hera Mágica eu conduzia meus cursos, mas a maior parte da administração e os bastidores também ficavam na minha mão. O Claudio era o que mais aparecia, tinha livros lançados e fazia a maior parte das palestras. A minha veia de artista, a que gosta do palco, ficou meio abafada. Foi um grande aprendizado porque vivenciei parte da jornada arquetípica de Hera – afinal, me tornei a "esposa do Claudio" por não estar muito em evidência. Isso me possibilitou depois ajudar muitas mulheres que viveram a mesma coisa.

Abrimos, juntamente com dois sócios, uma editora especializada em ecoespiritualidade e cultura celta, mas a experiência foi breve porque na época era um nicho muito pequenininho. Em 2003 estávamos fechando a editora e na mesma época resolvemos mudar a Hera Mágica para uma casa maior. Porém, essa mudança se mostrou um passo maior que a perna.

O meu casamento com o Cláudio, que já não estava bom, começou a ruir. Em maio de 2003 a gente "pôs as coisas às claras". E a separação foi muito dolorosa para mim. Do mundo de Hera, caí no de Perséfone: o meu chão se abriu e eu caí! Eu não tinha caído quando a minha mãe morreu, quando meu pai morreu, quando minha irmã foi embora do país, mas dessa vez não suportei. Ainda tive de lidar com pessoas que esperavam coisas que não existiam mais. Como receber uma ligação e ouvir uma mulher falar, chorando: "Patrícia, soube que você e o Cláudio se separaram. Vocês eram a última chance de eu acreditar em casamentos!" Ela tinha boa intenção, mas foi horrível ouvir aquilo. Tinha muita projeção em nós como casal, como os... perfeitos! Foi duro lidar com isso na época. Houve muita cobrança, pois de certa forma éramos pessoas públicas, mesmo que num cenário pequeno. Essa coisa de casal perfeito realmente tem peso, é algo idealizado, está no imaginário coletivo, ainda é algo desejado por muitas mulheres; senti essa dor coletiva muito forte.

E aí o projeto da Hera Mágica também ruiu! No início de 2005, minha irmã estava grávida e saiu da sociedade, eu e o Claudio havíamos nos separado e todos os planos que a gente tinha desmoronaram também. Entregamos a casa, mas tínhamos muitos alunos e precisávamos continuar.

Faço a analogia do arquétipo da esposa ferida com uma história que gosto de contar para as mulheres que passam por coisas parecidas como as que passei. "Imagine uma ave linda e forte que vive numa gaiola e sabe que a porta está aberta, mas tem medo de sair, pois aparentemente lá tem tudo: comidinha, aguinha, alguém que limpa as caquinhas. E ela tem medo do desconhecido. Só precisa voar, ser livre é da natureza das aves, assim como é da natureza das mulheres ser livres e nunca deixar de acreditar que podem voar com as próprias asas. Então, quando perceber que a gaiola está aberta, saia, voe, use a sua potência, porque senão as asas podem perder a força por falta de exercício. E saiba que se você sair talvez passe fome vez ou outra, ou talvez não consiga o alimento que deseja naquela hora, mas estará LIVRE para usar seu potencial e buscar aquilo de que precisa. Aproveite e saia, porque se a gaiola cair você pode se machucar muito, e será mais difícil levantar... Apesar de que, mesmo assim, você pode se levantar!"

Meu divórcio demorou um ano para sair. Naquela hora tive um lindo presente da vida: uma grande amiga que também estava passando por uma situação parecida veio morar comigo. Minha irmã de alma, uma "filha de Afrodite". Ela é muito diferente de mim, baladeira, queria sair todos os dias. E aí minha Afrodite chegou e me fez começar a dançar. Descobri a dança do ventre, ou melhor, a dança me descobriu... Olho para isso hoje, 15 anos depois, e digo: "A vida é perfeita, ela faz tudo certo para que a gente aprenda o que é necessário". Foram muitas experiências divertidas, mas a minha dor também estava lá. Nesse momento vivia uma Afrodite "cruzada" com Perséfone.

Foi tudo muito complexo, mas essa experiência foi mais um ingrediente para saber como lidar com coisas que presencio quando estou conduzindo os círculos, porque essa é uma das dores das mulheres. Então, quando as mulheres chegam aqui destroçadas, eu digo: "Calma. Você está se separando de alguém para se casar com você mesma, então espera. Vai doer, não é algo simples. Mas espera, tenha paciência. Vai passar". E, por conta disto, nessa época dei uma acelerada nessa coisa de refletir sobre o feminino e suas nuanças. Meu trabalho com as deusas interiores, a tal jornada mítica da heroína, tem muito que ver com isso. Todas as experiências da gente são a base da medicina que a gente carrega.

JORNADA PESSOAL
Encontrei minha outra veia

Em 2005, comecei a desenvolver o que chamei de "Projeto Hera", uma continuidade da Hera Mágica, mas agora somente na minha mão. Aluguei duas salas numa clínica de psicologia. O Claudio continuou trabalhando comigo, além de outros parceiros antigos. Eu e o Claudio sempre fomos irmãos... E, depois que saímos do "olho do furacão" da separação, voltamos a ser amigos. A gente mora junto hoje, mas não somos um casal, cada um tem seu espaço, sua vida, mas somos grandes companheiros, somos aliados. Gosto de brincar dizendo que a nossa casa é uma espécie de "monastério druídico", onde duas pessoas compartilham da vida sem ser um casal. Somos uma família.

A gente ficou nessa clínica por um ano, mas a casa foi vendida e fiquei desesperada: "De novo vou ter de arrumar um lugar para ir!" Acabei indo para outro espaço por conta da indicação de uma amiga. Inicialmente ia dividir a sala com ela, mas os planos mudaram. Aluguei uma sala nesse espaço, mas o valor ficou meio pesado. Uma pessoa me disse que uma ex-aluna de alguns de meus cursos e que havia frequentado aulas de danças circulares na Hera Mágica estava procurando um espaço. No início, a proposta era a de dividir os horários da sala para desenvolvermos nosso trabalho individualmente, mas acabei fazendo uma breve, porém complicada, parceria com ela. Novamente, mais uma aventura cheia de desafios e de oportunidades para aprender algo valioso.

Eu estava muito vulnerável nessa época, frágil, cansada. Nas horas difíceis é complicado a gente distinguir quem é aliado de quem não é. Tudo aparece na trilha e, principalmente quando estamos confusas, temos dificuldades de separar o joio do trigo. Essa foi uma das experiências mais ricas que tive na vida, porque naquela relação deparei com um lado do ser humano que desconhecia. A duras penas consegui manter a minha inocência, mas boa parte da ingenuidade foi deixada para trás. Parafraseando Clarissa Pinkola Estés, ingenuidade é saber nada e seguir o caminho do bem. Inocência é saber de tudo, mas ainda assim seguir o caminho do bem. Isso faz parte do processo de amadurecimento.

Encerrei a parceria, fiquei mais alguns meses naquele espaço e depois fui para outro local, dessa vez sozinha mesmo. Aluguei um conjunto comercial em 2007, um pouco menor. Eu estava "mal pra caramba", tipo "não sei se quero trabalhar com isso ainda". Estava muito machucada, com a sensação horrorosa de ter tido meu espaço sagrado violado! Mas a tal experiência foi desafiadora e totalmente relacionada com o trabalho e a relação entre mulheres. Acho que o ideal do poder de cura dos círculos de mulheres foi o que me segurou. Para mim, conduzir círculos envolve amor, um amor que precisa ser maior que a gente. E estar a serviço disso é como um acordo com a vida. Precisava seguir com meu trabalho na espiritualidade feminina.

Em 2009, entrei para a faculdade de Filosofia numa entidade de ensino superior católica. E amei, amei, eu respirava lá dentro! Sempre gostei de estudar e lá mergulhei fundo no mundo acadêmico. Encontrei minha outra veia, uma veia forte. Pensei em fazer meu trabalho de conclusão sobre as mulheres na filosofia e a primeira ideia era escrever sobre uma das minhas musas inspiradoras: Hildegard von Bingen. Pois bem, o meu orientador não a conhecia. Mudei o tema. Fiz o TCC: "Da dualidade ao dualismo: Ártemis e Atena". Nele pergunto: "Cadê a mulher na filosofia?" e questiono o sistema dicotômico patriarcal.

Depois fui fazer o mestrado em Comunicação Social na Universidade Metodista. Analisei o filme *Malévola* e minha tese foi "A mulher além do bem e do mal". Aí pude reunir os mundos que tanto me encantam, o mítico e o filosófico, que na minha visão são um só. E o processo de integração entre esses mundos não para: meu projeto de doutorado envolve a relação entre Nossa Senhora e as deusas primitivas e um dos objetivos é enxergar a identidade e a soberania das mulheres na devoção mariana.

O TRABALHO COM OS CÍRCULOS
O diferencial do trabalho: o centro

Para mim, conduzir um círculo é uma espécie de sacerdócio, pois envolve a mediação entre os mundos. Todos meus trabalhos têm a característica espiritualista da união com as forças de cura, de trabalhar também esse mundo mágico. Nos meus atendimentos individuais, isso que chamo de "lógica orgânica" dos círculos de mulheres ou das rodas xamânicas também está presente. Trabalho com os elementos, com a força ancestral, com o fogo sagrado representado por Héstia. Se no centro de uma roda houver fogo, mesmo que simbólico, para mim tem sentido. Se não houver um centro por onde tudo passe – o coração do círculo –, aí já acho esquisito. Como uma relação interdependente pode acontecer sem um coração comum?

A partir de 2007, participei de alguns *workshops* conduzidos pelo Roger Woolger, autor de *A deusa interior*, livro dele e da ex-mulher Jennifer. Eu já trabalhava com as deusas, mas a experiência com ele ajudou a estruturar minhas ideias. Tive oportunidade de apresentar minha dinâmica com as nove deusas, com um centro formado por Hécate, Héstia e Core, o que eu chamo de "trindade do feminino". A base, o centro, é onde essas três divindades e arquétipos se manifestam e dão estrutura para que as outras deusas (Deméter, Perséfone, Ártemis, Atena, Afrodite e Hera) possam dialogar harmoniosamente. Ele achou lindo, sugeriu coisas e chancelou minhas ideias.

Antes de começar as rodas faço um "paranauê", como gosto de brincar: uma bênção individual. Se há 20, 30 pessoas, tenho de fazer coletivamente, mas minha recepção e acolhida são individuais sempre que possível. Quando elas entram, o fogo já está aceso, já foi rezado e honrado. A intenção foi decretada e fortalecida, e quando todo mundo está reunido ao redor do centro a motivação é compartilhada, assim todo mundo terá consciência do que faremos juntas. Sempre digo no início dos trabalhos: "Não olhem para mim, olhem para o centro, porque eu estou falando em nome dele". Quando começo, gosto de chamar por São Miguel Arcanjo e pelas forças das quatro direções para guardar as nossas fronteiras. E é a mulher mais velha do grupo que tem a responsabilidade de tirar o oráculo coletivo. Ou seja, a bênção coletiva do círculo é ela quem traz.

No fechamento do círculo, encerramos com algo que me surgiu espontaneamente durante esses anos de condução. Todas se levantam, damos as mãos, olhamos nos olhos umas das outras e fazemos o que chamo de "bênção tríplice", que envolve a gratidão pela compartilha. Dizemos: "Meu ventre, meu coração e minha visão honram teu ventre, teu coração e a tua visão!" Essa bênção é feita para cada uma das mulheres, e é muito lindo ver a emoção que traz essa onda de cura e amor entre todas. E, no final ainda de mãos dadas, viramos para o centro e eu, como condutora, falo e repetimos juntas: "É um só ventre, um só coração, muitas visões". Digo muitas visões porque cada uma tem o seu sagrado ponto de vista e isso precisa ser respeitado. Apagamos o fogo nesse mundo físico, mas um fogo compartilhado num círculo nunca deixa de existir. Tudo é feito em paz, com paz e pela paz, meu lema de vida.

Desenvolvi também um método que chamei de dança sagrada feminina (DSF). É um círculo de "reza" com o corpo. Os movimentos são espontâneos, mas diferentemente de técnicas que envolvem a dança espontânea, na prática da DSF se cria uma reza coletiva com cada um dos movimentos individuais. Conceber esse trabalho veio de um baita *insight*. É lindo e mágico. O foco é trabalharmos com a inspiração e o poder do arquétipo da "bailarina interior" de cada uma para a cura do corpo, da mente e do espírito.

Tem também as "Deusas interiores e a jornada mítica feminina", meu principal trabalho, que foca no reconhecimento da heroína que cada uma de nós é, porque tem uma confusão quando se que diz "Eu sou tal deusa". Não somos deusas, somos inspiradas por elas e vivenciamos seus mistérios, não *somos* elas! Busco então que cada mulher aprenda mais sobre si ao reconhecer as deusas que fazem parte da alma feminina e os desafios e bênçãos que cada uma traz. E que possam descobrir quais são as que fazem parte da sua história ou desse seu momento. Depois a jornada é encerrada com a coroação no templo de Hera e com a conexão com a mulher selvagem – tudo com a intenção de manifestar a integridade da "mulher-heroína". E você sai consciente de que você é tudo isso, mas como uma mulher real.

Xamanismo e espiritualidade existem para a gente se alimentar, pegar o elixir e pôr em prática no mundão aqui, senão você está num movimento de fuga, que é uma crítica que faço sobre algumas abordagens de círculos. Imagine: a mulher vai lá, se embebeda daquele encantamento ou *glamour* e volta para casa com o quê? Isso pode ser positivo, mas até que ponto alimenta realmente? O elixir está no que realmente nutre. O próprio Campbell explica que um dos estágios mais desafiadores da jornada do herói é voltar para o mundo comum, e que sem isso ela não se completa. A gente vai para o outro mundo para voltar para esse mundo com as medicinas encontradas, senão não faz sentido.

Os meus círculos de mulheres são politizados, porque a função também é esta: quem é você na pólis? Quem é você na comunidade? Detalhe: sem perder a magia, sem perder essa potência que a gente não sabe explicar. Sem perder esse conteúdo que está no imaginário coletivo, selvagem, na dimensão dionisíaca (ou "artêmica", como gosto de dizer). A própria Nossa Senhora tem essa energia selvagem, na força que ela representa para muitas mulheres.

A CONDUTORA
O papel da condutora de círculos: voltar para o centro

Diferentemente de outras, sou a favor da liderança nos círculos. Vejo a condutora não como uma grande mestra, mas como a responsável para chamar a atenção para o centro do círculo – o coração do organismo formado pelas mulheres que estão nele. A condutora tem de participar de igual para igual e ao mesmo tempo precisa ter um olhar imparcial para decifrar conflitos, identificar o que está acontecendo e agir para que a comunicação seja harmônica. Eu brinco que o círculo é como uma carruagem: o fogo são os cavalos e a condutora é a cocheira. Uma boa cocheira conhece a natureza selvagem dos cavalos, conhece o caminho e tem a flexibilidade necessária para mudar de rumo se necessário, mas quem move a coisa é o fogo, não ela.

Na condução é necessário ter firmeza e flexibilidade: nem rigidez, nem permissividade. Não pode falar: "Fique quieta". Mas, em determinadas situações, quando as coisas se dispersam ou ficam confusas, tem de dizer "Ok. Centro!" E fazer todas olharem para o centro, pois o olhar é muito poderoso. Falo para as minhas alunas sempre observarem o espírito do círculo, irem para o coração do círculo, morada da verdade individual e coletiva. É no centro que a coisa se transforma, tudo vem e tudo parte dali. Acho que a responsabilidade da condutora é esta: ter capacidade de identificar os discursos, as narrativas, as relações, os olhares, as expressões corporais, o sutil, e voltar para o centro, para que a alquimia da cura se faça.

O simplismo e a falta de conhecimento é o que mais me incomoda quando a gente fala sobre certos aspectos do atual cenário dos círculos de mulheres. Por isso venho falando sobre a necessidade de uma reflexão ética. Não dá para negar, tem um povo mal-intencionado que está vendo o movimento como uma forma de manipulação e enriquecimento. Por isso há a necessidade de verificar se o que consta nos currículos de supostas lideranças é realmente realidade. Eu sempre citei as fontes das coisas que faço, isso é importante não apenas no universo acadêmico. Identificar e reverenciar as fontes é algo essencial. Se aprendi algo com alguém ou alguém me inspirou, citar seus nomes chancela meu trabalho e mostra de onde vim.

Há mulheres muito jovens conduzindo círculos de forma muito ousada, eu diria. Muita medicina misturada – ayahuasca, rapé, tabaco, cacau, por exemplo, por vezes de origem duvidosa e tudo num mesmo dia. Tudo extremamente intenso, sem preparo adequado nem acompanhamento posterior à experiência. Fico pensando: o que elas vão fazer depois com os conteúdos que são despertos com isso? Houve coisas que vi nas redes sociais, pois muitas das vezes é tudo fotografado e publicado, que pensei: "Isso é um círculo ou é uma *rave*? É uma festa à fantasia? É um *cosplay*? O que é isso?" Então vamos falar sobre ética, vamos falar sobre ancestralidade, vamos falar com seriedade sobre com quem você aprendeu o que sabe, há quanto tempo você faz isso, como você faz isso. Vamos falar de onde você está vindo, de onde você está e para onde você quer ir.

JORNADAS SOMBRIAS NOS CÍRCULOS
É tanta fome de si mesma que acaba procurando fora o que está dentro

É essencial compreender a sombra na relação entre as mulheres e superá-la, transcender, curar. Em primeiro lugar, a sombra é a incompreensão sobre o que é o feminino e o que é ser mulher. O comum é partir de estereótipos, e isso acaba se manifestando nos círculos. Tem uma "espiritualidade de prateleira" que vende a ideia de que o feminino é sempre acolhedor, o que é uma inverdade. A coisa fica simplista. É limitar muito dizer que uma mulher curada é aquela que é boa, acolhedora e sedutora. Repete-se o modelo patriarcal, pois o foco é ainda o outro, só que com uma roupagem diferente.

Existem outros tipos de sombra, como a expectativa de encontrar no círculo de mulheres a mãe boa que vai resolver todas as suas questões. O feminino vai muito além do arquétipo da mãe boa! Eu falo em círculos: "Não briguem com a guerreira de vocês, honrem essa força, vocês estão aqui por causa dela". As mulheres renegam isso o tempo todo porque acham que ser guerreira é ser "homem", e isso pode gerar briga, competição. Elas têm medo disso.

Esta é uma das reflexões que faço na primeira aula: o que é o feminino? E as falas iniciais costumam ser: "Ah, o feminino acolhe, o feminino gera, o feminino é doce, bla-blá-blá". Então falo de Morrigan, a deusa celta que rege a morte, a guerra e a sexualidade, ou de Brighid, Kali, Perséfone... Pronto, a limitação sobre o que é o feminino começa a ser desconstruída.

Percebo também mulheres que chegam muito cansadas e querendo ser uma coisa que não são. Isso também gera sombra e projeção. Uma coisa é a pessoa olhar a outra e dizer: "Sua história me inspira, te admiro". Outra coisa é querer se apropriar da história da outra pessoa como se esse fosse o caminho para a própria felicidade. Não se encontra a *bliss* assim, a cura está em viver sua própria história. Os círculos que conduzo tratam do reconhecimento da sua individualidade porque só reconhecendo quem é você conseguirá se relacionar com outras mulheres de forma harmônica, indo além da dependência. Eu brinco que parece que estão trocando o príncipe encantado pelo círculo encantado. Cria-se uma codependência com aquilo. Porque é tanta fome, tanta sede de si mesma que se acaba procurando fora sem que haja consciência de que na verdade você está buscando a si mesma. A jornada da heroína é isto: você percorre o mundo inteiro para falar no final o que a Dorothy (do Mágico de Oz) disse: "Não há lugar melhor que minha casa!" E os círculos nos trazem a possibilidade de transcender todos esses estereótipos, esses mal-entendidos, essas projeções, porque há ali uma energia que não é só cultural; vai além, muito além.

JORNADAS DE CURA NOS CÍRCULOS
O círculo caminha, flui, evolui

As mulheres hoje estão despertando e não só por conta do movimento feminista ideológico, político. Dentro das inúmeras coisas importantes que estão acontecendo no mundo, o movimento dos círculos de mulheres tem muito poder, porque as mulheres estão cindidas e nos círculos tudo é feito para integrar, para reunir, para dar inteireza a elas. O fortalecimento das relações entre as mulheres melhora também a relação com os homens e com o mundo, porque elas saem mais íntegras, deixam de acreditar que são um pedaço do outro. Elas mudam a chave de compreensão da própria existência, se libertam da ideia de ser um "pedaço" do Adão, saem transformadas. As relações fora do círculo vão melhorando com a vivência dentro do círculo. E o círculo é processual e progressivo no sentido de que caminha, flui, evolui.

Quando o círculo é firme você estabelece um ambiente seguro: isso para mim é prioritário. A mulher tem de estar confortável e segura para se despir de seus medos. O círculo se torna então uma espécie de confessionário – sem a parte da penitência. Tem até, dependendo de como a gente conduz, um pouco de terapia de grupo, de constelação familiar, psicodrama. E tem que ver com xamanismo, pois é comunitário e primitivo. Saio dos círculos superalimentada. Consegui me pôr a serviço, consegui trazer o que precisava da minha parte, e cada uma também trouxe sua contribuição. Às vezes só dormi três horas e saio cheia de energia, com fogo!

FORMAÇÃO, QUESTÕES FINANCEIRAS E AMPLIAÇÃO DOS CÍRCULOS
Curso de Formação de Condutoras de Círculos de Mulheres

Na mesma época em que fazia o mestrado, e depois de mais de um ano planejando e estruturando, coordenei a primeira turma do Curso de Formação de Condutoras de Círculos de Mulheres. O mestrado foi essencial para que eu pudesse conduzi-lo. Eu estava nessa trilha havia 23 anos, nunca parei de trabalhar com isso, mas então estava com uma estrutura pedagógica mais organizada e pude juntar uma coisa com a outra. Do mesmo jeito que levei a minha experiência com os círculos para a academia, peguei a experiência da academia e trouxe para o curso de formação.

Há um romantismo que prega que todo mundo sabe fazer círculos de mulheres, que todo mundo pode. Sim, todo mundo "pode", mas a potência (ou o poder) não significa que todo mundo vai ter o comprometimento necessário. Na minha visão, é necessária uma estrutura interna para que o trabalho seja feito com responsabilidade e segurança. Lidar com a energia feminina e com as chagas das mulheres é algo complexo e, por vezes, bastante denso. Há também a questão de vocação que considero essencial. Desde a primeira ideia desse curso soube que precisaria de um processo de seleção das alunas, tanto para que eu saiba o que elas buscam quanto para que elas saibam no que posso contribuir como instrutora e orientadora. Peço uma carta de motivação: "O que você está buscando?" Porque se a pessoa está buscando o que não tenho para ofertar, não rola. Sem fazer essa pré-seleção, vai ter gente que vai vir para cá buscando outra coisa e emperra. Não que a carta seja uma garantia, porque às vezes algumas vêm aqui buscando uma coisa e ao iniciarem a jornada encontram outra.

E tenho percebido que as mulheres estão chegando mais "inteironas" nos meus círculos de formação, tipo: "Sei quem sou, mas não sei o que fazer com isso". Ou: "Passei por um monte de coisa, não sei quem eu sou, mas sei que posso fazer alguma coisa com isso".

Trata-se de um curso livre de formação que dura 13 meses. Como vejo, não tem como fazer esse curso num final de semana e também não há modalidade on-line. O diferencial dos círculos de mulheres é a vivência: ela é empírica, profunda e demanda tempo. O conteúdo envolve a história das deusas primitivas, o que é a mulher na cultura, o que é o feminino; trago a filosofia e a necessidade da postura ética. Desconstruo a (falsa) imagem submissa de Maria propagada pelo patriarcalismo. Tem as deusas madrinhas, que são baseadas nas nove deusas do meu trabalho com os arquétipos e mitos. E nunca deixo de falar sobre masculino e os deuses; Shiva e Dionísio estão sempre presentes. O curso inclui também a construção e a apresentação de um trabalho de conclusão de ciclo. É uma jornada em que você tem de ralar, estar nela de verdade e com a sua verdade. Ouvi de uma aluna que, mais que um curso de formação, é uma reforma interna.

A proposta do curso é que cada uma tente descobrir sua *bliss*: afinal, todo mundo nasceu com alguma coisa para fazer nesta vida. Essa busca é linda porque, por exemplo, vem professora de dança que acha que a dança não poderia ser uma ferramenta de cura... E ela pode ser! É a lógica de como é usada que faz diferença. Então, cada condutora encontra sua *bliss* na própria história de vida. E isso é bom, pois é a diversidade que faz esse movimento ficar forte, é cada uma colocar a sua contribuição que é única. Este é o trabalho da condutora: você não diz o que as mulheres têm de fazer; você está ali junto, você é uma delas. E, baseada na sua experiência e com o apoio do centro/espírito do círculo, você está no papel de acompanhar a jornada que é de cada uma. O mesmo vale para meu papel como instrutora/orientadora dessa formação que vai além da simples instrução de condutoras. Sempre deixo muito claro: não dou fórmulas prontas; não acredito nisso.

OLHARES PARA A VIDA...
Eu sou feita de um monte de coisas

Eu sou feita de um monte de coisas, tanto de sangue quanto das coisas que fui aprendendo na vida. Minha base tem muito de espiritualidade celta, mas conforme você vai mergulhando nessa cultura percebe que ela é mais uma cultura aborígene, xamânica. A minha espiritualidade é vira-lata, mestiça, híbrida. E é bem xamânica, no sentido de que o sagrado é o aqui e o aqui é o sagrado. E, com toda certeza, minha visão do sagrado é muito mais feminina do que neutra. Eu vejo e honro o divino no masculino, mas vejo a fonte como a grande senhora cíclica. Sou ecofeminista. O ecofeminismo basicamente faz um paralelo claro entre a mulher e o planeta: o planeta é tratado do jeito como a mulher é tratada; o planeta é visto como a mulher é vista. É outra consciência com relação à Terra, ao mesmo tempo que outra consciência da relação conosco mesmas e entre nós.

Estou mais velha, mas estou mais nova. Estou mais velha, mas estou mais ágil – se não de corpo, na alma; estou mais velha, mas estou enxergando mais – se não com os olhos, com o espírito. Vou fazer 50 anos daqui a pouco e olha quanta coisa ainda tenho para fazer, e olha quanta coisa já fiz! Fiz com ajuda das mulheres que fazem parte da minha caminhada, não sozinha. Amo estar com essa idade! Estou entrando numa cadência mais saudável, estou menos impulsiva, talvez.

Nós somos as netas das bruxas que não foram mortas, nós somos as netas das avós que foram adormecidas ou distanciadas de si mesmas, mas sua essência selvagem sobreviveu. Ficou uma lacuna na nossa sociedade atual, uma chaga no feminino: perdemos muitas avós e sua sabedoria. Elas estavam adormecidas, mas estão começando a conseguir se comunicar. Precisamos recuperá-las, buscando envelhecer sabiamente. E, para ter uma boa morte, precisamos deixar um legado bom. Todo mundo que está aqui tem a oportunidade de ser imortal se tiver uma boa vida no sentido de seguir sua *bliss* e fazer a sua contribuição, aquela essencial que só você pode fazer.

Estou sentindo como se tivesse trilhado todos os estágios com os círculos. É bem a jornada da heroína mesmo. Volto para o mundo comum e já tenho outra missão, começo tudo de novo sabendo mais algumas coisas. Já passei por muitos lugares, já questionei muito, já quis desistir. Pensando do começo até hoje, a paixão é a mesma, mas estou mais madura, mais consciente do poder e com mais calma. Uma aprendiz que também tem a sua maestria.

Estou fazendo trabalhos em outros lugares, estou sendo chamada, reconhecida, inclusive fora do Brasil. Autoridade e autoria estão relacionadas; então, é como se você estivesse vivenciando e escrevendo sua história e ao mesmo tempo construindo uma autoridade, não para impor nada aos outros, mas para fazer o que professa e para ser quem você é. Tenho uma responsabilidade, preciso contribuir por conta das experiências que já passei. Eu me sinto mais íntegra. E falo isso com humildade, para não achar que eu estou pronta. Eu estou pronta até onde estou pronta, mas sei que tem ainda muita coisa.... Tomara que não acabe nunca.

Depois de dez anos abri mão de manter um local físico para o "feminino essencial". O espírito do meu trabalho está sendo manifestado em muitos lugares, novas parcerias se concretizando e as antigas sendo fortalecidas. Estou focando em meus aconselhamentos filosóficos e orientações individuais, incluindo o oráculo da deusa, e também o psicodrama transgeracional específico para trabalhar a ancestralidade das mulheres. Estou iniciando um trabalho que julgo muito importante: a mentoria e supervisão individual para terapeutas que trabalham com o feminino, incluindo as condutoras de círculos que já exercem o ofício, sejam formadas por mim ou não. Muita gente vem me pedindo aulas particulares sobre os temas que envolvem a ecoespiritualidade feminina há anos e, como sempre, depois de muita reflexão, creio que é o momento certo para desenvolver essa proposta também.

Em agosto de 2017 iniciei minha trajetória no doutorado. O tema da tese é dedicado ao grande feminino e minha pesquisa é sobre Nossa Senhora como a força reintegradora dos mundos e sua influência na construção das identidades femininas. Escreverei sobre as muitas Marias que, ainda que muitas, são uma só. Que eu continue a seguir na minha trilha em paz, com paz e pela paz. Estou feliz e grata, muito grata.

Patrícia Pinna Bernardo

Patrícia Pinna é psicóloga clínica e arteterapeuta. Tem mestrado e doutorado em Psicologia e pós-doutorado em Mitologia Criativa e Arteterapia. Coordena a pós-graduação em Arteterapia Aplicada e em Mitologia Criativa, Contos de Fada e Psicologia Analítica na Unip em São Paulo e Brasília. É autora de vários livros sobre arteterapia. Mantém o blog http://patricia-pinna.blogspot.com.br/ e a página do Facebook https://www.facebook.com/Patricia.p.bernardo.1.

Patrícia, 56 anos, é uma mulher risonha que fala com paixão sobre arte e psicologia analítica, coisas que ela integra desde sempre. Fizemos a entrevista na tarde do dia 18 de dezembro de 2017 em seu consultório, um sobrado repleto de quadros, esculturas, colagens, fantasias, brinquedos, livros, plantas e objetos para fazer arte. Lugar que parece um cenário dos contos de fadas, que ela e a Beatriz tanto amam.

MÃES, AVÓS, INFÂNCIA
A busca precoce do sentido da vida

Toda minha família, por parte de pai e mãe, veio de uma mesma pequena aldeia em Portugal. Meu avô paterno não gostava do clima de lá e resolveu vir para o Brasil; minha avó veio grávida do meu pai. Ela sofreu muito com a mudança porque na aldeia tinha autonomia e liberdade, era uma mulher ativa e produtiva, e quando veio para cá teve de se encaixar nos moldes exclusivos de dona de casa. Viveu até um período de depressão em razão disso. Ela não sabia ler nem escrever, mas sabia falar sobre qualquer assunto. Morreu com 103 anos e era muito ligada à natureza; na casa dela sempre teve horta, galinheiro...

A minha avó materna morava nessa mesma aldeia também. Ela sabia ler e gostava de ler, de ensinar, e era benzedeira. Tinha uma mãe doente, mas meu avô também cismou de vir para o Brasil. Ela veio com o coração partido de deixar a mãe doente, sentia-se muito culpada. Também sofreu horrores por se transformar numa dona de casa, só ficar cuidando dos cinco filhos, sem poder trabalhar com seu lado intelectual. Ela morreu enquanto eu ainda era criança.

A minha mãe e as minhas tias de ambos os lados da família brigaram muito para estudar, porque família portuguesa achava que mulher não precisava de estudos. Elas trabalharam e fizeram questão de estudar, mas a maior parte delas não fugiu da história de casar e parar com a vida profissional, de ser exclusivamente dona de casa e de sofrer e se deprimir com isso. Isso é uma constante na minha história.

Minha mãe morava no Rio de Janeiro. Quando casou com meu pai, mudou-se para São Paulo e foram morar com meus avós paternos. Eles tinham uma casa com um quintal grande, e lá meu pai construiu a casa onde moramos até eu fazer 7 anos. Sou a primeira de três filhas. Minha mãe fez magistério e sempre gostou de ser professora, de ensinar e de estudar, mas quando se casou parou tudo porque achava que tinha de ser somente uma excelente dona de casa. Tentou com todas as suas forças, mas ela não dava para isso. E, quanto mais tentava ser boa, mais infeliz ficava e mais complicada se tornava a vida para nós, as filhas.

Minha terceira irmã nasceu com microcefalia, teve paralisia cerebral e morreu com 1 ano e meio. Ela nasceu quando eu tinha uns 3 anos (antes dela nasceu uma irmã, quando eu tinha 2 anos), era a irmãzinha querida do meu coração e quando morreu foi um choque muito grande, tive de lidar com a morte naquela idade. Então precocemente comecei a me perguntar sobre a vida e a morte e a me interessar pela religiosidade; queria achar um sentido para o viver. Meus pais se diziam ateus, mas meus avós eram muito religiosos e eu ia à missa com eles. Eu queria ser padra – não freira, padra: queria rezar missa, participar daquele mistério, daquele ritual. Essa questão do ritual era muito importante para mim. Eu pegava os xales da minha avó – ela não saía sem eles –, punha na cabeça e rezava. Então, desde muito cedo tive a necessidade de conexão com alguma coisa maior, com um significado maior para a vida.

Na escola eu era quase muda, acho que porque as coisas que passavam na minha cabeça eram muito diferentes das que provavelmente passavam na cabeça das outras crianças. Ninguém tinha uma irmãzinha que morreu e ficava perguntando o que é a morte com 4 anos de idade. Então, as minhas brincadeiras eram solitárias, filosóficas e inventivas; minha imaginação sempre foi muito fértil. Mesmo antes de saber ler já escutava disquinhos de contos de fada e fuçava nos livros, especialmente em duas coleções que a gente tinha: *O mundo da criança*, com historinhas, poesias, contos, e *O sítio do pica-pau amarelo*.

E desde sempre tive muito amor pela arte. Gostava de música, aprendi criança a tocar piano e desde pequenininha desenhava, pintava, quase compulsivamente. Mostrava meus desenhos para todo mundo: minha mãe, a vizinha...Minha mãe dizia:

"Ah, que lindo, filha!" Mas não era isso que eu queria ouvir, só que não sabia o que queria. Foi muito mais tarde, trabalhando com arteterapia, que me toquei sobre o que desejava com aquilo: que as pessoas "me lessem" no desenho e me ajudassem a me entender.

Para mim, a arte era vital. Eu não entendia quando falavam que primeiro a gente precisa comer, ter casa e só depois vinha a arte na lista de prioridades. Sempre achei que sem a arte nada faz sentido. Foi ela que me ajudou desde pequena a lidar com minhas questões. Ela também fazia que a vida pudesse ser interessante; sem esse mundo da arte e da fantasia eu não via graça em nada.

Outra coisa que também foi muito importante na minha trajetória e começou na infância foi minha conexão muito forte com a natureza. Lembro que pequena adorava ir para o galinheiro dos meus avós e tentava falar a linguagem das galinhas, me comunicar com elas, ficava amiga dos pintinhos... Acho que por isso sou vegetariana há mais de 30 anos.

JORNADA PESSOAL
A paixão por Jung

Meu pai tinha uma biblioteca muito rica. Apesar de se dizer ateu, sempre foi um buscador. Lá tinha de tudo: filosofia oriental, espiritismo, teosofia... Cresci lendo esses livros. Adolescente, continuava buscando a resposta para o sentido da vida. Fui descobrindo que havia inúmeras respostas, mas que não eram definitivas, então continuava buscando. Participei também de grupo de jovens da igreja, buscando dentro da religiosidade caminhos para vivenciar uma conexão mais profunda com algo maior.

Quando estava no colegial, me perguntava que faculdade ia fazer. Pensei em fazer Artes, mas ninguém achava que isso fosse profissão, não servia para ganhar dinheiro. E eu não queria ser uma mulher como as minhas avós e a minha mãe, infeliz e fechada dentro de casa, queria trabalhar e me sustentar. Aí tentei entrar em Arquitetura, mas acabei assumindo que queria mesmo fazer Artes e entrei no curso de Artes Plásticas da Faap. Mas não queria ser artista de expor, vender meus trabalhos, colocar no museu. Achava que a arte tinha de ser aplicada em tudo; tinha de estar na roupa, na parede, na vida como um todo.

Comecei a fazer a faculdade e adorei, mas continuei fazendo cursinho. Foi quando li – achei na biblioteca do meu pai – o livro do Miguel Serrano com entrevistas com o Herman Hesse e o Jung, *O círculo hermético*. E fiquei encantada, apaixonada pelo Jung! Comprei então um livro dele, *Fundamentos da psicologia analítica*. Li, não entendi quase nada, mas percebi: "Esse cara fala as coisas que estou querendo entender". E resolvi fazer Psicologia, mas continuar também o curso de Artes Plásticas.

Na verdade, não queria Psicologia, queria Jung. Acabei entrando na USP, que na época tinha um viés behaviorista e nada de Jung – aliás, falavam mal dele. Mas continuava lendo Jung, e fazendo perguntas, e tentando relacionar a psicologia junguiana com o que estava aprendendo, e pondo Jung nos trabalhos que fazia... Todo mundo na Psicologia sabia que eu era junguiana (eu falava de Jung para todo mundo).

Durante o curso comecei um grupo de estudos com a professora Laura Villares de Freitas, uma junguiana que tinha acabado de entrar na USP. Eu já fazia terapia com uma junguiana, mas com ela comecei a estudar de forma mais aprofundada, daí tinha com quem discutir. E li os livros do Jung durante todos os cinco anos de faculdade. Me formei e fui fazer supervisão também com uma junguiana.

E continuava a querer juntar a psicologia e a arte. Mas como isso era muito novo e não havia praticamente ninguém que fizesse essa junção de forma sistematizada, resolvi trilhar um caminho próprio. Trabalhava em consultório, em uma creche e depois numa escola integrando psicologia junguiana e a arte (desenvolvi uma concepção de trabalho) em oficinas de criatividade como trabalho terapêutico e preventivo. Foi quando resolvi fazer o mestrado para sistematizar meu trabalho, inclusive para o Conselho Regional de Psicologia, muito rígido na época, não vir me perturbar.

Fui fazer o mestrado na PUC, mas não tinha ninguém que pudesse ser meu orientador porque meu trabalho era muito inovador. Queria juntar a psicologia junguiana com uma teoria da criatividade. Acabei achando uma pessoa que topou me orientar, mas mais por formalidade; fiz todo o trabalho quase sozinha. Construí a fundamentação teórica sobre o processo criativo em cima da interpretação simbólica que fiz de um conto tibetano: "O quadro de pano". Nele, uma mulher bordadeira que morava num lugar pobre e feio um dia encontra um quadro de uma linda e rica aldeia – mas, mesmo assim, muito parecida com a dela. Ela se encanta com ele, o compra e à noite, após o trabalho de bordar para sobreviver, ela borda para o seu prazer, usando-o como modelo, transformando-o num lindo quadro de pano. As fadas, encantadas com o quadro, o levam embora para usar como modelo. A mulher fica tão triste com isso que cai muito doente. Então seu filho caçula, depois de muitas peripécias, recupera o quadro e o leva para a mãe. Ela sara e ao mesmo tempo a aldeia em que moravam se transforma no quadro que bordou, ou seja, o sonho dela se transforma em realidade. Na hora em que li esse conto, percebi que isso é a criatividade em ação, essa é a base no trabalho da arteterapia, o poder de transformação que tem o processo criativo. Foi essa minha tese, com essa parte teórica e a análise das oficinas de criatividade que eu coordenei no Centro de Convivência e Cooperativa São Domingos, como psicóloga da saúde na prefeitura municipal de São Paulo, e apesar de bastante inusitada e sem muitas referências comparativas segundo eles fui aprovada pela banca com nota 10.

DESAFIOS ENFRENTADOS POR SER MULHER
Esse trabalho foi a minha salvação

Quando resolvi fazer o mestrado, eu era casada e tinha um filhinho de 1 ano, mas meu casamento estava indo para o espaço. E, ao mesmo tempo, minha mãe estava muito doente, morrendo de uma doença incurável. Fazer esse trabalho foi o que me salvou naquele momento. Lembro que minha terapeuta dizia: "Seu casamento não depende só de você, na doença da sua mãe você não tem controle, mas seu trabalho e a sua tese só dependem de você. É aí que você pode se sustentar".

Eu tentei salvar meu casamento de todas as formas porque achava que meu filho tinha o direito de ter os pais morando juntos. Mas quando percebi que precisava mesmo me separar, meu ex-marido não quis, por diversos motivos. Então, fui levando até a gente conseguir fazer uma separação amigável, não litigiosa, e meu filho sofrer o mínimo possível com essa separação. Tudo que eu imaginava – ter uma família, uma casa, filho e ao mesmo tempo ser uma pessoa ativa e ter um caminho meu – não se sustentou. Cheguei a ter vontade de morrer. Meu filho foi uma peça importantíssima nessa história toda, o que existia para mim era meu trabalho e ele. E pensei: a melhor coisa que posso fazer para meu filho é dar um exemplo de vida, é viver uma vida que faça sentido de ser vivida.

O mestrado foi uma oportunidade de refazer meu mundo. A tese foi meu quadro de pano. Eu trabalhava e cuidava do meu filho durante o dia e à noite, como no conto, eu "tecia": escrevia. E foi com essa tese que compreendi melhor e sedimentei as bases do meu trabalho, no qual ancorei a minha vida. O que acontece quando a gente é levada a um ponto limite, quando está diante da morte, da separação, de coisas muito difíceis (e aquilo foi como um *déjà vu* de quando minha irmãzinha morreu) é que você tem de extrair um sentido maior para a vida. Se não fizer isso você não vai realmente viver. E esse trabalho é a minha missão de vida; nasci para isso, estou no mundo para isso. É o que o Jung chama de individuação. Isso ninguém me tira.

JORNADA PESSOAL
O diálogo entre a consciência e o inconsciente

Quando uma árvore dá muito fruto e você não consegue comer todos, eles vão apodrecer se você não distribuir. Eu senti isso com a minha tese. Quando criei essa base teórica e a defendi diante da academia, legitimando-a, tive certeza de que essa história era para mais gente e resolvi dar aulas em faculdades. Fui dar aulas levando Jung e arteterapia para todos os lados: nas Artes Plásticas da Faap, na Pedagogia da São Camilo, na Musicoterapia da Faculdade Paulista de Artes e na Psicologia na Unip, onde estou até hoje.

Fui então fazer meu doutorado e voltei para a USP. Quis relacionar os diferentes recursos artísticos com os quatro elementos: a terra, a água o fogo e o ar. Esses elementos podem ser vistos como forças que, condensadas, manifestam-se na matéria como fenômenos físicos; e, como, princípios atuam no nível psíquico. O homem contém esses dois lados, material e espiritual, em sua constituição, pois foi feito a partir do barro e do hálito de Deus. O homem é um ponto entre o terrestre e o celeste, entre matéria e espírito, e transmuta-se continuamente um no outro. E a atividade artística serve como metáfora tanto da cosmogonia como da criação do homem na medida em que torna visível o invisível, trazendo à luz as tramas criativas do espírito, entrelaçando esses dois níveis em um único trabalho.

Fiz esse projeto relacionando os quatro elementos com forças que atuam na nossa psique (via funções da consciência: pensamento, sentimento, sensação e intuição, bem como as operações alquímicas e os mitos relacionados a esses elementos) e com os diferentes recursos artísticos: modelagem, pintura, desenho etc., usando esses referenciais para extrair as indicações terapêuticas para o uso de cada recurso. Como artista eu via, por exemplo, que quando eu mexia com barro este dialogava comigo de um jeito diferente do que a tinta. Ou seja, cada material traz informações e ativa e facilita o trabalho com diferentes questões psíquicas. Se eu não fosse artista não perceberia a relação entre o material usado e as questões a ser trabalhadas. Os psicólogos não consideram tanto isso, eles consideram que qualquer material serve para você projetar nele seus conteúdos internos, só que eu não considero a criação somente projeção. Projeção é só um pedaço da história, a arte traz outro lado.

Considero a criação artística um encontro entre natureza e espírito, entre matéria e espírito. E você refaz nesse encontro o caminho da própria Criação, por isso é um caminho de autocriação, de autotransformação. Para promover a sua transformação não basta você trazer para fora e tomar consciência – isso é parte do processo. Também é preciso que você volte a se unir e a ter intimidade com a matéria do qual você é feito, essa matéria-espírito. Assim, você se torna apto a ser um cocriador, você assume seu lugar na criação, você entra no seu caminho de vida, na sua vocação, na sua individuação. É um diálogo, uma criação conjunta entre a consciência e o inconsciente.

Comecei a construir esse pensamento no mestrado e no doutorado destrinchei as especificidades de cada recurso, de cada material. E, assim como o mestrado me levou a dar aulas na graduação, o doutorado me levou para a pós-graduação, na qual atuo hoje exclusivamente. O pós-doutorado foi consequência porque, quanto mais fundo você mergulha nas profundezas, mais você vê quanto tem para ser descoberto. E continuo pesquisando sempre, hoje por conta própria.

CÍRCULOS DE MULHERES

PRIMEIROS CÍRCULOS
Grupos de estudo e supervisão

Desde a época em que fiz o mestrado e fui dar aula em faculdade comecei a promover grupos de estudo e supervisão como espaço de construção conjunta de conhecimento. Escolhia temas juntando contos, mitos, psicologia junguiana e arteterapia; criava programação para um semestre e as pessoas chegavam e participavam. Meus cursos sempre foram vivenciais e teóricos. Sempre achei que tem de ter os dois lados até por uma questão ética: se você for aplicar, precisa vivenciar. E sempre usando a arteterapia como recurso pedagógico. Algumas pessoas paravam quando acabava o semestre, mas a maior parte queria continuar, então eu criava outro tema que partia do interesse dos participantes.

O TRABALHO COM OS CÍRCULOS
Um trabalho todo voltado para o feminino

Meu trabalho nunca foi voltado somente para mulheres, mas é todo voltado para o feminino – porque a linguagem da arte, dos mitos, do simbólico, da espiritualidade e da natureza é a linguagem do feminino. O que aconteceu é que sempre chegaram muitas mulheres. Tenho vários grupos compostos de 100% de mulheres; na pós-graduação da Unip a maior parte dos alunos é composta de mulheres.

Dentro da visão junguiana, somos todos masculinos e femininos, o que diferencia é o grau de proporção desse espírito fálico e desse espírito uterino, digamos. Quando você trabalha com esses temas vai puxar esse jeito de olhar feminino trazendo a alma para dialogar, dando corpo e voz a ela. Então, os homens que chegam são homens mais femininos, assim como mulheres que têm uma visão mais masculina e um olhar mais patriarcal não aparecem. Como meu trabalho é todo voltado para o resgate dessa dimensão do feminino, da dignidade da mulher e do sagrado na vida, ele serve como instrumento de ganho de poder. E um poder legitimado por algo que vem de uma dimensão maior.

Não posso dizer que quando tem homem o grupo se encaminha de modo diferente, porque acho que quem coordena esse caminho é o *self* grupal e nele está integrado o casal – o grande pai e a grande mãe –, e são eles que guiam o trabalho de acordo com as necessidades que o grupo está trazendo.

Participei do grupo de estudos com a professora Laura Villares de Freitas, que vê a psicoterapia como um rito atual de iniciação, e fiz no México um trabalho de encubação de sonhos, com indígenas mexicanos e psicólogos junguianos. Então, partindo dessas duas visões, fiz esse "gancho": a ideia que os povos primitivos têm de iniciação é o que acontece quando a gente trabalha com criatividade. É um ritual contemporâneo de iniciação que leva ao processo de transformação. E esses rituais iniciáticos vêm dessas culturas matriarcais indígenas e africanas, são visões do mundo delas. Essa é uma visão integrada de saúde, arte e educação.

Nos grupos tem-se sempre esse estar em círculo, um olhando para o outro e para o trabalho que cada um fez. E tem toda uma maneira de se comunicar que aprendi com os índios usando o bastão da fala, que é falar e ouvir com o coração, sem julgar nem criticar. Quando a pessoa está com o bastão, ela fala e todos escutam "com o coração"; se a fala ecoa em alguém, a pessoa compartilha o que sentiu e percebeu quando chega sua vez de falar, com o bastão na mão. Depois do compartilhamento, cada um dirige seu olhar também para dentro de si, mas um olhar que volta dinamizado pela troca. Enfim, nessa dinâmica do trabalho arteterapêutico você olha para o trabalho como um espelho para ver a sua alma. A alma fala por meio das tintas, das cores, dos símbolos; a linguagem da arte é a sua linguagem.

JORNADAS SOMBRIAS NOS CÍRCULOS
Estão em você o anjo e o demônio

Quando você fecha os olhos e olha para dentro, a primeira coisa que vê é o escuro. Então, não tem como, a sombra está aí. Mas a gente projeta: quer que o outro se comporte da maneira como acha que ele deve se comportar e, quando ele não faz isso, nos desagrada e achamos que ele está errado. Só que não nos damos conta de que o outro está sendo bode expiatório daquilo que faz parte do nosso desagrado e que, projetando no outro, achamos um jeito para trazer à tona esse incômodo. Assim, eu me coloco como vítima do outro e deixo de reconhecer "o outro" que habita em mim.

Agora, quando você trabalha trazendo a sombra para você, sem projetar, pode vê-la como parte da vida e que ela não precisa ser uma coisa necessariamente ruim, que vai atrapalhá-lo. Pode reconhecer que, para ter a luz, você precisa trazer o escuro para destacá-la! Se você tem essa visão do conjunto, dá um lugar e uma dignidade à sombra; ela não precisa ser vivida como se você fosse vítima ou vilão. Você toma uma distância que permite olhar para você mesmo como "o outro" e ver esse outro também como você. É buscar esse olhar de não julgar nem criticar, entendendo que cada um é um e que todos têm o direito de ser como puderem e conseguirem ser.

Trabalhar com máscaras é uma das formas de trabalhar com a sombra, de dar corpo e voz a ela. Você a traz para o trabalho, traz para sua mão. Quando você trabalha com recursos artísticos, sai do caminho de se sentir vítima, para de projetar no outro e vê que o melhor ou pior está em você mesma. Reconhecemos que deuses e demônios estão no mundo e estão na gente. O trabalho com a arteterapia tem isto de bom: a pessoa se responsabiliza pela própria vida, seja ela qual for.

O mito de Dionísio fala disto: por meio do êxtase e do entusiasmo você pode abrir as comportas da consciência para deixar vir e aflorar aquilo que está além dela, que está no inconsciente. E não são só os anjos, tem também os dragões, mas ao encarar esse processo de trazer à consciência você traz isso tudo para sua mão. Dessa forma você se responsabiliza: está em você o anjo e está em você o demônio, está em você a divindade. Dionísio era o deus mais feminino que existia e muito próximo de Jesus Cristo. Jesus dizia a mesma coisa: o que você vê no outro é o que está no seu olho, o seu cisco.

JORNADAS DE CURA NOS CÍRCULOS
O olhar do feminino cria um mundo com alma

Quando você trabalha com o mítico, o simbólico e o artístico, traz a linguagem do feminino – e isso permite que homens e mulheres ganhem mais intimidade com esse universo e possam se nutrir disso. Acho que essa é uma questão atual, a humanidade está pedindo isso! Mais importante do que pensar se é um grupo de mulheres e para mulheres, acho que é pensar se é um grupo que resgata essa dignidade, essa contribuição do feminino para o todo, o que nesse momento é muito importante.

Não acho que os homens têm de estar de fora. Eles não vêm para os grupos e sinto pena, gostaria de ter mais homens presentes. E mais: a questão não é estar entre mulheres, mas resgatar a dignidade desse olhar feminino para a vida, para a alma poder estar no mundo. É poder criar um mundo "almado", que significa um mundo animado, reencantado, com mais sentido e significado.

E é a questão da ética, da valorização do humano, da comunicação não violenta, desse olhar "Eu sou o outro de você e você é outro de mim". E esse ver o outro como meu espelho é feminino, o espelho é o feminino! Todas as mulheres têm esse espelhamento mútuo. É você olhar a natureza e se ver nela, e se ver como parte dela. Sem esse olhar feminino a humanidade e nosso planeta correm um sério risco de se autodestruir. Quando houve a cisão entre o patriarcado e o matriarcado, quando o patriarcado amordaçou o matriarcado, começou o desequilíbrio, o problema. Na verdade, deveriam ter dado as mãos, num *Coniunctionis* (casamento sagrado) – o masculino casado com o feminino, integrado.

Minha mãe e minhas avós foram amordaçadas, não puderam dizer a que vieram, não puderam contribuir para um processo maior do que na própria casa – e mesmo nelas seu poder era limitado... E isso se transformava em doenças psíquicas! Acho que um dos grandes motivos da minha opção por psicologia foi tratar desse feminino ferido, começando pelas mulheres da minha família, pela minha irmãzinha, por mim mesma – as feridas desse matriarcado violentado e desrespeitado.

Acho que nós, mulheres dessa geração, somos pioneiras. Tenho 58 anos e pude viver uma vida que minha mãe e minhas avós não puderam. Por isso precisamos honrar todas elas, porque cada uma foi fazendo o que pôde. Por exemplo, minha mãe e minhas tias brigaram para estudar, porém não chegaram a fazer faculdade, mas fizeram questão de que as suas filhas fizessem. Eu comprei essa casa com o dinheiro da herança que minha mãe me deixou. Aqui fiz o meu consultório e esse espaço para cuidar desse feminino, honrá-lo como uma reverência ao que ela me deixou, às condições que ela me deu para que eu hoje possa fazer meu trabalho.

Assim que me vejo: trabalhando com mulheres, mas principalmente com o feminino e pelo feminino em todos. O feminino que está nos homens, nas mulheres, na natureza e de coração aberto para receber a semente do masculino e criar. Porque acho que a criação tem de ter os dois, tem de ter o vaso e a semente, os dois em união amorosa.

A CONDUTORA
Se vou cuidar dos outros, preciso primeiro me cuidar

Sempre tive consciência de que para cuidar dos outros eu tenho de me cuidar. Acho, inclusive, que é uma questão ética: se escolhi cuidar do outro, tenho o compromisso de me cuidar, senão projeto meus problemas nos outros e faço deles bodes expiatórios. O trabalho com os outros só acontece verdadeiramente quando a gente trabalha com a gente também.

Agradeço todo dia a Deus por esse trabalho, porque me coloca em contato com tanta luz, tanta beleza, com princípios que tornam uma vida digna, uma vida da qual a gente possa humildemente se orgulhar. Quando você está na sua vocação, na sua missão de vida, está no caminho da sua saúde integral física e psíquica.

Este caminho que escolhi, de cuidar dos outros e ensinar, é a maneira que encontrei de estar sempre cuidando de mim e estar sempre aprendendo, porque para ensinar preciso estar sempre pesquisando e aprendendo, e para cuidar do outro eu preciso estar sempre me cuidando. E com cada um de que cuido aprendo coisas importantíssimas que trazem um olhar para minha vida com muito mais profundidade. Então esse é um caminho de estar sempre em contato com princípios da vida e da saúde.

OLHARES SOBRE A VIDA...
O fado voluntário

O Fernando Pessoa, como Ricardo Reis [um de seus heterônimos], tem um poema de que gosto muito: "[...] como acima dos Deuses o destino é calmo e inexorável, acima de nós mesmos construamos um fado voluntário [...] E que quando entramos pela noite dentro por nosso próprio pé entremos".[7] O que as moiras tecem para uma vida ninguém pode mudar, você tem de passar por aqueles desafios, nenhum deus pode tirar o que elas criaram para você, mas eles podem te dar instrumentos para você atravessar o que tiver de atravessar. E, se o que elas decidem nem os deuses podem mudar, então que a gente construa um fado, um destino voluntário. Posso trazer meu fado, esse destino, para minha mão e transformá-lo em meu e em uma coisa a meu favor, e para o bem de todos.

Foi o que fiz na época do meu mestrado: me recusei a ser vítima. Assim você transforma seus problemas na sua força e aí você se empodera. E de um poder que não é egoico, é o poder conferido por essa entrega à vida, o poder maior do qual você é canalizador e representante. É você ser rei e rainha do seu reino e transformar a sua história no seu mito pessoal. E, quanto mais maestria você tiver em viver sua história, mais vai poder iluminar e inspirar as histórias das outras pessoas.

---

7. Trechos do poema "Da nossa semelhança com os deuses".

Patrícia Widmer

Patrícia Widmer é psicóloga clínica e arteterapeuta. Tem mestrado em Ciências da Saúde pela Unifesp e doutorado pela Faculdade de Psicologia da USP. É certificada em MARI® (Mandala Assessment Research Instrument) e conduz grupos de formação nessa técnica. Mantém no Facebook a página Outras Costuras: https://www.facebook.com/outrascosturas/, na qual une psicologia, arteterapia, cinema, literatura e arte.

Patrícia, 45 anos, fala de forma calma, gentil e, ao mesmo tempo, calorosa. Entusiasma-se ao contar sobre as muitas costuras que faz na vida, tanto no sentido literal como no sentido poético, metafórico, terapêutico... e muito feminino. Como mora em Santos, fizemos sua entrevista na casa da Beatriz, numa quarta-feira, tarde de clima ameno do dia 29 de março de 2017.

MÃES, AVÓS, INFÂNCIA
A pequena costureira

Nasci em uma família de classe média, três filhos, pai operário, mãe dona de casa. Mesmo sendo dona de casa, minha mãe sempre colaborou na economia doméstica com as suas prendas; ela costura, borda, pinta, cozinha, tudo muito bem! A gente não tinha luxo, mas nunca faltou livro, disco: a cultura era tão importante quanto a comida que tinha na mesa. Sempre tive – acho que puxei do meu pai – essa fome de cultura e a paixão por ler. Ele se encantava com isso e alimentava esse meu lado.

Meu pai trabalhava na indústria numa época em que o movimento de trabalhadores era forte, quando importantes conquistas trabalhistas foram alcançadas, uma época de greves históricas. Eu era criança e convivia nesse ambiente fortemente marcado pela política, e quando você participa de algo assim, mesmo que ainda não entenda bem e não tenha a dimensão do que significa, isso influencia suas convicções. Mais tarde na vida é que a gente se dá conta disso.

Quando era criança, minha mãe costurava, minha avó também e eu pegava todos os retalhos que sobravam para fazer roupas para as minhas bonecas. Eu não podia usar agulha, linha, tesoura, não podia relar nos instrumentos de costura dela, mas fazia os modelos amarrados no corpo das bonecas. Então, eu tinha uma sacola de trapos que se transformavam em saias, blusas, vestidos de festa; enfim, ene possibilidades.

Lembro que passei umas férias na casa de uma tia-avó que tinha uma butique chique na época. Achei lá uma sacola cheia de bonecas Suzy e fiquei louca. Nossa, foram as melhores férias da minha vida! Eu peguei aquelas bonecas e com as coisas da butique criei 1001 roupas maravilhosas. Essa minha tia pegou as bonecas e mostrou para a minha mãe, dizendo: "Você está vendo isso aqui?" Minha mãe respondeu que eu brincava assim todos os dias. Minha tia falou que eu ia ser estilista, que era para minha mãe incentivar essa carreira – mas, imagina, eram os anos 1970, não era como é hoje. E minha mãe respondeu: "Minha filha, costureira? Deus me livre!" Isso ficou meio que marcado, sabe? A costura e as prendas domésticas como uma atividade de segunda linha. Acho que o sonho dos meus pais era que eu fizesse uma faculdade, continuasse os estudos que eles não tiveram a oportunidade de realizar. Hoje agradeço por isso.

JORNADA PESSOAL
A certeza na escolha profissional

Não passei por aquela coisa de dúvida e sofrimento na escolha profissional. Eu já sabia: ia fazer Psicologia. Quando fiz magistério tive aula de psicologia, o basicão. Mas eu gostei muito da professora e me interessei em saber como se dá o apaixonamento. E não só a paixão homem/mulher, mas a paixão como um fenômeno. Tinha enorme curiosidade sobre isso e achei que a psicologia ia responder a essa questão. Então, no segundo ano do ensino médio, decidi que ia ser psicóloga.

Acho que foi uma escolha acertada porque, desde que me formei, nunca atuei em outra área além da psicologia, nunca! Saí da faculdade com emprego, trabalhando com crianças num programa de desenvolvimento infantil, mas as instituições têm uma sombra gigantesca, com a qual sempre me embati. Acabei pedindo demissão porque cheguei a uma encruzilhada profissional; eu queria mais, e para isso precisaria me distanciar um pouco da psicologia, algo que não queria fazer.

Depois que saí de lá amarguei dois anos sem perspectiva, questionando minha escolha profissional: foram tempos muito difíceis. Mas por outro lado redescobri o prazer da vida doméstica, de cuidar do lar, de cozinhar, algo que nunca foi muito "a minha". Sempre fui para o mundo, trabalhava fora desde os 13 anos, então foi uma época da descoberta desse outro lado. Compreendi mais minha mãe, me senti mais conectada com o mundo dela. Acho que o cuidado da casa, da alimentação, toda essa coisa do valor do trabalho manual começou nessa época. O cuidado com a casa é um tipo de meditação...

Depois da faculdade, fiz uma especialização em Arteterapia. Foi bem no começo da arteterapia no Brasil, antes das associações e das regulamentações que existem hoje. O curso tinha a carga horária mínima necessária, mas como era um campo bem novo não tinha prática de ateliê e eu sentia falta disso. Quando terminei o curso, vi que me faltava o domínio de técnicas artísticas. Percebia que, se não as dominasse um pouco mais, poderia erroneamente interpretar a dificuldade de um paciente como um bloqueio ou trauma, quando na verdade poderia ser uma dificuldade com a técnica. Então resolvi que precisava conhecê-las melhor, não com perfeição porque meu objetivo nunca foi ser artista, mas conhecer melhor esse universo, e procurei um amigo artista plástico de cujo trabalho sou fã. Eu ia toda tarde para o seu ateliê e ele me dava aulas de diferentes técnicas: fiz acrílico, mosaico, pintura, escultura. E, junto com a prática, fazia os diários dessas experiências, o que tinha pensado, como aquilo tinha me mobilizado, o que tinha sentido. Foi uma forma de ir criando um mapa do que cada técnica desperta e propicia; ficou uma coisa bem rica, acho que desse modo acabei completando a minha formação.

Depois de trabalhar uma temporada num hospital estadual, decidi retomar a atividade acadêmica. Foi também nessa época que resolvi aprender *patchwork*. Fui para o curso para aprender e usar no meu trabalho com as pessoas, como já havia feito com as outras técnicas. Comecei a fazer os blocos básicos do *kilt* e eles viraram um bolsa. Quando aquela bolsa ficou pronta, alguma coisa aconteceu dentro de mim, fiquei encantada, tive um apaixonamento – essa primeira bolsa ainda é meu xodó.

Com todas as outras técnicas que eu tinha aprendido, fazia durante um tempo e depois parava. Mas com a costura não. Arranjei um canto na minha casa especificamente para isso e lá coloquei a máquina de costura da minha avó, que ganhei da minha mãe, depois de ela ter comparado uma mais moderna. As primeiras costuras foram feitas na máquina da minha avó.

Um dia, minha tia e madrinha, a quem sou muito ligada, me contou uma história de família que eu nunca tinha ouvido antes. Contou que meu bisavô, avô dela e da minha mãe, veio de uma família só de alfaiates. Eles tinham uma alfaiataria na Suíça que passava de pai para filho. Como meu bisavô era o único filho homem, a alfaiataria ficaria com ele, mas como ele não queria isso de jeito nenhum fugiu para o Brasil. Aqui teve 13 filhos, e todas as filhas que trabalharam fora trabalharam na indústria de confecção têxtil. E uma delas se casou com um alfaiate...

Foi aí que me lembrei da minha ligação apaixonada com a costura para minhas bonecas, e que minha monografia de conclusão no curso de arteterapia foi uma análise do filme *Colcha de retalhos*. E a costura acabou sendo o tema do meu doutorado. Acho que a questão com a costura na minha vida é uma saga familiar! É engraçado como algumas coisas a gente só vai linkar tempo depois. É como com os retalhos: depois que você reúne e organiza é que vai se dando conta da trama.

A época em que trabalhei no hospital foi também a primeira vez que vim para São Paulo estudar. Foi quando descobri como a prática "casava" com a teoria, tudo que tratava do manejo com o paciente e com o ambiente era exatamente aquilo que intuitivamente fui construindo. A teoria veio depois para entender, para embasar e respaldar. Fui da construção da prática para o embasamento teórico, um caminho bem diferente do que eu costumava trilhar.

E essa atitude permanece comigo até hoje, essa coisa do ouvir, do ler o ambiente e depois buscar um embasamento teórico. Hoje, conduzindo grupos, percebo que tudo começa num movimento mais intuitivo de percepção, de acolhimento, de continência daquilo que está sendo trazido. Isso é muito mais importante do que a teorização, que tem sua importância, é claro, mas que não pode vir antes da escuta, do olhar, do encontro com aquele outro que está ali na sua frente.

Quando saí do hospital, minha clínica já estava consolidada e resolvi me dedicar a ela integralmente. Foi aí que retomei a carreira acadêmica: primeiro o mestrado, depois o doutorado.

PRIMEIROS CÍRCULOS
É um círculo de mulheres?

Sempre trabalhei com grupos, inicialmente com alguns *workshops* sobre mandalas. Eu já havia trabalhado com grupos antes – em processos seletivos, por exemplo –, mas a primeira vez com foco terapêutico foi nesses *workshops* – cuja proposta inicial era um contato lúdico com a pintura de mandalas. O grupo era aberto a todos, homens e mulheres, mas só mulheres responderam a esse chamado. Acho que as mulheres estão mais abertas a lidar com as questões da alma, a se ocupar mais disso. Talvez até porque esse "campo" seja culturalmente mais permitido às mulheres.

E todos os inúmeros grupos que fiz depois nunca foram vetados aos homens, mas só vieram mulheres. Não é que homens não podiam vir, eles simplesmente não vieram! Hoje está muito na moda essa coisa de círculos de mulheres, mas eu não propunha meus grupos como um grupo de mulheres, era um grupo terapêutico com um tema. Mas, pensando bem, acho que a maioria dos meus temas está ligada às questões do feminino. Não só o feminino no sentido de gênero, mas o feminino como princípio, como forma de estar no mundo. Tenho também minhas convicções feministas, e só trabalhei em grupo com mulheres, ainda que não tenha sido por opção. Então acho que o meu trabalho é um trabalho de círculo de mulheres! Não dou esse nome, mas acaba sendo isso.

O TRABALHO COM OS CÍRCULOS
Um tema e o uso de recursos expressivos

Não trabalho com grupos abertos. Meus grupos têm sempre uma proposta fechada de um número determinado de encontros – pode ser até um encontro pontual – para trabalhar determinado tema. Em todos também há o uso de recursos expressivos, da arteterapia. Quando você tem um tema, atrai as pessoas que se interessam em trabalhar com ele; essa já é uma forma de selecionar quem vai participar do grupo.

O conto ou o mito, o poema ou um trecho literário são recursos que utilizo como disparador para levantar a temática, para trazer as questões, para a pessoa buscar na sua história como está se relacionando com isso.

Partimos de uma reflexão, de uma correlação entre mito universal e mito pessoal, e usamos tecidos, linhas, agulhas, colagens para dar forma, para criar algo que possa ser reconhecido como símbolo, impregnado pelo significado pessoal que cada um dos participantes viveu naquele encontro. Que é um encontro com o grupo, mas acima de tudo um encontro consigo mesmo.

Acho que um grupo não acaba sem a gente trocar, sem falar o que foi, como foi, o que sentiu, o que não sentiu. Pelo menos no início e no fechamento tem esse momento de troca, mesmo que seja um grupo de um só encontro. Mas nos grupos de vários encontros sempre existe um momento maior de partilha, sempre existe a troca de histórias de cada uma, ligada ao tema trabalhado. Percebi que nos grupos de mulheres parece existir uma predisposição para a pessoa compartilhar, se abrir, se colocar. Configura-se um "campo energético" que propicia a troca, a abertura, a segurança, a cumplicidade. Acho que existe uma busca muito grande desse tipo de encontro pela possibilidade de a gente se olhar como mulher, de sentir pertencimento. Acho que isso é arquetípico...

Além disso, também existe o material confeccionado, o que torna as histórias palpáveis. Por exemplo, fiz um trabalho de costura da própria história. Então quando a mulher vai costurar no tecido elementos ou cenas de alguma parte da sua história, de certa maneira acontece uma "materialização". Especialmente a costura tem isso de tornar visível, de colocar a mão na massa, e esta ideia: "Está na sua mão". E esse material confeccionado por cada uma é visto no grupo, existe essa troca também. Acho que isso é muito importante!

Nunca tive uma vivência de sombra grupal, provavelmente pela natureza do meu trabalho. O foco dos grupos que conduzo é muito mais no processo interno de cada um, o grupo funciona mais como um continente, um vaso alquímico, um espaço ritual. E, quando você usa recursos expressivos, em geral isso propicia a introspecção. E também tem a questão da delimitação do tema e da duração do grupo, acho que isso dá um "contorno", a pessoa já vem com a intenção de trabalhar isso nela. O foco fica mais no trabalho pessoal e o grupo serve como acolhimento, ressonância e um compartilhar de histórias; acho que por isso a sombra grupal não se constela. Mas é preciso estar consciente desse processo e atento ao seu eventual surgimento. Talvez isso seja mais bem observado nos grupos de longa duração.

A CONDUTORA
As condutoras têm de saber muito bem o que estão fazendo

Mas existe o problema da sombra em relação à condutora. É fundamental que na condução do grupo esteja alguém que saiba muito bem o que está fazendo. Quando você começa um grupo, não sabe direito o que pode emergir, não conhece o tamanho do "buraco" emocional de algumas pessoas, que muitas vezes pode ser imenso. Se você propõe um trabalho que vai mobilizar as pessoas, precisa estar preparada para dar suporte àquilo que aflorar. Então, quem conduz o grupo tem de estar muito atento e manter a coisa no nível de aprofundamento que quer, não deixando ir além. Acho que quem conduz é que tem de dar esse tom de "até onde vamos". E isso é uma preparação que é, claro, técnica, de formação, mas também é de *feeling*. É do conhecimento da sua profundeza, de até onde você foi, para saber até onde você consegue ir com o outro, até onde consegue segurar.

Já vi, em alguns trabalhos de que participei, a pessoa que estava na condução deixar aprofundar demais e depois não ter condição de lidar com o que aflorou. De não conseguir trazer a pessoa que ficou mal de volta a um estado mais tranquilo. Então as pessoas saem bagunçadas, confusas, machucadas. É bem preocupante! Acredito que é preciso ter cautela porque hoje tem muito grupo feminino disso e daquilo, então a gente tem de saber bem aonde vai, quais são os nossos objetivos, quem é a pessoa que está conduzindo, como é sua proposta, como ela trabalha. Hoje escolho muito bem os trabalhos de que participo e, nos trabalhos que proponho, sempre tenho um cuidado muito grande com essa questão. Quando faço um grupo que vai ser mais longo, fazer terapia pode até ser pré-requisito, dependendo da natureza do trabalho e do nível de profundidade a que pretendo chegar. Mas em qualquer grupo que conduzo sempre pergunto sobre quem já fez ou faz terapia, para poder me balizar.

Acho que quem trabalha com grupos, seja de que natureza for, tem a obrigação ética de estar constantemente em análise: você precisa estar sentada aqui e sua sombra, à sua frente, para você estar sempre olhando para ela. Por exemplo, é muito fácil cair numa inflação de ego; as pessoas acabam projetando algo especial em você e você pode acabar acreditando nessa projeção. Então é preciso ser capaz de receber essa projeção, acolher o que vem, mas não se identificar com ela. Às vezes você tem a oportunidade de conhecer o trabalho de gente que admirava e acaba percebendo que a pessoa se pôs num patamar tão alto que não dá nem para ser discípulo, pois você não consegue chegar à "altura" em que ela se colocou!

Acredito que, da mesma forma que as participantes veem na condutora uma mestra, a condutora também tem de ver as participantes como mestras. É preciso estar num nível em que a gente possa trocar, e em que a condutora tanto possa afetar como ser afetada. Senão fica como aquele deus cristão lá no alto dos céus com o qual a gente não se relaciona, perde o encanto, não tem humanidade; paixão precisa de reciprocidade. Sem essa humanidade fica uma relação unilateral, e aí não vale a pena. Jung dizia: "Ao tocar uma alma humana, seja apenas outra alma humana".

JORNADAS DE CURA NOS CÍRCULOS
Percebendo que nossas dores são parecidas

Eu não gosto muito da palavra "cura", acho um termo questionável no sentido psicológico. O que cura significa? Será que em algum momento da vida a gente atinge esse estado? Vamos falar então em processo curativo, algo que nunca termina, só se aprofunda. Para mim, esse processo começa no momento em que a pessoa aceita participar do trabalho. Afinal, existem inúmeros trabalhos, então por que a pessoa prioriza um e não prioriza outros? Por que para algumas coisas a pessoa arruma tempo e para outras nunca arranja? Acho que, ao escolher um trabalho, o impacto dele já começou.

O processo de transformação é diferente no trabalho individual e em grupo. Acredito que o trabalho em grupo – e não estou falando de terapia de grupo, que é uma coisa diferente – traz uma sensação de pertencimento. Ele traz a possibilidade de honrar nossa história, de nos ouvirmos falando para o outro aquilo que vai no fundo de nossa alma. De falar aquilo que mal conseguimos expressar porque a gente acha que é tão fora dos padrões, que é tão terrível! E num grupo, especialmente quando existem acolhida e uma boa condução, é possível enxergar que nossas feridas são muito parecidas, que algumas são até arquetípicas.

Essa possibilidade de identificação, essa sensação de pertencimento e de acolhimento só o grupo proporciona. Na terapia individual você tem isso por parte do terapeuta, mas quando você está num grupo existe a partilha com aquela que é seu "outro", aquela que pode ser sua irmã, sua amiga, sua filha, sua mãe. Isso faz que a gente tenha a possibilidade de nos enxergar um pouco pelos olhos do outro e ver que nossas dores são muito, muito parecidas. E isso é muito curativo!

FORMAÇÃO, QUESTÕES FINANCEIRAS E AMPLIAÇÃO DOS CÍRCULOS
A constante ligação com a costura

Meu primeiro trabalho com um grupo foi um *workshop* de pintura de mandalas. Para montar esse *workshop* fui buscar no meu acervo tudo que já tinha estudado sobre isso e também novas informações sobre o assunto. E pesquisando cheguei a Joan Kellogg, arteterapeuta americana que estudou extensivamente as mandalas e desenvolveu a técnica chamada MARI® (Mandala Assessment Research Instrument), uma ferramenta projetiva para a abordagem da psique, um instrumento de acesso ao inconsciente.

Descobri que havia um grupo nos Estados Unidos que detinha os direitos da técnica, mas não tinha a menor condição de ir para lá fazer a formação naquela época. Depois de muita insistência e dificuldades, acabei conseguindo fazer a formação a distância. E me saí bem, tanto que acabei ajudando outra brasileira a fazer sua supervisão. Com isso acharam que eu havia dominado a técnica muito melhor que supunham e me ofereceram para fazer o curso de professora. Fiz e me tornei a primeira professora de MARI® fora dos Estados Unidos. Hoje conduzo essa formação no Brasil. Desenvolvi também um trabalho para grupos com base na teoria da Joan Kellogg que chamei de "A individuação na grande roda da mandala".

Sempre achei que minha vida acadêmica ia ser assim: ensino fundamental, ensino médio, faculdade, mestrado, doutorado. Na época em que trabalhava no hospital, comecei a desenvolver um grupo de pesquisa e a montar o programa de estágio em Psicologia no meu setor; esses foram os primeiros passos na carreira acadêmica. Na Psicologia da USP conheci minha orientadora de doutorado. Acabei deixando meu cargo como psicóloga na administração pública e assumi fazer o doutorado. E ele acabou "costurando" todas essas questões que foram sendo alinhavadas desde lá atrás, quando retomei meu contato com as linhas e agulhas. Nele eu discuto questões simbólicas e arquetípicas ligadas à costura, sua relação com o feminino, com os grupos, e a relação que existe entre o têxtil e o texto.

Ao longo da escritura da tese fui achando textos, imagens e referências sobre a costura, o bordado, a tecelagem. Fui acumulando material de contos, mitos, poesia, trabalhos acadêmicos, artigos, e não necessariamente esse material vai caber na tese. Então resolvi criar a página no Facebook Outras Costuras. Nessa página uma rede foi se formando – tenho o grupo dos amigos escritores, poetas e o grupo dos psicólogos – e as referência continuam a vir. Sinto que com esse tema eu me conecto com as pessoas e elas, comigo.

Tenho um lado que me puxa bastante para o intelectual, a pesquisa, os estudos, e outro para o fazer com as mãos, especialmente a costura. Acho que uma coisa complementa a outra. Passo fases em que fico com as costuras "fechadas" porque estou vivendo tudo de forma intelectual, e momentos em que preciso voltar para o manual mesmo.

Penso que a costura tem uma coisa muito feminina, talvez pela ligação com a nossa história. A costura data de mais de 10.000 a.C., e todos os achados mais antigos dão conta de que isso era um trabalho executado pela mulher. A costura é para a mulher o que a lavoura é para o homem, no sentido da semeadura, da criação. Tem toda uma relação com a tessitura da vida, o poder criativo. As mitologias mais antigas falam de divindades femininas tecelãs. Há muitos mitos iniciáticos femininos relacionados com a tecelagem. Com a costura sinto que cumpro algo que está no meu DNA; é algo que preciso para viver, faz parte de mim. Trazer esses elementos para os grupos que conduzo, para pensar o feminino – ou melhor, os femininos –, enriquece a minha prática e percebo que tem um eco também com outras mulheres. Até mesmo os homens se interessam pelo tema!

OLHARES PARA A VIDA...
A visão do sagrado

Fui criada, me batizei e casei na igreja luterana; isso veio do meu avô suíço, pai da minha mãe. Mas tenho muito mais um relacionamento com o sagrado da vida, da natureza, com o mistério da vida, algo que não chamo de religião, mas que é religioso em essência. Minha relação com a espiritualidade é muito mais no sentido do exercício de ser o melhor que posso ser como pessoa nesse mundo para as pessoas que encontro. É um exercício de me dedicar diariamente ao processo de me conhecer e de poder estar na minha melhor forma na relação com o outro e com o mundo. Percebo que esse posicionamento tem muito que ver com uma atitude religiosa em relação à vida. Reconheço que também nisso sou profundamente influenciada pela psicologia junguiana.

Raquel Marques

Raquel coordena uma ampla rede virtual feminina e viaja o país para defender e discutir políticas públicas referentes aos direitos da mulher. Formada em Processamento de Dados, tem mestrado pela Faculdade de Saúde Pública e é doutoranda pela Faculdade de Medicina da USP. É presidente da Ártemis, empresa social que visa minimizar as desigualdades de gênero. Mantém a página do Facebook https://www.facebook.com/artemisong/ e o site http://www.artemis.org.br/. Em 2018, foi eleita codeputada estadual de São Paulo pela Bancada Ativista.

Entrevistamos Raquel, 40 anos, em 27 de junho de 2017, na sede da ONG Ártemis, em São Paulo. Seu carisma, capacidade de articulação e energia guerreira brilharam ao contar a história pessoal que a impulsionou a lutar por essa causa. Como diz o ditado, com um limão que recebeu da vida ela fez uma bela limonada para servir ao feminino.

MÃES, AVÓS, INFÂNCIA
Tudo que eu não quero é ser igual à minha mãe

Venho de uma família tradicional: pai, mãe, três filhas. A família do meu pai era um matriarcado: as mulheres conduziam as coisas. E do lado da minha mãe as mulheres também eram fortes. Minha avó sustentou a casa durante muito tempo vendendo bolo, salgado, enfim, se virando para poder fechar as contas. Minha mãe vem dessa toada, mas dentro da minha casa a coisa meio que se inverteu.

Meu pai sempre foi muito correto do jeito de família tradicional, mas com minha mãe ele tinha um relacionamento assimétrico e violento em termos psicológicos. Ela era totalmente dependente economicamente dele: fez a escolha tradicional de parar de trabalhar quando casou e de ficar em casa com as filhas. Acho que era muito realizada como dona de casa e mãe, mas isso custava a ela um sentimento de certa burrice ou fragilidade perante o mundo. A maioria das mães das nossas amigas trabalhava, tinha uma posição mais autônoma.

Ela era muito identificada com o papel de mãe e de cuidadora, e enquanto era mãe de crianças foi supertranquilo, mas adolescente não quer mais isso. Ficou um ninho vazio ali. E quando minha irmã caçula entrou na adolescência, minha mãe ficou bastante deprimida. Ela passou a ter convulsões, parou de dirigir e se sentia humilhada por tomar Gardenal, "porque é remédio de louco". Ficou com uma vida meio esvaziada porque não tinha carreira, não tinha grana, dependia do marido. Nesse momento de depressão ela pegou uma gripe, que em sete dias virou broncopneumonia, e faleceu aos 44 anos, foi super-rápido. Eu tinha 19 anos, uma irmã, 17, e a outra, 13. E vi que é muito ruim ser frágil, ser dependente. Pensei: "Vou fazer completamente diferente. Tudo que não quero é ser igual à minha mãe. Quero ser o contrário dela".

DESAFIOS ENFRENTADOS POR SER MULHER
Eu tinha me colocado numa "gaiola de ouro" e me trancado dentro dela

Meu pai queria muito um filho homem, e acho que de certa maneira cada uma das filhas foi tentando suprir esse desejo. E eu tenho esse papel... masculinizado talvez, não sei. Fiz duas faculdades: uma de manhã e uma à noite, trabalhando à tarde. Fui na busca de me afirmar por meio do dinheiro, do poder. Queria vestir *tailleur* e salto alto, ganhar uma puta grana, comprar um puta carro. Achei que com isso ninguém podia me fazer mal, porque seria dona do meu nariz e não ia engolir sapo de ninguém.

O meu pai dizia: "Quando você tiver 21 anos vai ter sua casa, fazer o que quiser, ser dona do seu nariz". E quando fiz 21 anos peguei a mochila e vim para São Paulo (sou de Santos) morar numa república de mulheres, querendo curtir a vida. Curti um mês, dois meses, e aí acabei "ficando" com o dono da empresa onde trabalhava como desenvolvedora de *software*. Era uma relação assimétrica, porque além de ser meu chefe ele era quase 20 anos mais velho. Saí com ele um dia, e no dia seguinte de novo.... Em seis meses a gente estava morando junto e depois de um ano eu estava muito deprimida sem saber bem por quê. Fui procurar terapia e a terapeuta disse: "Bom, você tem de tomar um pouco de posse do seu território". Eu tinha ido morar numa casa que era dele, com móveis dele – e ele não admitia que mexesse em nada, trabalhava na empresa dele, estava numa cidade que não era minha e sim dele... Eu estava ficando igual à minha mãe.

Foi megadifícil esse processo, mas dei algumas ajeitadinhas e a vida andou. A coisa mais sábia que deveria ter feito é ter caído fora, mas... E aí começou um jogo meio insidioso na relação, que hoje sei que tem nome: violência psicológica. É um enredamento, meio assim: "Eu não posso contrariar porque senão fica um climão..." São dias sem se falar, mas "tem o trabalho juntos"... E: "Vamos amenizar essa situação, essa aqui é a nossa empresa..." Só que não era nossa, era dele. E nunca foi o meu sonho, era o dele.

Quando a mãe dele, sócia da empresa, se afastou porque teve Alzheimer, para facilitar a questão de papéis ele me colocou de sócia com 1%. Um dia, sem falar antes comigo, ele chegou com o contador e o documento para eu assinar. Fiquei putíssima, mas assinei o papel... E depois o contador falou: "Ah, agora leva ela para comprar um vestido bonito". É isso que importa, não é? Um por cento, sendo que eu "carregava aquele piano"! Trabalhava muito mais que ele, porque fazia o operacional. Ele saía para vender, vendia um projeto, e eu é que tinha de ir atrás das pessoas, contratar, comprar a prazo, entregar... Era um trabalho bem pesado. Eu era responsável por fazer a empresa funcionar, mas nunca tive acesso ao financeiro.

Não sabia colocar em palavras o que era, mas aquilo estava me deixando enlouquecida. Eu tinha me colocado numa "gaiola de ouro" e me trancado dentro dela. É muito insidioso. Você não percebe onde está se enfiando e, quando vê, está lá dentro.

Em 2005, estava me organizando para me separar. Havia muitos anos eu queria duas coisas: um cachorro e queria muito ter um filho. Maternidade sempre foi uma questão forte para mim. E ele não queria nenhum dos dois. Mas nessa hora em que eu ia me separar ele me deu um cachorro e fiquei grávida. A gente teve um primeiro filho, foi bem legal, ficamos muito felizes com a criança. Cinco meses depois estava grávida do segundo. Dois partos em casa, supergostosos, os meninos muito legais. Só que aí voltou uma série de questões, porque nesse processo ele foi me enforcando financeiramente.

A empresa nunca tinha como me reajustar. Quando os meninos nasceram e surgiram as despesas extras, em vez de me pagar melhor ele as dividia meio a meio, até os centavos, como sempre fez. E não dava mais para pagar metade de tudo com o que eu ganhava. Àquela altura, eu não conseguia mais pagar o IPVA do meu carro, meu plano de saúde... E não podia arrumar outro emprego porque o negócio era nosso. Eu não conseguia sair da relação.

A relação foi indo por água abaixo, mas as crianças trouxeram coisas muito boas para mim. O primeiro filho trouxe muito um "eu"... Eu tinha perdido o meu valor, não sabia mais quem era, mas quando ele nasceu voltei a me sentir confiante. E o segundo filho trouxe a questão da sexualidade da mulher. Pensei: "Estou muito negligenciada aqui. Eu quero mais". Tentei resolver isso na relação, sem sucesso; fui fazer terapia e foi muito legal.

O terapeuta me fez ver o jogo de violência psicológica. Meu ex-marido sempre dizia: "Você me decepcionou. Eu não pensava que você fosse assim". Cheguei a uma sessão chorando muito, falando: "Acho que nunca mais vou me relacionar com ninguém, não quero decepcionar mais ninguém". Aí o terapeuta me explicou o óbvio: que a expectativa do outro é do outro. Se a pessoa se decepcionou, problema dela, que fantasiou uma coisa que você não é. E aí me veio essa coisa de engaiolar, porque a gente fica querendo agradar, corresponder à expectativa do outro e não dá certo. Nossa, foi tão libertadora essa sessão! Fiquei tão mais firme e confiante que meu ex-marido comentou: "Quero fazer terapia com esse cara". Os dois não podiam ter o mesmo terapeuta, então parei de fazer terapia para ele fazer! Ele começou, mas depois de uns meses o terapeuta não quis mais atendê-lo. Eu nunca soube o que aconteceu; liguei algumas vezes para o terapeuta, mas ele nunca me atendeu.

Tentando melhorar as coisas e um pouco mais confiante de que merecia mais, fui buscando outros caminhos, pensando assim: ele está aí, é um bom pai, a gente construiu coisas juntos, vamos ver o que dá para fazer. Fiz uma última tentativa de tentar manter o *status quo*, não deu certo e fui buscar outra pessoa. A gente começou a sair esporadicamente, e isso foi terrível. Meu ex-marido ficou na dele, não falou nada, mas foi se organizando para uma saída minha da empresa, cortando todos os contratos profissionais que dependiam de mim. O que eu não sabia é que a minha vida era completamente monitorada pelo celular, pelo GPS e pelo acesso que ele tinha ao meu computador.

Naquelas férias escolares fiquei com as crianças, trabalhando em casa. Quando eles voltaram para a escola, fui olhar no banco e ele estava havia dois meses sem depositar o meu *pró-labore*. Perguntei por que e ele me disse: "Eu preciso falar alguma coisa?" Eu: "Você não precisa falar nada. Vamos então nos separar. Vamos vender esse apartamento..." A gente já tinha tido umas conversas de como fazer caso se separasse, como guarda compartilhada etc., mas na hora de separar mesmo o cara veio com uma "voadora". No dia seguinte tinha oficial de justiça para me tirar de casa. No processo ele me chamou de tudo quanto foi nome, dizendo que eu não tinha condições morais de ficar com meus filhos, desde porque sou ateia até obviamente os diálogos que tinha com a pessoa com quem estava saindo. Mas num primeiro momento ele não conseguiu me tirar de casa, nem a guarda dos filhos.

Eu estava sem trabalho, porque o meu trabalho era a nossa empresa, e ele falou: "Vai procurar os seus direitos". Só que o nosso dinheiro todo estava com ele, porque eu só tirava o dinheiro do mês. Tinha uma grana superjusta, e ainda estava havia dois meses sem o pouco que ele pagava.

Fiquei dois anos morando com ele em litígio, com ação no fórum, e o processo não andava. Nenhum dos dois melhorava nada da casa porque havia a possibilidade de a gente sair a qualquer momento. Só que todos os assentos das cadeiras estavam rasgados e já não tínhamos mais nem onde sentar para comer. Chamei um tapeceiro para consertar as cadeiras e ele não deixou o tapeceiro entrar. O porteiro disse que não podia entrar ninguém. Eu disse: "Meu, é a minha casa! A casa é dos dois!" Mas o porteiro ouviu meu ex-marido, não a mim. E o síndico bateu a porta na minha cara.

CÍRCULOS DE MULHERES

Então, no começo de 2013 peguei uma mochila para cada filho, uma para mim e fui para a casa da minha irmã, deixando um recado de que voltaria para buscar o resto das minhas coisas e dos meninos. Aí ele trocou a fechadura da porta, e quando voltei para pegar as coisas ele não me deixou entrar. Depois de um mês já não dava mais para ficar na casa da minha irmã. Consegui uma quitinete no centro da cidade que um amigo emprestou. Tinha um frigobar, um micro-ondas e só. Não tinha mais nada, a gente dormia no chão.

Foi uma briga muito grande pela guarda das crianças. Ele não aceitava a guarda compartilhada. E acabei achando que era injusto ficar com os meninos porque, por um lado, com o pai eles tinham uma casa que, bem ou mal, estava estruturada, era onde eles cresceram, a vida que conheciam. Por outro lado, comigo eles iriam morar numa quitinete sem móveis, com a mãe naquele momento desestruturada psicologicamente e financeiramente. Não conseguia nem trabalhar direito. E aí deixei que ele ficasse com a guarda. Estavam com 6 e 7 anos na época. Eu ficava com eles em finais de semana alternados e podia visitá-los das 18h às 21h, às terças e quintas.

Cara, é foda! Você fica em função das crianças durante anos, sua rotina é totalmente orientada para eles, tem aquele barulho, movimento... E acabei ficando sem nada. Sem as crianças, morando num apartamento vazio e sozinha. Foi muito, muito, muito difícil! Nessa hora, cheguei à conclusão de que a vida não fazia mais nenhum sentido. Porque a gente trabalha para construir coisas, comprar casa, tocar empresa, ter uma relação de 11 anos com alguém, ter filhos... E de repente perde tudo! Nada do que eu tinha construído ficou comigo: nem relação, nem filho, nem bens. A gente coloca uma energia nas coisas como se valesse a pena, mas nada é nosso! Nada, nada é nosso! Nada tinha mais sentido, não queria mais viver, fiquei pensando em me matar. Eu não conseguia trabalhar, não conseguia fazer nada! Às vezes era o meu dia de pegar as crianças e eu não conseguia nem ir buscá-los porque... Não dava.

Um relacionamento abusivo não se resolve do dia para a noite. Eu fiquei 11 anos em um. Vi numa pesquisa recente que demora em média oito anos para a pessoa sair de um relacionamento violento; parece que esse círculo tem de acontecer muitas vezes para a pessoa perceber que é um padrão. Depois que você passou 50 vezes por esse contexto é que fala: "Ah, agora entendi!"

As vítimas de violência querem justiça, e eu digo: "Gata, você não vai encontrar justiça na justiça. Nem em lugar nenhum. A gente vai discutir o que fazer daqui para a frente. Você quer processar, processa, mas não espere justiça". É muito triste a impotência diante das nossas instituições que não funcionam. Ano passado fizemos um trabalho que denunciava as violências não físicas que as mulheres sofrem. Fizemos um levantamento das decisões judiciais e vimos que o judiciário revitimiza as mulheres que já estão machucadas. Não basta elas passarem por aquela coisa horrível, ainda vão encontrar o agressor no fórum várias vezes, vão ter de contar aquela história várias vezes, terão de ler relatos horrorosos que eles escrevem sobre elas, terão de contar para a advogada... Tudo isso para no final a decisão não as acolher, falar que "não foi nada".

JORNADA PESSOAL
Isso aqui é o parto que eu tive lá atrás, no sonho!

Quando tinha 15 anos, tive um sonho cinestésico, que dá a sensação de que realmente aconteceu. Foi muito louco, muito vivo, uma experiência muito forte. Sonhei que tive um bebê na cama, na casa dos meus pais, num parto domiciliar desassistido – no sentido de que eu estava sozinha. E nasceu uma menina, a Bárbara. Acordei extasiada com a experiência! Aos 18 anos tive um segundo sonho, no qual pari um segundo filho naquela mesma cama do primeiro sonho, também num parto desassistido. Naquela noite pari uma criança chamada Bruno. Achei os dois sonhos malucos e muito legais! Mas ficava esse negócio: "Foram sonhos, isso não existe, parto não é assim, parto é no hospital, parto bom é cesárea..."

Quando casei, queria muito ter um filho, e fui buscar na internet informações sobre gravidez e parto. Era 2001, tinham poucos sites e blogues sobre isso, mas achei um site de quatro mulheres que haviam passado por uma experiência de parto traumático e estavam questionando o modelo obstétrico brasileiro. Aí falei: "É isso! Isso aqui é o parto que tive lá atrás, quando tinha 15 anos! Isso existe: tem gente tendo esses filhos desse jeito!" E pirei!

Umas 300 pessoas se encontravam num grupo do Yahoo! para discutir esse assunto virtualmente. Eu me conectei a elas e passei a fazer parte dessa militância do parto humanizado. Mesmo não grávida, gastava muito do meu dia nesse mundo, acompanhando, aprendendo sobre obstetrícia, conhecendo pessoas, engajada nisso. Ainda era só ativismo virtual.

Eu faço parte do movimento do parto humanizado desde 2001, e nesse movimento tinha conhecido a Ana Lúcia, que se tornou uma amiga. A gente dizia que, quando fôssemos velhas e ricas, teríamos uma ONG para trabalhar com mulheres. Nós não tínhamos ficado ricas, mas na hora em que eu passava pela separação, pela perda da guarda dos filhos, dos bens e de tudo, ela podia tirar um ano sabático e me falou: "Olha, eu não preciso me preocupar em ganhar dinheiro e quero fazer isso. Vamos juntas?"

E eu respondi: "Cara, eu estava pensando em me matar, mas esse é um 'plano' que posso colocar em ação a qualquer momento. Nada me prende e nada me impede. Então, vamos!" Eu tive de perder tudo, tudo, tudo.... Se essa proposta chegasse em qualquer outro momento da vida em que eu tivesse alguma coisa a perder, não teria embarcado nessa em que estou agora. Só fui porque não tinha mais nada a perder.

PRIMEIROS CÍRCULOS
Minha primeira roda de mulheres foi virtual, mas muito potente

Conheci pessoalmente a Ana Cristina Duarte [obstetriz e criadora do Grupo de Apoio à Maternidade Ativa (Gama)] em 2003, num encontro que ela promoveu com um obstetra. Depois veio uma parteira, também fui à palestra dela. Mas era muito pontual. Quando fiquei grávida do primeiro menino, comecei a participar de rodas de gestantes, que também é um negócio muito legal. Depois que eles nasceram, eu participava de rodas de mães, a gente se encontrava em piqueniques. As mulheres sempre buscando mais mulheres para se conectar, mas não tinha uma formalização ou alguém que chamava, o que havia era esse desejo de sempre estar entre nós.

A minha história foi muito no virtual. Eu trabalhava demais, o marido e a empresa me monopolizavam. Como pessoa de tecnologia de internet, acho que a gente não pode descartar o virtual como inexistente. Acho que roda de mulheres não necessariamente tem de ser presencial. Eu vi o fortalecimento de vínculos entre pessoas que não se conhecem no pessoal, mas o afeto e o apoio estão lá. Então posso dizer que minha primeira roda de mulheres foi virtual, mas muito potente, muito interessante e de verdade, não *fake*.

E as amizades que saíram dos grupos virtuais extrapolaram muito a questão do parto. Hoje meu vínculo com a minha família é quase nulo, acho que eles não entendem a minha língua. Em compensação, há outras pessoas que são minha família e foram críticas nesse meu processo. A gente ia à casa de alguém, às vezes tomar um vinho, se apoiar e chorar. Amigas foram comigo à delegacia fazer boletim de ocorrência e ao fórum me dar apoio em dias de audiência. Quando meu marido não me pagou uma amiga me deu um trabalho, um emprego, me deu uma grana. Então a ajuda delas aconteceu das mais variadas maneiras...

O TRABALHO COM CÍRCULOS
Ártemis: uma rede de atuação nacional

E depois do convite da Ana nasceu a Ártemis, com o objetivo de trabalhar as causas com que a gente lidava: a questão do parto, dos direitos reprodutivos, da violência no nascimento, das cesarianas desnecessárias. Mas depois fomos vendo que o buraco era muito mais embaixo, que tudo isso é sintoma de um patriarcado, da mentalidade vinda de uma cultura violenta com as mulheres, na qual elas não têm valor como pessoas, só como reprodutoras ou qualquer outro papel social que ocupem.

As pessoas nos conhecem por uma questão, mas depois vão nos trazendo outras. Está tudo muito imbricado: a questão da gravidez, depois do puerpério, e nesse puerpério as relações às vezes ficam adoecidas ou a pessoa começa a viver uma violência. A gente foi se imbricando em outras causas dos direitos das mulheres, de aborto a violências não físicas contra elas. Porque todo mundo é contra a violência doméstica, contra o soco no olho. Mas e as coisas mais sutis, a destruição do patrimônio, a violência psicológica e moral? Isso é previsto em lei, as mulheres entram com processos, mas.... Eu mesma não ganhei os processos. Perdi todos os meus bens, nada foi reconhecido.

Aqui não existem muitos momentos de roda presencial, o que existe é essa irmandade que vai e vem. Eu faço parte de um grupo e as pessoas me acessam de manhã, de tarde e de noite, sábado, domingo, feriado, Natal, de qualquer jeito. "A minha irmã está apanhando. Eu estou com esse problema." "Alguém não está conseguindo um parto em tal lugar, não deixa entrar acompanhante." E aí a gente vai tanto no pessoal, um a um, quanto acessando a rede. É muito mais uma questão de rede do que de círculo ou de presença. Hoje a gente tem uma rede de atuação nacional. A Ártemis atua e tem representantes no Rio Grande do Sul, no Paraná, no Pará, em São Paulo, no Centro-Oeste, Amazonas e Pará, Rondônia, no Sudeste todo. E isso circula; por exemplo, chega para mim: "Tem uma mulher em Dourados que está passando por uma situação assim, assado". Eu: "Quem conhece alguém em Dourados?"

Tem esse atendimento pessoal, mas a gente nasceu para fazer políticas públicas. Uma de quatro mulheres sofre violência no parto, segundo pesquisa da Fundação Perseu Abramo. E isso com subnotificação, porque na verdade é mais. Ou seja, no mínimo 25% das mulheres sofrem esse tipo de violência. E a cada três minutos uma mulher é estuprada. Não existe organização que consiga dar conta do tamanho dessa violência.

E no trabalho voluntário as pessoas vêm e vão. Uma coisa é o trabalho pontual: eu preciso, peço, alguma mulher ajuda. Mas não dá para contar com a constância no trabalho; a tendência do voluntariado é de pouco tempo de permanência. Assim, uma função importante da Ártemis é cutucar o governo a fazer o que é papel dele, cumprir as obrigações e implementar políticas públicas de verdade; isso vai melhorar a vida de muitas mulheres. Funciona assim: as ativistas "fazem a cama", cutucam os vereadores e me pedem para convocar uma audiência pública e chamar tal organização. Aí vou lá e falo o que elas não querem ou não podem falar. Meu papel é causar um constrangimento público, dizer: "Olha, Secretário de Saúde, você não está cumprindo o seu papel. Prefeito, tem de mandar ele embora porque desse jeito não dá. Fecha a Santa Casa porque está uma porcaria". Papel complicado? Eu adoro!

A Ártemis ainda é muito virtual. Antes a gente se reunia em casa, agora tem sede. Eu quero entregar esse local na mão das mulheres e falar: "Façam!" Eu quero uma roda de samba de mulheres lá embaixo todo mês, quero que se ensinem técnicas de

CÍRCULOS DE MULHERES

defesa pessoal, quero um café conduzido por mulheres. Quero que qualquer mulher, a qualquer momento, possa vir aqui, independentemente de ter grana ou não, nem de saber o que está rolando. Alguma atividade vai ter para ela se encaixar e para conversar. A gente tem de começar a construir uma egrégora aqui, um domo de energia que ilumine até em cima.

A CONDUTORA
Lidar todo dia com a violência é adoecedor

Eu evito fazer atendimentos pessoais de vítimas de violência. Quando as pessoas chegam a mim, explico o caminho da Defensoria ou do Ministério Público onde se consegue esse tipo de ajuda. De vez em quando me envolvo, mas geralmente apresento o caso a outras pessoas. E a gente está falando de violência contra mulheres que estão sofrendo até ameaças de morte. Preciso de cuidado e espaço para não misturar isso com a vida dos meus filhos e com a minha, pois a tendência é esse tipo de trabalho nos engolir inteiras.

Lidar com a violência todo dia é adoecedor. Primeiro, a pessoa que sofreu a violência precisa de muita escuta, ela passa o dia inteiro chorando, contando a história várias vezes. Depois, são relatos que nos fazem reviver nossa história. Teve determinado momento em que a minha dor estava tão misturada com a dor das outras mulheres que eu estava adoecendo. Teve uma que insistiu muito, queria porque queria que eu a ouvisse, e o caso dela era parecido com o meu. Lembro que parei o carro, atendi o telefone, ouvi e comecei a chorar. Disse: "Cara, não posso te escutar porque essa é a minha história". Terminou com ela me consolando!

Agora tenho conseguido um equilíbrio, dei uns passos atrás. Por exemplo, hoje encaminho as pessoas e às vezes digo: "Não posso te escutar, eu me envolvo, me sinto mal, fico doente". Primeiro preciso me salvar para depois ajudar os outros. Tenho de ter um momento de estar ativista, acessando e apoiando os outros, e ter um momento de falar: "Foda-se! Vou ver meu seriado na televisão".

JORNADAS DE CURA EM CÍRCULOS
Rede de apoio e solidariedade

Uma vez me ligaram: "Olha, tem uma garota, que está apanhando muito do pai e precisa de ajuda". Era uma estudante de um colégio tradicional de São Paulo, de 17 anos, cursando o terceiro colegial. Um histórico familiar bem complicado. O pai tinha batido nela dentro do boxe do banheiro, o vidro espatifou, cortou a menina. Ela chamou a polícia, e a polícia deu um sermão nela: "Você tem de obedecer ao seu pai". E foi embora. Fui atrás de alguém que a acompanhasse à delegacia. Uma pessoa se dispôs, foi à delegacia, ao IML, fez todo o processo com ela, das 6 da tarde às 3 da manhã. Mas, depois, para onde iria a garota? Ela não podia voltar para casa. Falei para trazer para a minha casa. Aí me chega uma menina de chinelo, 17 anos, suja, ensanguentada, fodida. Ela dormiu lá e no outro dia perguntei: "Do que você precisa?" "Eu preciso ter onde ficar e ver o que vou fazer da vida", ela respondeu. Então uma amiga minha, a Marina, disse que poderia hospedá-la em casa pelo tempo que precisasse. A menina estava abaladíssima, precisava de uma psicóloga. Aí a Érica se prontificou: "Traz ela aqui que eu atendo de graça". Ela precisava de um advogado para pedir pensão para o pai, que tinha de sustentá-la até a maioridade. Aí a Julia disse: "Eu faço o processo dela". Depois outra falou: "Consigo um emprego para ela onde eu trabalho". E assim foi. A rede funciona! Hoje essa menina está viajando o mundo, virou mochileira, estava no Peru pela última notícia que tive dela.

Como é que a gente consegue tanto apoio e solidariedade? Porque de alguma maneira a gente se reconhece na violência. É assim: eu sei o que você está passando e te curar me cura, faço por mim. Isso é que dá solidez, porque as pessoas vão de coração aberto para a outra mulher que está precisando de ajuda e cada uma faz isso no seu momento. A menina que apanhava do pai disse que ia fazer Direito para lutar pelas outras mulheres. Hoje está viajando pelo mundo, mas talvez daqui a cinco, seis anos ela esteja no ponto de ajudar outras. Eu também consegui ficar em pé novamente, mas demorei muito tempo. Então, quem passa por isso nunca mais se torna insensível, não tem como.

Eu dou aula de Marketing em cursos de doulas todo mês desde 2011 no Rio, em São Paulo, no Sul... Doula é a mulher que dá suporte no parto. As alunas vêm de todo lugar do país, e até de Angola. Isso faz que eu tenha essa rede tão espalhada no país inteiro, porque depois a gente se conecta pelo Facebook. E a gente vai seguindo a vida da outra, acompanhando, conversando, curtindo, vendo as fotos, falando da vida.

Mas nossa questão mais forte são as políticas públicas. A gente procura trabalhar no atacado, porque se formos querer substituir o papel do Estado não vamos dar conta, nosso impacto no mundo vai ser pequeno. E com políticas públicas, às vezes, se consegue melhorar a vida de 20 mil mulheres, 30 mil mulheres.

Por exemplo, em Poços de Caldas tinha uma situação horrorosa de atendimento ao parto. O hospital de lá já tinha feito 360 partos naquele ano – e nenhum deles foi normal! Há dois anos e pouco me chamaram e fui lá. E numa audiência pública falei: "Os bebês estão nascendo prematuros? Porque se nenhum está escapando da cesárea é sinal de que estão tirando esses bebês da barriga antes da hora". Criei um auê com a ajuda das ativistas locais, que antes "fizeram a cama" para minha atuação. Falei das leis que estavam sendo violadas, pedi encaminhamentos. Teve depoimentos de mulheres contando suas histórias, chorando, aquela coisa toda. Saiu até na capa do jornal de Poços de Caldas. Foi uma luta, mas hoje Poços de Caldas é referência de parto no sul de Minas. E assim tem sido minha atuação.

A partir desse trabalho com as mulheres eu me curei. E tenho me reconstruído de uma maneira muito gostosa, muito criativa, com muito propósito, com muito sentido. É assim que cheguei aonde estou hoje.

Encontros presenciais: mobilização para mudar

Pela questão da maternidade, conheci no Facebook duas mulheres, Caroline e Lígia, e ficamos amigas. A Caroline é atriz, a Lígia é cientista. Um dia dissemos: "Depois que se é mãe muitas mulheres não têm mais tempo para si. Como isso é adoecedor, como a gente precisa de um respiro! A gente podia fazer uma viagem para elas simplesmente pirarem, beberem, acordarem tarde... Vamos inventar uma imersão, um curso. Mas uma coisa muito leve".

O primeiro encontro foi com 15 mulheres num sítio bem legal. Uma noite assistimos a um filme que discutia a relação com a mãe, *Divinos segredos*, depois ficamos conversando, a maioria tem muitas questões não resolvidas com a mãe. No outro dia jogamos um jogo projetivo, ouvimos músicas com temática feminina, discutimos que mulher é essa representada pela cultura. Propus uma atividade de colagem, para que a gente encontrasse nas revistas coisas que descrevessem o "eu" que ninguém conhecesse, que a gente não lembrava mais: enfim, o que se perdeu nesse caminho. E foi um disparador que mobilizou tanta coisa que estava esquecida e faltando! Terminou com uma carta para o futuro que elas escreveram para si mesmas dialogando com o que iam viver depois. Conversamos, trocamos ideias e pegamos uma série de ganchos para multifacetar.

Hoje continuamos a conversa por WhatsApp. Depois desse encontro, muitas foram mobilizadas a mudar de alguma forma, a buscar algo para si na vida. Uma participante entrou na aula de canto, outra está fazendo não sei o quê... Isso tudo foi muito transformador, muito catártico para muitas pessoas. Não sei que mágica que tem aí, mas sei que ela não está nas pessoas que mediaram o grupo, está na potência do encontro. Qual é o pulo do gato? Qual é o segredo do sucesso disso? Não sei. Eu sei que saí transformada, Ligia e Caroline também. Saímos verdadeiramente nos sentindo melhor, mudando, buscando outras coisas.

Não ensinamos nada a ninguém, não teve nada prescritivo do que se deva fazer. Foi uma coisa muito íntima, porque o que a gente propunha era uma reflexão interna. Elas falaram o que queriam e se não queriam não falavam. Então, foi uma coisa que aconteceu muito dentro e a gente, de verdade, nem sabe bem o que aconteceu. E foi incrível como existia no grupo uma simetria de pessoas, para cada uma tinha outra com a questão semelhante ou oposta que esclarecia. É mágico.

Vamos fazer mais encontros assim, talvez um por mês, um pouco nessa crença de que "vamos ver o que vai dar", porque o primeiro foi muito bem-sucedido, bom para todo mundo, inclusive para nós. É meio bizarro. Sou meio cética, racional, cientista, mas quando penso nessa atividade, sinto como se tivesse saindo uma coisa do meio da minha mão.... uma árvore nascendo da mão. Acho que isso vai dar certo.

FORMAÇÃO, QUESTÕES FINANCEIRAS E AMPLIAÇÃO DOS CÍRCULOS
Festas Ártemis

Há um tempo vieram ativistas do Brasil inteiro aqui para São Paulo para um evento, mulheres que conheço desses 16 anos de estrada. Resolvemos fazer uma festa para nos encontrar. Uma moça que tem uma casa noturna aqui na Barra Funda abriu a casa para a gente fazer uma festa Ártemis lá. Imaginei que viessem umas 50 pessoas, só que vieram 400 mulheres! Veio artista, blogueira, gente do YouTube, uma DJ superlegal fez o som. Tinha música alta, mas vieram mulheres com filhos pequenos, grávidas, mulheres amamentando. Tinha cinco homens, o resto tudo mulher. Foi uma sensação de liberdade, uma potência, um encontro, uma coisa louca! E não tinha contexto sexual: o que estava colocado ali era a liberdade de ser e de estar bem.

OLHARES PARA A VIDA...
Eu interrompo a história da minha mãe aqui!

A teoria de redes diz que a gente não é capaz de gerenciar mais de cem contatos e que é por isso que as tribos eram pequenas: não conseguimos conviver com muitas pessoas ao mesmo tempo. Mas eu vejo mais um padrão de que algo vai, vai, vai, acontece – e então ocorre uma cisão, divide, talvez um pouco como uma célula. Muitos grupos femininos podem ser assim. As pessoas são parceiras, felizes, e daqui a pouco se separam. Não quer dizer que alguém pare as atividades, mas sim que fazem com outra turma. Normalmente as pessoas terminam magoadas com isso, mas olhando de cima, sistemicamente, me parece que é algo positivo, não é ruim, não. Pode ser uma coisa confortadora a gente se cobrar um pouco menos e pensar que, cada vez que há uma separação, as coisas não morrem, mas sim nascem núcleos distintos.

Eu e a Ana fundamos a Ártemis e hoje não estamos mais juntas. A Ana fundou outra ONG, mais com essa questão assistencial que a alimenta. E eu fiquei mais com outro lado. Tenho a ideia de construir algo sólido, que resista ao tempo quando eu for embora. Alguma coisa que funcione por si, que as pessoas se sintam pertencendo a isso, que cuidem, levem adiante.

Hoje eu não entendo muito bem o que é o amor, nem o que é orientação sexual. A maneira como a gente é criada é tão forte e nos condiciona em tantos níveis que fico na dúvida de dizer se sou hétero ou se aprendi a ser hétero. E as relações com os homens estão muito difíceis para mim. Não consigo mais sair do nível sexual com eles, e mesmo assim cada vez com menos interesse – porque se ele faz uma coisinha já corro assustada, ou aquilo me aborrece, ou já sei onde aquilo vai acabar, ou não tenho mais paciência para isso...

Acho que dá para sair um pouco do concreto e confiar mais na vida, porque todo o resto posso perder. Já perdi muito, e isso me deixa mais corajosa porque já estive lá e sei que se você não morre, sai dessa. O que mais pode acontecer de pior? O que pode acontecer de pior é eu ainda querer me matar, mas tudo bem, já estive nesse lugar também. É uma coisa deliciosa ver a vida passando, olhar as coisas e saber mais, confiar mais.

E há muito o que andar ainda, ter mais confiança, estar ainda mais a serviço das coisas. A Raquel muito jovem estava querendo se atender: "Eu quero para mim um carro, uma casa, me provar, ser independente". E hoje sei que eu existo no outro. Enquanto o outro está bem, também estou. Sei que se investir em todos os meus amigos e todos eles ficarem bem, de alguma maneira estou junto e bem também. Se eles estão fortes, nada de mal vai me acontecer. Mas isso não é no individual, é no grupo. Um amigo ou outro pode falhar, mas no grupo eu sinto que existe essa força.

Quando a Ártemis começou a gente não tinha nada. A Ana pagou as primeiras despesas e o contador. Eu mal tinha para o meu aluguel naquela ocasião. De repente uma pessoa que eu pouco conhecia fez um depósito na conta – e um depósito grande, que muito nos ajudou! O marido da Ana, um psicanalista junguiano, disse: "A Ártemis vai dar certo, porque olha a força que a natureza fez para vocês estarem aqui, para as coisas acontecerem... É muito esforço! Enquanto tiver de ser, será; e o dia em que tiver de fechar, acabou e outra coisa vai surgir". Mas a gente tem de ver esse círculo acontecendo várias vezes para confiar que é verdade, e só o tempo traz isso. Tem de passar por umas 50 coincidências para você começar a desconfiar que no fundo está tudo certo.

Meus filhos foram acompanhando tudo comigo. O pai ficou com tudo, empresa, apartamento, e eu comecei do menos não sei quanto, porque ainda fiquei com dívidas. No começo, no apartamento dormíamos nós três numa cama de solteiro, só depois consegui um beliche. E há dois anos e pouco aluguei um apartamento na Lapa, dois quartos, casa com jeito de casa. Agora o dinheiro começou a aparecer e estou arrumando detalhes, pintei a sala, coloquei cortina. De vez em quando esmoreço, fico chateada pensando que vai faltar dinheiro, e meu filho mais velho diz: "Mãe, já aconteceu tanta coisa! Olha só o que você fez. Vai dar certo, mãe. Você já venceu".

Construir uma coisa nova é ser referência sem saber o que vai ser. Errar, acertar, dar ré, experimentar... É um processo angustiante e ao mesmo tempo maravilhoso. Se quero outra coisa? Não. Quero a certeza de uma vida morna? Não. Eu interrompo a história da minha mãe aqui! Quando olho para trás consigo construir uma narrativa e dar sentido: tudo, desde a profissão e a faculdade que fiz, era uma preparação para o dia de hoje. Embora meu ex continue me espezinhando, nem consigo ter tanta raiva, porque na minha narrativa ele foi só um personagem, um coadjuvante para que eu brilhasse.

Soraya Mariani

Soraya criou e dirigiu o Espaço Cirandda da Lua por 14 anos, onde coordenou círculos de mulheres e outros trabalhos dirigidos às questões do feminino. Hoje atende em seu consultório e realiza diversos trabalhos com foco no feminino em outras cidades, outros estados e fora do Brasil. Foi idealizadora dos Encontros Mundiais de Círculo de Mulheres. Mantém no Facebook a página https://www.facebook.com/soraya.mariani.5 e o site http://www.ciranddadalua.com.br.

Soraya, 50 anos, nos recebeu para a entrevista em seu consultório na Vila Mariana em 20 de janeiro de 2017, tarde muito quente de uma sexta-feira, dia de Vênus. Não é coincidência: a energia amorosa de Vênus/Afrodite é a maior inspiração dessa mulher calorosa e expansiva. Nossa conversa durou quase quatro horas e foi coroada por uma chuva torrencial, que fertilizou o encontro.

MÃES, AVÓS, INFÂNCIA
Infância no quintal de uma avó benzedeira

Até os meus 9 anos, meus pais moravam num quarto/cozinha/banheiro no fundo do quintal da minha avó paterna, em Mauá, no ABC. Tive a sorte de ser criada num fundo de quintal; isso é muito legal – e ainda melhor na casa de uma avó benzedeira, que viveu até os 97 anos e recebia muita gente em casa. Ela pegava plantas no quintal e benzia as pessoas, mas nunca falava que era benzedeira. Segundo ela, eu não tinha o dom para cozinha, mas tinha para mexer com as ervas e receber os outros. Percebo hoje que minha facilidade de lidar com pessoas, além de ser uma característica da minha natureza, foi muito incentivada por essa infância lúdica ao lado de uma avó que possibilitou o contato com muita gente. Ela foi superimportante na minha vida! Minha avó foi sempre muito afetiva e acolhedora. E isso tem muito que ver com o círculo de mulheres. As pessoas buscam no círculo esse acolhimento, esse afeto.

A minha outra avó também tem uma história forte. Para salvar a família, casou-se aos 15 anos com um homem de 40, morou na roça e não estudou. Essa mãe da minha mãe, que teve cinco filhos, disse a eles: "Eu tive de casar, tive de me sacrificar, mas vocês vão estudar!" E todos eles se formaram. É dessa linhagem feminina forte que eu venho.

Quando eu tinha 9 anos fomos morar em Santo André, e começaram os problemas da minha mãe com meu pai. Meu pai era um homem lindo, ainda é, mas só que era um Zeus. Pegava todo mundo, saía com todo mundo. E minha mãe, também bela, aceitou essa vida de traições contanto que ele a ajudasse a criar os quatro filhos. Imagine o que essa mulher sofreu sendo traída incessantemente. Ela não aceitava a separação; separar-se era ir contra tudo aquilo em que acreditava. Mas viveu com muita amargura, ressentimento, muita dor! Então ela achou um escape: foi para o lado do trabalho e do estudo. Minha mãe se transformou numa Atená. E de certa forma me encarregou de ser a cuidadora dos irmãos menores. Isso com 13, 14 anos. Ela dizia: "Soraya, amanhã eu não vou estar mais aqui, então você aprenda a cuidar dos seus três irmãos". E foi o que eu fiz; levava para a escola, dava banho, trocava fralda...

Eu, que era cuidada por uma avó, passei precocemente a cuidar. Isso tem muito que ver com o que sou hoje, com o que decidi ser na minha vida, meu aspecto cuidador. Mas que também tive e tenho de trabalhar para não pegar o papel de mãe do outro. Eu já tenho a tendência a gostar de tudo e de ser otimista demais. Só que quando uma pessoa percebe isso pode abusar, e essa "coroa" de cuidadora acaba ficando pesada.

Com 19 anos eu já namorava há algum tempo, e pensei: "O que é que eu vou fazer da minha vida? Vou ser mãe! É a única coisa que sei fazer bem-feito. E vou ser professora". Casei então muito jovem, tive logo meu filho e também logo me separei. Eu queria ter um casamento que não fosse como o da minha mãe, infeliz.

Nessa época, eu e minha mãe vivemos uma história triste. Liguei para ela para contar da separação, para pedir colo, acalanto, e lembro que ela disse uma frase que ficou marcada: "Sem casamento não apareça aqui!" Na época ela foi muito dura! Depois, com meu filho ainda pequeno, tive um pequeno tumor no cérebro e nos aproximamos de novo. Por causa disso, minha mãe, que tinha ido totalmente para o lado intelectual, aproximou-se muito do lado religioso. Ela sempre foi católica e hoje, com 76 anos, entrega no metrô folhetinhos do movimento mariano. Tenho muito orgulho dela, de ela ser quem ela é, tenho mesmo! Mas nossa relação nem sempre foi fácil.

E, como minha mãe sempre foi muito católica, foi difícil quando comecei a lidar com a questão da feminilidade sagrada, da deusa e de rituais para a deusa. Para ela, isso era ser herege, pagã. No começo eu escondia meus altares da minha mãe. Olha como ela é influente na minha vida! São necessários 50 anos de terapia!

PRIMEIROS CÍRCULOS
Primeira experiência com grupo de mulheres e com a irmandade feminina

Todas as mulheres da minha família trabalhavam na área da educação. Quando estava terminando o magistério, comecei a trabalhar nessa área na prefeitura. Foi quando casei e tive meu primeiro filho. Pensei que seria educadora para o resto da vida, mas não. Percebi que não era isso que queria, pelo menos não naquele momento. Pedi demissão e logo depois fui trabalhar em um banco.

Nessa época eu já tinha um grupo de amigas que se encontrava na minha casa uma vez por mês ou a cada dois meses para tomar vinho, bater papo, falar besteira. Acho que nós temos esse desejo de estar por um tempo só entre mulheres. Eu não queria que "os meninos" participassem desses encontros. E sempre gostei muito dos "meninos", mas não nesses momentos; eles eram só nossos. Só muito mais tarde fui perceber que isso, de certa forma, já era um círculo de mulheres. Mas naquela época estava mais interessada nessa coisa da magia, das ervas, das plantas que curam... Acho que por influência da minha avó benzedeira.

Continuava a trabalhar no banco e gostava, gostava de atender as pessoas. E meu casamento estava acabando... Mas foi uma separação sem trauma, erámos amigos. Nesse momento, com 22 anos, acabei entrando num financiamento e comprando meu primeiro apartamento porque não queria voltar a morar com minha mãe. Eu já era ousada! Minha sogra, mãe do meu primeiro marido, virou minha grande amiga, e foi ela quem me ajudou a criar meu filho, especialmente no começo da separação. Olha essa relação com o feminino! Eu tinha medo de dirigir, só tirei carta com 27 anos. Até os 6 anos do meu filho Jonas, até eu tirar carta, ela ia me buscar em casa de manhã, me deixava no banco, levava o Jonas para a casa dela, cuidava dele, e às 17h30 ia me buscar e me deixava em casa com ele. Ela era ex-sogra! Ela dizia: "Você tem de ser feliz!" Isso, para mim, tem que ver com irmandade feminina.

DESAFIOS ENFRENTADOS POR SER MULHER
Perdendo a "pele de foca"

Fiquei no banco até os 25 anos e lá conheci o pai da minha filha. Estava sentindo desejo de ser mãe novamente, de ter uma menina. E acabei namorando, meio que de brincadeira, o pai da Júlia. Engravidei e ele quis que a gente morasse junto. Relutei, porque não era isso que eu queria de verdade, mas acabei cedendo. Sabe o conto "A pele de foca"? Acho que esse foi o único momento da minha vida em que fui perdendo a "minha pele de foca". Vendi meu apartamento e vim morar em São Paulo com ele. Foi uma época meio obscura da minha vida, talvez por essa culpa de ser muito livre, de ser muito ousada. Foi uma tentativa de me encaixar, claro que foi! Só que não havia sentimento. Eu o respeitava por ser pai da minha filha, mas a minha relação com ele foi difícil! Muito difícil!

Já tinha feito licenciatura em Artes e comecei a fazer faculdade de Pedagogia. Tinha saído do banco e comecei a me dedicar aos estudos, a fazer tudo quanto era curso para esquecer os problemas do casamento – como tinha feito minha mãe, o mesmo padrão. Fui estudar psicologia, florais, cromoterapia, aromaterapia, danças circulares, jogos cooperativos, pedagogia Waldorf; foi um caldeirão em que acabei me embebedando. Fiz mil formações; era uma fuga, mas também, de alguma forma, uma libertação, porque o mental liberta você em certo sentido.

No começo do casamento, quando eu estava fazendo Pedagogia, ele me propôs montarmos uma escola de educação infantil. Foi o que fizemos. Tivemos essa escola por nove anos, o tempo em que ficamos casados. E, se escola foi uma experiência fantástica, o casamento foi um desastre. Na verdade, nos últimos cinco anos o casamento de fato não existia, mas ainda morávamos na mesma casa. Foi um tempo difícil. E depois, numa separação muito complicada, ele ficou com a escola. Era o preço que eu tinha de pagar para sair daquela situação. E eu fiz um trabalho tão bonito naquela escola! Chegamos a ter 25 funcionários e 150 crianças. Não sei por que não briguei, pus advogado. Acho que, no fundo, me sentia culpada por me separar novamente. Mesmo sabendo que não era culpada, eu ainda sentia culpa.

PRIMEIROS CÍRCULOS
O grupo de mães da escola

No terceiro ano da escola, resolvi montar um grupo de estudos semanal com os pais, usando algum livro que falasse de educação como base para as discussões. Só que o que aconteceu? Só vinham mães, os pais não iam! Mas os resultados foram ótimos. E esse grupo existiu por cinco, seis anos, até eu sair da escola. Eram discussões sobre educação, família, sobre elas mesmas – um círculo de mães. Na verdade, já era um círculo de mulheres, mas isso eu ainda não sabia. Comigo as coisas não acontecem de forma planejada, programada.

A família e os amigos sabiam que eu e ele estávamos de fato separados, apesar de morarmos juntos, mas na escola só as mães que estavam no círculo sabiam. Era um número muito pequeno, só oito, mas aquelas oito davam uma força danada! Mas naquela época eu estava no papel da vítima e por isso não conseguia fazer muita coisa. Quando você é vítima, não tem força para fazer nada; todo mundo tem culpa, menos você. Então você espera, espera sentada! Mas ninguém salva a gente, só a gente mesma. E para isso é necessário assumir a responsabilidade por nossas escolhas. Na verdade, esse é o início do caminho do empoderamento.

JORNADA PESSOAL
A relação com a deusa

Comecei a fazer um curso de bruxaria na Casa de Bruxa, da Tânia Gori. E lá conheci o Ricardo, com quem estou até hoje. Eu já tinha dito ao Paulo que se aparecesse alguém na minha vida eu não ia abrir mão, afinal a gente já estava de fato separado havia anos. No começo não aconteceu nada entre nós dois, só amizade, mas com o tempo foi pintando a paixão. Eu sempre fui muito apaixonada pela vida. Para mim, viver sem paixão por alguma coisa – seja um trabalho, um filho, um homem – é um crime. Então, o encontro com ele me motivou a acabar o que já tinha acabado.

Nessa época eu já estava estudando a deusa havia algum tempo: tinha lido *As brumas de Avalon*, *A dança cósmica das feiticeiras*, conhecia a Mirella Faur, já estava nesse universo do sangue menstrual. Eu fazia ritual para conexão com os ciclos femininos, montava altar. Sempre tive essa relação mística muito forte. Mas isso veio de forma mais consciente quando pedi oficialmente a separação do pai da Julia e fui fazer um curso, na Hera Mágica, sobre o *Livro das sombras,* aquele que guarda os mistérios das bruxas. Foi quando chegaram os *insights*: "Uau! Eu gosto mesmo disso!" Foi quando tomei consciência da deusa e do feminino, porque até então eu sabia que gostava do que era místico, mas não tinha essa consciência da deusa no meu caminho. Foi uma sensação de retorno ao lar! Eu tinha 32 anos e ainda estava na escola.

Na Hera fiz um curso com a Claudio Quintino Crow, pesquisador da cultura celta e irlandês, e nessa época também conheci o Claudiney Prieto, praticante da religião Wicca e fundador da Tradição Diânica Nemorensis. Mas, apesar de me identificar com a Wicca, não sinto que pertenço a nenhuma prática dogmática. Sou uma praticante da espiritualidade feminina, um caminho de resgate e afirmação dos valores sagrados da terra, da natureza e da mulher. O meu templo sempre foi muito mais na natureza. O Parque da Aclimação, por exemplo, sempre foi um templo forte para mim. Dei muitos anos de dança circular lá, gratuita e aberta à comunidade, em gratidão ao parque.

Nos dois últimos anos anteriores à separação oficial do meu ex-marido, já tinha um trabalho paralelo à escola. A Cirandda da Lua nasceu quando eu ainda estava lá. Na época fiz uma parceria para trabalhos corporativos com a Rosana Mazzoco, uma querida amiga e motivadora dessa jornada que estava desabrochando.

Eu não rompi uma coisa e comecei outra depois. O primeiro curso que dei de círculo de mulheres, que chamei de Divina Afrodite, foi na escola, com as mães, algo bem intenso e revelador. Depois, no meu último ano na escola, fiz uma parceria dentro da espiritualidade feminina com a Patrícia Fox. Depois nos separamos e continuei com Cirandda da Lua: esse nome foi uma inspiração que recebi no Parque da Aclimação.

O TRABALHO COM OS CÍRCULOS
A Cirandda da Lua

Quando eu e o pai da Julia nos separamos de fato e ele disse que eu teria de sair da escola, aceitei o preço de sair com uma mão na frente e outra atrás apesar de todo o trabalho que tinha realizado lá, pois já tinha a Cirandda e estava nesse caminho de trabalhar com os círculos. Havia neles um aspecto de cura para mim, era um lugar que curava minhas feridas. Ainda é, mas naquela época era muito mais necessário!

Iniciei o meu primeiro trabalho solo com os círculos de mulheres, que chamei de Círculo Sagrado para Mulheres Contemporâneas. Eu me surpreendi porque apareceram 25 mulheres, mulheres muito especiais. Sentia que sozinha talvez não tivesse competência suficiente para dar conta do trabalho, talvez precisasse de mais preparo, mas fluiu superbem! E foi uma turma que começou com 25 pessoas e terminou com 25 pessoas, e foram nove meses! Foi revelador; me trouxe a certeza da presença em nossa memória atávica e em nossa imaginação mítica desse espaço circular em que as mulheres eram honradas e respeitadas. E a lembrança de uma deusa primordial emergindo das profundezas da terra nos fazendo perceber a importância dos círculos como um caminho de expansão da consciência para empoderar as mulheres. Aprendi que os círculos funcionam como um antídoto para mudarmos de uma era patriarcal para uma sociedade mais justa.

Apesar disso, trabalhar com os círculos fui aprendendo fazendo. Não é fácil. Tive de aprender a lidar com um lado forte meu que é muito maternal, porque não posso me deixar ser abusada ou sofrer muito a cada saída de uma participante ou na finalização da jornada com o grupo. Isso aconteceu algumas vezes, até eu aprender a agir; na verdade, continuo a aprender.

Nos círculos o momento da partilha é fundamental. A partilha é a cura, é o momento do espelho e da aceitação. É um momento em que você pode ser você mesma numa sociedade que lhe pede para ser tantas coisas que não são você. Quando a gente fala qualquer coisa, mesmo que seja pequena, mas que é real, muda alguma coisa aqui dentro de nós, e vivenciamos a irmandade e a solidariedade entre as mulheres.

Nos círculos muito grandes não dá tempo para fazer isso. Esses grandes círculos são mais para despertar, para que as mulheres possam pensar em trilhar esse caminho de cura das suas feridas do feminino. Assim como esses grupos de compartilhamento e informação pela internet podem ser um despertar. São inícios, mas ainda não são cura! Eu já fiz e faço todo tipo de círculo, pequenos e enormes. Acho que meu maior dom é despertar as mulheres para buscar seu caminho.

Sou educadora, então todos os meus círculos sempre tiveram um tempo determinado de duração, um tema, conteúdo programático, tópico por tópico, e no máximo

CÍRCULOS DE MULHERES

21 participantes. E trabalho muito também com dinâmicas de grupo: faço duplas, trios de troca, trabalhos de massagem, constelações, reiki. Tudo que aprendi na minha jornada de alguma forma uso nos círculos; minha metodologia é eclética, compartilho toda a minha experiência. E no curso de Formação de Guardiãs de Círculo de Mulheres elas também têm de apresentar um trabalho de conclusão de curso. Esse curso é uma formação e é também uma iniciação. Eu já sou madrinha de muitos círculos por aí! Até de mulheres que não foram minhas alunas.

JORNADAS SOMBRIAS NOS CÍRCULOS
A ferida do feminino

O feminino tem muita sombra porque tem muita luz. E o feminino está bastante machucado, ferido pelos séculos da cultura patriarcal. Sofreu e ainda sofre muita repressão. E a deusa mãe, essa deusa mãe ancestral, feita de tudo, da energia vital que é luz e sombra, dia e noite, ctônica e celestial, foi se fragmentando nas deusas gregas, nas deusas egípcias. Tudo foi fragmentado. A Maria é totalmente fragmentada. E a gente está fragmentada também.

Então, mulheres juntas têm uma coisa muito forte, boa, e ao mesmo tempo pode acontecer uma coisa terrível e cruel: constelar a sombra. Em todos os círculos que eu tive aconteceram situações desafiadoras. Todos!

E hoje, um pouquinho mais experiente, apesar de ter ainda muito que aprender, vejo que isso acontece porque as mulheres estão tão sofridas e têm tanto medo que querem muitas vezes conquistar tudo, inclusive os homens, e por isso elas competem entre si o tempo todo.

E as mulheres vão esperando que os círculos sejam um lugar só de afeto, mas isso é uma ilusão. O afeto existe, transborda, mas as mulheres têm de entender que o círculo é o melhor lugar para trazer a sombra à tona para ser curada. E esse é o medo das mulheres, porque elas não sabem lidar com isso. Eu também já senti esse medo. As mulheres entram no círculo com a fantasia de que será só um mar de rosas. Por isso muitas mulheres estão saindo do círculo de mulheres falando mal do trabalho, destruindo e não reverenciando.

Eu acho que nos círculos temos de voltar a fazer isso também: falar do que é ruim, falar da chaga, falar que nós, mulheres, temos mil sentimentos, sim, porque somos humanas. Temos medo, temos inveja, temos raiva.

Hoje, para trabalhar qualquer desequilíbrio num círculo eu trago a dança circular antes de qualquer coisa, porque ela quebra aquilo que a gente não compreende. Feito isso, posso entrar com outro recurso para lidar com a situação.

A CONDUTORA
A importância de cuidar de si

Todo círculo de mulheres tem um pouco de caos. Um caos que traz Shiva, mas que traz ao mesmo tempo Brahma e Vishnu. Que traz o destruidor, traz o mantenedor e traz aquele que constrói de novo. Em todo círculo existe a presença arquetípica da grande deusa mãe, celeste, cósmica, telúrica e ctônica, que dá e tira a vida, eterna criadora, mas também ceifadora e regeneradora, a tecelã divina. E, se você souber aproveitar, o momento de a sombra vir à luz pode ser um momento de cura de camadas profundas do inconsciente.

Mas a facilitadora, a guardiã do círculo, tem de estar entregue ao processo e não deixar seu ego tomar conta. Precisa se entregar ao processo, mesmo que tenha de fazer o sacrifício de perder o grupo todo. E buscar ajuda terapêutica para ela mesma, se preciso. Porque eu penso e sinto assim: a minha vontade de ter prosperidade não pode ser maior do que meu desejo de cumprir a minha missão.

Faço terapia há quase 20 anos, sempre com a mesma profissional. Tenho por ela uma admiração profunda porque é muito honesta e consegue colocar limite, o que para mim é bom porque eu me misturo muito, sou bastante emocional e muitas vezes tenho dificuldade de olhar para a vida de forma mais analítica. Não foi tão gostoso no começo, mas foi importantíssimo – então largo tudo, menos a terapia.

Além disso, sempre tive muita fé, mas apesar de vir de família católica nunca gostei de nada dogmático, nem da noção de pecado e culpa. Então fui criando espaços sagrados para mim. Necessito mais dessa conexão com o sagrado quando sinto a necessidade da solidão, de estar só comigo. Essa solitude me é necessária porque sou muito externa, muito para fora.

Gosto de andar, de sair só e andar sem rumo. Às vezes ando o dia inteiro. Então é esse momento de cuidar de mim e também de ser cuidada pelo mundo espiritual. Esse é o lugar interno que me faz bem. Em grupo, só consigo acessar esse lugar interno durante as danças circulares. Quando estou numa dança circular, acesso esse lugar dentro de mim que é de fé, de crença, de religião, de conexão, de interação e de solitude.

JORNADAS DE CURA NOS CÍRCULOS
O círculo como espaço sagrado de cura

Um círculo de mulheres pode ser um têmeno [santuário em grego], um espaço sagrado onde podemos curar nossas feridas mais profundas. Hoje, quando acontece uma manifestação forte de sombra num círculo, falo a respeito disso. Eu trago e vira tema. Tento trazer primeiro de forma mitológica, com uma história, ou com mitodrama, ou com alguma dinâmica, com arteterapia. Às vezes uso o símbolo da caixa de Pandora.

Não trabalho com a pessoa específica, mas com o grupo. Mas é muito difícil trazer à tona. Muitas vezes, quando você traz, alguém sai do grupo, alguém é sacrificado, alguém não volta. Às vezes quem sai é uma pessoa que nem estava diretamente envolvida na situação problemática, mas que estava esperando um momento como aquele para sair porque se decepcionou com a sombra que viu ou percebeu quanto essa sombra também está no seu próprio âmago.

Todos os círculos por que passei, todas as pessoas com quem aprendi – e mesmo aquelas com quem não estudei – eu honro, porque caminharam e caminham na busca do sagrado. Sabemos falar mal dos outros, mas desaprendemos a falar bem. Isto é cura: voltar a honrar quem está no caminho, mesmo que não seja o nosso. Eu acho que o compartilhar... O círculo de mulheres é isso!

FORMAÇÃO, QUESTÕES FINANCEIRAS E AMPLIAÇÃO DOS CÍRCULOS
A questão da cobrança

Outro aprendizado meu com os círculos foi sobre a questão da cobrança. Para o meu trabalho dar certo – isso é uma coisa minha –, eu sempre ofereço alguma coisa para a espiritualidade. Sempre gosto de doar alguma coisa, não para as pessoas, mas para a espiritualidade. Quando comecei o trabalho da Cirandda, pensei: "Para a Cirandda dar certo, vou oferecer gratuitamente dança circular no Parque da Aclimação uma vez por mês". E fiz isso por mais de dez anos. E eu adorava, conheci muita gente lá, acabei ganhando bem mais do que dei.

Mas quando tentei fazer um trabalho sem remuneração com círculo de mulheres, não vingou: as pessoas gostavam, mas não se comprometiam, faltavam, atrasavam. O círculo não conseguiu se firmar. Eu insisti durante dois anos, mas nunca tive uma turma que se manteve por mais de três meses. Elas iam, começavam, desanimavam, mesmo o círculo sendo maravilhoso. E com os círculos pagos isso nunca aconteceu. Nunca cheguei à conclusão do porquê disso, é só a minha experiência.

Os Encontros Mundiais de Círculos de Mulheres

Em 2014, eu estava no Rio conduzindo uma dança circular quando escutei dentro de mim: "Primeiro Encontro Mundial Círculo de Mulheres". Terminei a dança, peguei meu celular, entrei no Facebook e criei o evento. Me chamaram de louca: como criar um evento em tão pouco tempo, e além de tudo chamar de mundial, eu que nem falo inglês? Fiquei nervosa, tensa, mas foi tão gostoso ver mulheres enlouquecidas com a ideia! Não paravam de chegar e-mails com inscrições. E sou muito otimista; até um mês antes não tinha o lugar onde ia acontecer o evento e acabou aparecendo a tenda, no Parque da Água Branca, aquele espaço incrível! E foram 580 mulheres, fora as palestrantes.

Fiz o segundo Encontro na Casa das Caldeiras. Nesse quase fiquei louca. O primeiro fiz praticamente sozinha, eu e minha filha. No segundo juntei uma pequena equipe: uma pessoa que trabalhava na Cirandda e uma aluna, ambas muito bem-intencionadas, mas sem experiência na organização de algo tão grande. E não foi tanta gente como esperávamos. Fiquei com uma grande sobrecarga e acúmulo de funções, e além disso estava acontecendo muita coisa na minha vida pessoal. Passei por momentos difíceis! Eu engravidei, coisa que não esperava naquela altura da vida. Fiquei feliz, mas acabei tendo um aborto espontâneo. E na mesma época meu casamento passou pela primeira vez por uma crise séria e quase acabou. Eu paguei um preço muito alto. Tanto é que eu quase desisti de fazer esses encontros.

Mas no começo de 2016 quis realizar o terceiro Encontro e chamei quatro mulheres para fazer a organização. É difícil as pessoas aceitarem fazer isso porque não tem pagamento e dá um trabalho enorme. Mas eu queria um círculo de mulheres... Organizando o círculo de mulheres. Como idealizadora, propus que se houvesse algum lucro no encontro, nós dividiríamos, mas se houvesse prejuízo eu assumiria todo o risco. As quatro eram mulheres muito diferentes e todas tinham sido minhas alunas nos círculos. Tenho profunda admiração por elas. Eu queria saber como seria essa dinâmica entre nós diante do fator desafio-risco e da pressão envolvidos. O que seria mais importante para o grupo? O que a gente conseguiria manter, preservar? Tínhamos um encontro semanal em que discutíamos sobre o evento: que temas, onde, quem etc., mas tinha também o bate-papo na varanda... Foi um círculo de mulheres com um projeto. Foi desafiador. Eu me senti tão bem com esse grupo!

E por mais que tenha sido difícil o Terceiro Encontro Mundial, por tudo que vivi com o problema que acabou acontecendo[8], a experiência foi muito legal. O que ficou desse "círculo de mulheres empreendedoras" foi o amor. E todas elas gestaram coisas novas e individuais durante esse processo. Todas querem continuar participando dos Encontros Mundiais, mas não querem mais fazer parte da organização, cada uma por um motivo. No começo foi duro para mim. Mas já digeri isso.

Talvez para o quarto Encontro eu precise da ajuda profissional de uma empresa de eventos que possa buscar patrocínios, porque aí a gente não tem de ir atrás do dinheiro. Sem perder as características de um encontro de mulheres, mas ao mesmo tempo sem que eu tenha o desgaste que tive. Tudo precisa de equilíbrio para acontecer, e mesmo que seja o meu sonho precisa fazer sentido, ser fluido e não dar prejuízo para quem organiza.

---

8.   Foi divulgada a presença de uma palestrante internacional famosa por seu trabalho com o feminino para uma palestra e um *workshop*. Ela recebeu integralmente o pagamento, mas não veio alegando não saber que precisava de visto para entrar no Brasil. Avisou as organizadoras três dias antes do Encontro. As organizadoras acabaram contratando um serviço que permitiu que ela fizesse a palestra e o *workshop* por videoconferência. Isso, além de despesas extras, gerou problemas com algumas pessoas que não aceitaram a mudança.

A minha intenção nesses Encontros em primeiro lugar é juntar e divulgar o trabalho das mulheres; esse caldeirão legal em que se valoriza o potencial de cada uma. Eu tenho o meu trabalho, mas tantas outras mulheres também têm trabalhos tão lindos com o feminino! Eu adoro ajudar a divulgar isso! É um orgulho bom saber que você é parte desse feminino sagrado.

OLHARES SOBRE A VIDA...
As 13 avós ancestrais são meu alicerce

De repente, comecei a sonhar frequentemente com mulheres velhas. Já tinha lido no livro da Mirella Faur, *O anuário da grande mãe*, que em várias tribos nativas norte-americanas as anciãs contavam que no início do nosso planeta havia abundância de alimentos, igualdade entre as pessoas e profundo respeito ao sagrado. Mas a ganância levou à competição e à violência, que desviou a Terra de sua órbita, levando-a a cataclismos. Porém, o espírito do profundo mistério se manifestou por meio da mãe cósmica e assim nasceu "O Conselho das Anciãs das 13 Luas", para ajudar a cura e o resgate da Terra. Então fiz a associação: essas avós com que eu sonhava eram as 13 anciãs. Sonhava também com seus símbolos: tartaruga, escudos circulares, pedras, cores etc. Achei que isso tinha um propósito, que elas deviam estar se manifestando nos meus sonhos por algum motivo. E descobri que o propósito da mãe cósmica ao mandar as anciãs para cá era retornar à irmandade das mulheres na Terra. Aí pensei: "Então é isso, devo ter alguma missão com isso: a busca e o fortalecimento da *sisterhood* – a irmandade, a sororidade".

Comecei a me aprofundar nisso: passei por duas formações, com uma mulher da tradição dos "cabelos trançados" e com Dona Inaia, uma senhora que carrega essa sabedoria. Fui atrás de tudo que pudesse ler, mas não tem muita coisa escrita. Então comecei a criar, a escrever, a canalizar do meu jeito. Fui fazendo os rituais, chamando pela energia delas, e aí fui acessando o que se chama o campo do sonhador, que é o lugar onde você busca esse conhecimento. Eu tenho um xodó por essas anciãs. Elas não julgam! Já fiz três turmas sobre as avós, tenho um livro pronto sobre isso e pretendo publicá-lo. Hoje elas são a estrutura do meu trabalho. São o fundamento, as que me ajudam a manter o alicerce do que faço.

Referências

ANDERSON, Sherry Ruth; HOPKINS, Patricia. *O jardim sagrado*. São Paulo: Saraiva, 1993.

BADINTER, Elisabeth. *Um amor conquistado – O mito do amor materno*. Rio de Janeiro: Nova Fronteira, 1985.

BALIEIRO, Cristina. *O legado das deusas*. São Paulo: Pólen, 2014.

BARCELLAR, Laura; LOPES, Fernanda. *Lute como uma garota – 60 feministas que mudaram o mundo*. São Paulo: Cultrix, 2018.

BEARD, Mary. *Mulheres e poder – Um manifesto*. São Paulo: Planeta, 2018.

BOLEN, Jean Shinoda. *O caminho de Avalon*. Rio de Janeiro: Rosa dos Tempos, 1996.

_____. *As deusas e a mulher madura*. São Paulo: Triom, 2005a.

_____. *O milionésimo círculo*. São Paulo: Triom, 2005b.

CAMPBELL, Joseph. *O herói de mil faces*. São Paulo: Cultrix/Pensamento, 1992.

_____. *As máscaras de Deus – Mitologia primitiva*. São Paulo: Palas Athena, 2003.

CASTANEDA, Carlos. *A erva do diabo – Os ensinamentos de Dom Juan*. Rio de Janeiro: Record, 1968.

CHEVALIER, Jean; GHEEERBRANT, Alain. *Dicionário de símbolos*. Rio de Janeiro: José Olympio, 1989.

CHINEN, Allan B. *A mulher heroica*. São Paulo: Summus, 2001.

DEL PICCHIA, Beatriz; BALIEIRO, Cristina. *O feminino e o sagrado – Mulheres na jornada do herói*. São Paulo: Ágora, 2010.

_____. *Mulheres na jornada do herói – Pequeno guia de viagem*. São Paulo: Ágora, 2012.

DOWNING, Christine (org.). *Espelhos do self: imagens arquetípicas que moldam a vida*. São Paulo: Cultrix, 1999.

EISLER, Riane. *O cálice e a espada*. São Paulo: Palas Athena, 2007.

ELIADE, Mircea. *O xamanismo e as técnicas arcaicas do êxtase*. São Paulo: Martins Fontes, 2002.

ESTÉS, Clarissa Pinkola. *Mulheres que correm com os lobos*. Rio de Janeiro: Rocco, 1994.

_____. *A ciranda das mulheres sábias*. Rio de Janeiro: Rocco, 2007.

FAUR, Mirella. *Círculos sagrados para mulheres contemporâneas*. São Paulo: Pensamento, 2011.

_____. *O anuário da Grande Mãe*. São Paulo: Alfabeto, 2015.

FEDERICI, Silvia. *Calibã e a bruxa*. São Paulo: Elefante, 2017.

FERREIRA, Aurélio Buarque de Holanda. *Pequeno dicionário da língua portuguesa*. 10. ed. Rio de Janeiro: Civilização Brasileira, 1961.

FREITAS, Célia de; SANABRIA, Marisa; TOLENTINO, Fátima. *Guardiãs de círculos das mulheres*. Belo Horizonte: O Lutador, 2010.

GONDIM, Adenor. *Itaylê Ogum – Fotografias*. São Paulo: Pinacoteca do Estado, 2004.

HILLMAN, James. *O código do ser*. Rio de Janeiro: Objetiva, 2001.

IBSEN, Henrik. *Casa de bonecas*. São Paulo: Abril Cultural, 1983.

JUNG, Carl G. *O eu e o inconsciente*. Petrópolis: Vozes, 2011.

_____. *Os arquétipos e o inconsciente coletivo*. Petrópolis: Vozes, 2012.

_____. *Sobre sentimentos e sombra*. Petrópolis: Vozes, 2014.

KALIL, Angélica. *Você é feminista e não sabe*. São Paulo: Edição do autor, 2017.

Keyes Jr., Ken. *O centésimo macaco*. São Paulo: Pensamento, 1995.

Paris, Ginette. *Meditações pagãs*. Petrópolis: Vozes, 1994.

_____. *O sacramento do aborto*. Rio de Janeiro: Rosa dos Tempos, 2000.

Ribeiro, Djamila. *O que é lugar de fala?* Belo Horizonte: Letramento/Justificando, 2017.

Sanabria, Marisa. *A segunda vida – Um guia para a mulher madura*. São Paulo: Êxito, 2015.

Saramago, José. *Memorial do convento*. São Paulo: Companhia das Letras, 2013.

Solnit, Rebecca. *A mãe de todas as perguntas*. São Paulo: Companhia das Letras, 2017.

Steinem, Gloria. *Memórias de transgressão*. Rio de Janeiro: Rosa dos Tempos, 1997.

_____. *Minha vida na estrada*. Rio de Janeiro: Bertrand Brasil, 2017.

Tiburi, Marcia. *Feminismo em comum – Para todas, todes e todos*. Rio de Janeiro: Rosa dos Tempos, 2018.

Vargas, Cler Barbiero de. *A sombra nos grupos e círculos de mulheres*. São Paulo: Pólen, 2016.

Woodman, Marion. *A virgem grávida – Um processo de transformação psicológica*. São Paulo: Paulus, 1999.

_____. *A feminilidade consciente – Entrevistas com Marion Woodman*. São Paulo: Paulus, 2003.

_____. *O noivo devastado – A masculinidade nas mulheres*. São Paulo: Paulus, 2006.

Woolf, Virginia. *Profissões para mulheres e outros artigos feministas*. Porto Alegre: L&PM, 2012.

Young-Eisendrath, Polly. *A mulher e o desejo*. Rio de Janeiro: Rocco, 2001.

Zweig, Connie (org.). *Mulher – Em busca da feminilidade perdida*. São Paulo: Gente, 1994.

Zweig, Connie; Abrams, Jeremiah (orgs.). *Ao encontro da sombra – O potencial oculto do lado escuro da natureza humana*. São Paulo: Cultrix, 2005.

www.gruposummus.com.br